Web 動画付録
ユーザー ID &パスワード

Web 動画の視聴に必要なユーザー ID とパスワードは，こちらに記載されております．シール（銀色部分）を削ってご覧ください．

【注意事項】

Web 動画への利用ライセンスは，本書 1 冊につき 1 つ，個人所有者 1 名に対して与えられるものです．第三者へのユーザー ID，パスワードの提供・開示は固く禁じます．また，図書館・図書施設など複数人の利用を前提とする場合は，本 Web 動画を利用することができません．

2022年改訂準拠

第2版

臨床ROM

測定からエクササイズまで

編集 隈元庸夫

HUMAN PRESS

著者一覧

【編　集】

隈元庸夫（北海道千歳リハビリテーション大学 健康科学部）

【執筆者】

隈元庸夫（北海道千歳リハビリテーション大学 健康科学部）

世古俊明（北海道千歳リハビリテーション大学 健康科学部）

高橋由依（北海道科学大学 保健医療学部）

三浦紗世（日本医療大学 保健医療学部）

【撮影協力】

北海道千歳リハビリテーション大学

第２版の序

2017 年に「臨床 ROM」が出版されてから５年が経過した．その間，予想以上に多くの方にご活用いただけたことは，編集者としてたいへんな喜びであった．ここに感謝申し上げる．

「臨床 ROM 第２版」として発刊する本書は，2022 年に「日本整形外科学会，日本リハビリテーション医学会および日本足の外科学会」により，27 年ぶりに改訂された関節可動域表示ならびに測定法に準拠した最新版である．

主な改訂内容は，足関節・足部における「外がえしと内がえし」および「回外と回内」の定義，足関節・足部に関する矢状面の運動の用語，足関節・足部の内転・外転運動の基本軸と移動軸などとなっている．なかでも，今までは国際定義と違いがあった足関節・足部における運動の定義について，「外がえしと内がえし」は前額面での運動，「回外と回内」は前額面・矢状面・水平面での複合運動と国際基準の定義に沿うよう改められた．

ネット環境の発達などによって，簡単に世界の情報が得られる今の時代においては，言葉をきちんと統一して用いる重要性が増している．今回の改訂は，リハビリテーション文化の進展に合致した改訂であり，歓迎すべきものである．言葉とは文化である．よって今後，関節運動を表現する新たな言葉が生まれるかもしれない．しかし，表示法としての言葉に振り回されると関節可動域測定の真の目的を見失う．関節可動域表示法や測定法をマスターするだけなら，測定法一覧表をみたほうが早いかもしれない．ここでいう関節とは可動関節の滑膜性連結のことである．滑膜性連結だからこそ，関節包内で生じている問題やエンドフィールを確認し，代償運動が生じた時は，その理由を考えながら治療にいきる実践リハビリテーション評価に活用していただきたい．そのためにも本書に掲載した「最終可動域での制限因子」「特異的なエンドフィール」「代償運動」が役立つことを期待している．

2022 年 11 月吉日

隈元　庸夫

目次

第Ⅰ章 関節可動域測定とエクササイズ

第Ⅱ章 頚部・体幹における関節可動域測定

第Ⅲ章 上肢における関節可動域測定

第Ⅳ章 下肢における関節可動域測定

第V章 関節可動域エクササイズ

【頸部・体幹の関節可動域エクササイズ】

【上肢の関節可動域エクササイズ】

【下肢の関節可動域エクササイズ】

【付　録】

Web 動画について

本書の中で▶がある箇所には，本文および図に関連した Web 動画を視聴することができます．なお，視聴方法の詳細については「Web 動画の視聴方法」をご参照ください．

Web 動画を視聴ください

開始肢位

Web 動画の視聴方法

本書では，専用サイトで各項目に関連した Web 動画を視聴できます．
PC（Windows/Macintosh），iPad/iPhone，Android 端末からご覧いただけます．以下の手順にて専用サイトにアクセスしてご覧ください．

利用手順

1 ヒューマン・プレスのホームページにアクセス

https://human-press.jp

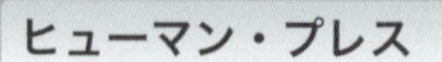

2 ホームページ内の「Web 動画」バナーをクリック

3 ユーザ登録

▶「ユーザ登録説明・利用同意」に同意していただき，お名前・メールアドレス・パスワードをご入力ください．

▶ご入力後，登録いただきましたメールアドレスに「ユーザ登録のご確認」のメールが届きます．メール内の URL にアクセスしていただけると，ユーザ登録完了となります．

4 Web 動画を視聴する

▶ご登録いただきましたメールアドレスとパスワードでログインしてください．

▶ログインしていただくと「Web 動画付き書籍一覧」の画面となりますので，ご購入いただきました書籍の「動画閲覧ページへ」をクリックしてください．

▶ユーザ ID とパスワードは，表紙裏のシール（銀色部分）を削ると記載されています．入力画面にユーザ ID とパスワードを入力し，「動画を閲覧する」をクリックすると，動画の目次が立ち上がりますので，項目を選んで視聴してください．

※ユーザ ID・パスワードにつきましては，1 度入力しますとログイン中のユーザ情報を使用履歴として保持いたしますので，別のユーザ情報でログインした場合には動画の閲覧はできなくなります．入力の際には十分ご注意ください．

※Web 動画閲覧の際の通信料についてはユーザ負担となりますので，予めご了承ください（WiFi 環境を推奨いたします）．

※配信される動画は予告なしに変更・修正が行われることがあります．また，予告なしに配信を停止することもありますのでご了承ください．なお，動画は書籍の付録のためユーザサポートの対象外とさせていただいております．

第Ⅰ章

関節可動域測定とエクササイズ

1 関節可動域測定

1. 関節可動域測定の定義

滑膜性関節において，個々の関節が自動的，他動的に動く範囲を関節可動域（ROM：range of motion）といい，ROM 測定とは関節を自動または他動運動させた時の可動範囲を測定することである．通常は，他動 ROM を測定するが，筋力や痛みとの関係や肩甲上腕リズムなど，複合関節の動きなどを把握するために自動 ROM を測定することもある．また，他動または自動 ROM が制限されている状態を ROM 制限というが，上肢ならびに下肢では参考値に振り回されすぎることがないよう少なくとも左右差の確認が重要となる．

1）自動 ROM 測定

対象者の随意的な自動運動における ROM 測定のことをいう．より実際の身体運動の状況を把握可能となるが，ROM 制限の要因として対象者の随意性，筋力，協調性，拮抗筋などの因子が他動 ROM 測定よりも影響する．そのため，他動 ROM 測定での値と比較することを目的として自動 ROM 測定を行うこともある．自動 ROM 測定は，代償運動（動作）も出現しやすいため，検者の観察能力が必要となる．

2）他動 ROM 測定

対象者が自動運動することなく，セラピストによる他動運動における ROM 測定のことをいう．関節の構築学的異常や軟部組織の伸張性についての情報がえられるが，検者の力の加え方や運動方向の影響を受ける．そのため，より習熟した技術によってテスト再テスト，検者内信頼性を高めることはもちろんだが，検者間信頼性は高くないこともあるため留意が必要となる．検者間信頼性を高めていくために，まずは検者一人ひとりが正しい測定法で実施していくことが重要となる．

2. 関節可動域測定の目的

1）活動制限，機能的制限との関係性を考察

ROM 制限は，機能障害（impairment）のカテゴリーとなる．そのため，ROM 制限が機能的制限（functional limitation）や活動制限（activity limitation）を引き起こしている一因となっているか，また発症からの時期によっては代償運動（動作）による活動制限改善の必要性を検討する．ROM 測定で得られた値が機能的制限や活動制限との関係性に妥当性を有さない場合，初学者は自らの ROM 測定技術に疑問をもちがちであるが，これでは対象者の貴重な時間を使って ROM 測定した意味がないという対象者にとってたいへん失礼な考え方となる．きちんとした ROM 測定で，なぜ機能的制限や活動制限と ROM 測定値の整合性が合わないのか，ROM 測定時の不手際よりも機能的制限や活動制限の評価としての動作分析において生じていた対象者の代償動作について何かを見逃していないかを，むしろ検討していくべきである．そのために少なくとも動作分析より簡便で客観的指標となる ROM 測定では，

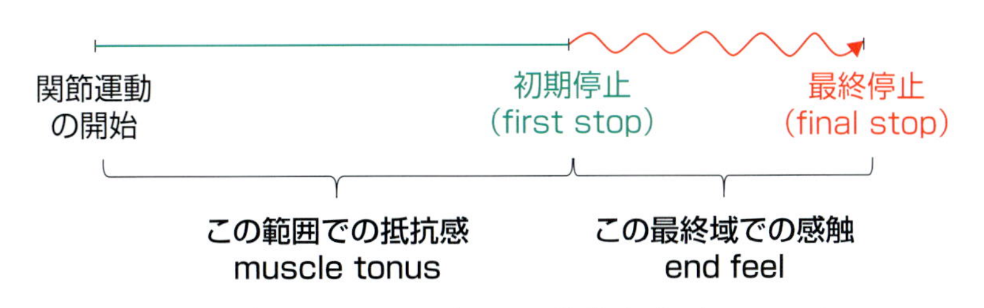

図1　筋トーヌス（muscle tonus）と運動終末感（end feel）のイメージ

きちんとした手法での計測が必須となる．

2）ROM制限因子を考察

ROM制限には，筋，腱，関節包，靱帯などを含めた軟部組織の短縮が制限因子となっている拘縮（contracture）と関節包内の骨・軟骨が制限因子となっている強直（ankylosis）がある．また，関節包および靱帯による制限を強直に含める場合もある．拘縮には，先天性(先天性内反足など)，皮膚性（熱傷後や皮膚挫創後の瘢痕治癒後に発生），結合組織性（皮下組織，靱帯，腱，腱膜など結合組織に起因），筋性（筋線維の短縮や萎縮が原因で筋膜変化合併が多い），神経性（筋トーヌス異常，筋スパズム），関節性（関節構成体での結合組織性拘縮）などがあげられ，ROMエクササイズの適応となる．強直は，先天性(先天性骨癒合症など)，線維性（多くは拘縮進行の結果で，原因は外傷，感染，長期固定など），骨性（関節リウマチなど軟骨破壊後に発生）があげられ，これらはROMエクササイズでの改善が困難となる．

よって，ROM測定では単に測定値を得るだけではなく，他動ROMの最終域で感じる抵抗感である運動終末感（end feel）を確認することで制限因子を考察していく（図1）．関節運動中の抵抗感は筋トーヌス（muscle tonus）であり，end feelとは異なるため注意する．以下に，end feelについてあげる．

a. 軟部組織性

軟部組織の接触によるもので，筋群と筋群が接触してやわらかく止まる感じがする．健常でもみられるもので，肘関節屈曲などで感じられる．

b. 結合組織性

筋，関節包，靱帯の伸張によるもので，皮革を引き伸ばし，かたく止まる感じがする．健常でもみられるもので，肩関節外旋，股関節外旋などで感じられる．

c. 骨性

骨どうしの接触によるもので，骨面どうしがぶつかり突然停止する感じがする．健常でもみられるもので，肘関節伸展などで感じられる．

d. スパズム（spasm）

筋が反射的に緊張し，「ビクッ」と停止する感じがする．健常ではみられず，痛みを有することが多い．

e. バネ様停止（springy block）

可能な最終域で「跳ね返る」感じで止まる．健常ではみられず，半月板損傷などでみられることが多い．

f. 空虚感（empty feel）

最終可動域到達前に痛みが生じ，力が抜ける感じがする．健常ではみられず，急性滑液包炎，神経原性過緊張などでみられることが多い．

ROM 制限は，関節包の滑動性と周辺筋の伸展性が二大因子であり，急性期は筋，それ以降は関節包へアプローチしていくこととなる．また，ROM 制限に関する組織学的検証として，筋線維の蛇行や筋膜コラーゲン線維配列の変化，交叉結合（cross link）の発生，関節包の密性結合組織化が報告[1,2]されている．

3）即時・経時的治療効果の判定と予後予測によるエビデンスの構築

ROM エクササイズの即時効果や経時的変化を，トレーニング前後および経時的で定期的な ROM 測定で比較・検証していくことで，プログラムの妥当性および変更，そして予後予測に活かす．これらの地道な蓄積がエビデンスの構築にもつながる．また，これらの目的の遂行には測定の再現性を高める技術が必須となる．ROM 測定の値を指標とした治療効果を検証する場合，特に近年のセラピストの勤務状況を鑑みると，他者が測定した値と自ら測定した値を素直に比較できるよう再現性はお互いに確保すべきである．

4）徒手筋力検査，片麻痺機能検査などの各種検査の判定基準

筋力検査として最も普及している徒手筋力検査での 2，2－などでは，段階判定として可動域を指標としているため，その段階判定の前段階の手続きとして，対象者がまず徒手筋力検査に必要な関節可動域自体を有しているかの確認が必要となる．また，片麻痺機能検査では運動が随意性，病的共同運動，分離性の問題でできないのか，異常な筋トーヌスによって運動性に制限が生じているのか，それともやはり ROM が問題となっているのかを検討していくため，片麻痺機能検査の前に ROM 測定を行うこととなる．片麻痺機能検査は自動運動での実施となるため，病的な共同運動が出現しやすく，代償運動（動作）がでていない他動 ROM の測定値を事前に把握しておくことは，片麻痺機能検査時の判定のみならず，対象者の動作分析において有益な情報を与えることとなる．

5）各種自助具，住環境への適合判定基準

短下肢・長下肢装具，膝装具，股関節外転装具，肩関節外転装具，コックアップスプリント，対立装具などあらゆる装具の継手などの角度設定だけでなく，杖の長さの妥当性にも ROM 測定の結果は関係してくる．また，車いす作製においてフットレストの位置やハンドリムの設定に必要な情報も与える．装具の一部品であるターンバックルなどで ROM 制限の改善を目指すこともあり，その治療効果や各種自助具などの適合判定基準として用いることもある．住環境への適合基準としては，ドアノブの大きさ，枕やトイレの高さなどの妥当性に関する情報の材料ともなる．

6）治療の動機づけ

評価と治療は表裏一体であり，ROM 測定自体がROM エクササイズともなっている．そのためテスト再テスト信頼性は可動域制限があるものほど，実は変化しやすいこともある．

対象者が訴える主訴，デマンド（demand），ニーズ（needs）は多種多様で，それらを改善し，実現していくには多角的で多段階なアプローチが必要となるが，それには機能障害レベルでの改善を蓄積していくことが重要である．その蓄積結果が具体的な数値として現れるROM 測定値の変化について，われわれが想像している以上に，対象者は心の中で一喜一憂し，機能的制限や活動制限の改善につながることを期待しているのである．だからこそ，あいまいな測定ではなく，きちんとした測定で治療効果を客観的に正しく判断し，対象者の主観的な改善・回復・維持感と共感していけることがセラピストには求められる．

3. 関節可動域測定の手順

1）ROM 測定前の段階

❶測定の必要性を確認する．

❷測定の部位を選択する．

❸測定の順序を体位別に計画する．

❹対象者への説明を準備する．

❺測定に必要な器具〔ゴニオメーター（角度計），タオル，枕，記録用紙，筆記用具など〕を準備する．

【注意・確認】

・測定部は最大限露出して骨指標を確認するがプライバシーへの配慮に留意する．

・体位変換は最小限にして，同体位で行える検査はまとめて実施し，対象者への疲労に配慮する．

・測定法に則らない別肢位で測定する場合は，測定肢位の妥当性を検討する．

・継時的な ROM 測定では，異なった肢位での結果を比較できないことに留意する．

・頚部および体幹などでメジャー法を行う場合はメジャーを，また手指では短いアームのゴニオメーターを準備する．

・事前に室温の確認だけではなく，検査者の手指も温めておく．

2）ROM 測定の開始段階（インフォームド・コンセント）

❶自己紹介と対象者に検査目的を説明する．

❷測定機器〔ゴニオメーターなど〕の説明と実演をする．

❸測定肢位の説明と実演をする．

❹測定部の露出の必要性を説明する．

❺対象者が理解および了解したか確認する．

3）ROM 測定の段階

a. 問診・視診・触診

❶測定肢位での安静時痛，腫脹，浮腫，熱感などを確認する．これらに問題がみられた場合は，他の測定肢位を検討する．

❷測定開始肢位の左右対称性を確認し，非対称的であった場合は，その原因を検証する．

❸変形，脱臼，各アライメント（運搬角，ヒューター線，ヤコビー線，膝関節外反など）を確認し，他関節の運動との関係性に配慮する．

b. ROM 測定の実際

❶基本軸および移動軸の指標を必ず触診する．

❷生じうる代償運動を予測しておく．

【自動 ROM 測定と他動 ROM 測定】

- 痛みや異常筋トーヌスを誘発しないように肢節をゆっくりと愛護的に動かす．
- 関節可動域の運動範囲における筋トーヌスを確認する．
- 関節可動域の最終域で end feel を確認する．
- 運動中および運動最終域のいずれでも代償運動（動作）を観察または触診から見抜く．
- ゴニオメーターの目盛りと目線は，同じ高さ，および垂直方向とする．
- ゴニオメーターを基本軸と移動軸に合わせたまま値を読みとる．
- 角度の読みとりは，通常 5° きざみとする．
- 痛みや異常筋トーヌスを誘発しないように肢節を測定時のみだけではなく，測定後も開始肢位に肢節を戻す時にはゆっくりと愛護的に動かす．
- 値を記録用紙に記載する．また，痛みを有していた場合は P（Pain：痛みの略），痙縮があった場合は S（Spastic：痙縮の略）を併記しておく．
- 参考可動域，左右差，年齢，性，測定姿勢，測定方法，受傷，発症からの期間を十分に考慮し判定する．

4）測定における留意点

❶測定値を求めることに終始せず，代償運動と end feel を確認する．

❷ゴニオメーターは可能な限り対象者に接触させない．

❸原則として，一側のみならず両側を測定する．

❹測定している部位のみでなく，対象者の表情，しぐさ，逃避的な動きを確認し，必要に応じて痛みの評価を施行する．

❺特に肩関節では肩甲上腕リズムを，また体幹では腰部骨盤リズムを確認し，他動 ROM のみでなく，自動 ROM の必要性も検討する．

❻疾患など対象の特性による留意点（表 1）を理解し，最大限のリスク管理を行う．

❼日常生活動作（ADL：Activity of Daily Living）に必要な ROM（表 2, 3）を理解し，ADL と ROM の関連性を検討する．参考可動域が ROM 制限に関するゴール設定となりうるが，まず獲得を目指す ADL に必要な ROM を短期目標とすることもあるため，各 ADL に必要な ROM を把握しておく．例えば，人工膝関節術後に歩行を目標とするのであれば，まずは膝関節屈曲 70° を目指すということである．

表1　対象特性による留意点

【整形外科疾患またはその既往者の場合】
①術式，運動，運動方向の禁忌を確認する
②プロトコールを確認する
③骨折や創部に対する負担を考慮する（医師に事前確認）
④筋力低下がありうるため測定姿勢から戻す時は，特に留意する
⑤RA，RSD の測定は自動 ROM を優先し，他動 ROM では愛護的に動かす
⑥他の関節は正常であることが多いため，代償運動（動作）に特に注意する

【中枢神経疾患またはその既往者の場合】
①安全な肢位を確保する
②姿勢による筋緊張変化に留意する
③異常筋トーヌスの影響に留意する（速度，角度を変えて真の可動域を確認）
④高次脳障害に配慮する（失語症など）
⑤重度感覚障害に留意する（特に疼痛の鈍麻）
⑥肩関節脱臼，亜脱臼の確認する
⑦肩手症候群，視床痛など痛みに留意する

【高齢者】
①疲労に配慮する
②年齢相当の軟部組織の短縮に配慮する
③将来的に阻害因子となる可能性の検討する
④体幹 ROM 制限の影響を留意する

【小　児】
①年齢に応じた標準値を参考とする（例：肘関節伸展可動域の増大）
②目視をメインとしてより限局した部位を測定する
③環境を工夫した集中力への配慮する

表2　主な日常動作と上肢関節可動域（文献5)より引用）

	肩関節	肘関節	前腕	手関節
タオルを絞る	屈曲 25〜45°	屈曲 65〜80°	回内・回外 0〜45°	掌屈 0〜20° 背屈 0〜15°
カッターシャツのボタンをはめる	屈曲 10〜15° 外転 5〜10°	屈曲 80〜120°	回内 0〜45°	背屈 30〜50°
ズボンまたはパンツの着脱（立体）	屈曲 10〜20° 伸展 20〜30° 外転 25°〜	屈曲 100°〜	回内 0〜85°	背屈 0〜15° 掌屈 0〜40°
洗　顔	屈曲 15〜25°	屈曲 40〜135°	回外 70°〜	背屈 40°〜
丸首シャツの着脱	屈曲 70°〜 外転 0〜45° 内外旋 45°〜	屈曲 120°〜	記載なし	背屈 40°
背中を洗う（タオル使用）	伸展 20〜30° 外転 70°〜 内旋・外旋 40〜60°	屈曲 120°〜	回内 90°	背屈 50〜70° 掌屈 10〜20°
髪をとく	屈曲 70°〜 外転 110°〜 外旋 30°〜	屈曲 110°〜	回内 30〜50°	背屈 0〜20° 掌屈 0〜40°
グラスの水を飲む	屈曲 30〜45°	屈曲 130°〜	中間位	背屈 15〜20°

表3　日常生活動作で必要な関節可動域（文献3）より引用）

	関節	屈曲（底屈）	伸展（背屈）	外転・内転	回旋
正常歩行	股 膝 足	40° 5～70° 20°	10° 10°	10°（各5°）	10°（各5°）
階段（昇段）	股 膝 足	65° 94° 31°	 11°		
階段（降段）	股 膝 足	40° 91° 40°	 21°		
椅子起立	股 膝	屈伸 112° 93°		20°	14°
正座（手なし）	股 膝	屈伸 77° 150°		13°	6°
横座り	股	屈伸 96°		29°	8°
長座位	股	屈伸 115°		17°	10°
和式トイレ	股	屈伸 113°		10°	10°
靴下着脱（立位） 靴下着脱（長座位）	股 股	97° 屈伸 101°		外転 13° 外転 8°	外旋 7° 外旋 4°
座位での靴紐結び （体幹前屈） （脚組み） （足離床）	 股 股 膝	 屈伸 129° 屈伸 115° 106°		 18° 24°	 外旋 13° 28°
床から物を拾う（立位） 床から物を拾う（膝屈曲）	股 膝	屈伸 125° 117°		21°	15°

2 関節可動域エクササイズ

1. 関節可動域エクササイズの定義

関節可動域エクササイズ（ROM エクササイズ）とは，ROM 制限を改善，予防し，正常な ROM に近づけ，維持するために最終可動域まで関節を動かす運動療法のことである．

2. 関節可動域エクササイズの目的

以下の改善，予防，維持があげられる．

❶ROM 制限．

❷筋をはじめとする関節周囲の軟部組織の伸張性や柔軟性．

❸運動感覚．

❹循環（静脈血栓，浮腫，循環不全など）．

❺疼痛．

3. 関節可動域エクササイズの種類と方法

1）他動的関節可動域運動（passive ROM エクササイズ）

主動筋の随意収縮を伴わない，セラピストによる徒手的または器械的手段による関節運動のことという．目的は ROM の維持・拡大，軟部組織の柔軟性の確保，リラクセーションであり，急性期の脳血管障害の肩などの痛みには注意を要する．

2）自動介助的関節可動域運動（active assistive ROM エクササイズ）

他動的関節可動域運動と自動的関節可動域運動の中間的なもので，できるだけ対象者が随意で行うが，セラピストの援助にもよる関節運動のことという．目的は ROM の維持・改善，運動感覚の経験，筋力強化，協調性の改善などであるが，代償運動（動作）には注意を要する．

3）自動的関節可動域運動（active ROM トレーニング）

関節の全可動域にわたり独力で動かすことが可能な場合に行う関節運動のことという．目的は，相反抑制による拮抗筋の弛緩，ROM の維持，運動感覚の経験，筋ポンプ作用による血液循環の改善維持であるが，代償運動（動作）には注意を要する．

4. 関節可動域エクササイズの全体的な施行方法および注意点

❶意識障害の有無，麻痺の程度，運動制限事項の有無，筋力の程度を把握し，ROM エクササイズの可否を確認する．

❷外科的治療後の対象者に対しては，施行前に術式，禁忌肢位を確認しておく．

❸対象者に運動方法や注意事項（姿勢，疼痛など）に関するオリエンテーションを行い，同意を得る．

❹対象者に安楽な姿勢をとらせる.

❺ROM 測定では矢状面，前額面，水平面の基本面上での測定が原則であるが，ROM エクササイズでは，関節面の形状，運動軸に対応させる.

❻ROM の維持に必要な運動量は，身体各関節に対して 1 日 2 回または 5 回を全可動域にわたって施行することが一つの目安となるが，対象者の状況を的確に判断し運動量を決定すべきである.

❼ゆっくりと行うことで，疼痛や拮抗筋の反射的収縮を起こさないように努める.

❽一般的に近位部は，遠位部を固定する作用があり，筋トーヌスが上がりやすいため，近位部から遠位部へと施行していく.

❾他動的関節可動域運動では，円滑な関節運動を行うために近位部の固定をしっかり行い，遠位部については安定した部位を保持して行う.

❿他動的・自動介助的・自動的関節可動域運動へと移行し，さらなる可動域の拡大を目指す.

⓫施行中は，疼痛，熱感，腫脹など局所の変化に注意する.

⓬対象者の反応をみながら声かけをし，痛みの訴えがあれば，その範囲以上は行わないようにする.

⓭実施後の対象者の一般的身体状況に異変がないかを確認する.

⓮浮腫がある部位では軟部組織が脆弱化している可能性があるため，慎重に進めていく.

⓯深部感覚障害がある場合には，軟部組織の損傷，非生理的可動性を招く可能性があるため慎重に行う.

⓰高齢者および骨粗鬆症がある者に対しては，骨・関節が弱化している可能性があるため，骨折などが起きないように運動の強さには十分に注意する.

文 献

1）奈良 勲（編）: 拘縮の予防と治療. 医学書院, 2004
2）沖田 実（編）: 関節可動域制限—病態の理解と治療の考え方. 三輪書店, 2008
3）中俣 修：関節可動域検査. 細田多穂（監）: 理学療法評価学テキスト 改訂第 2 版. 南江堂, 2017, p46
4）伊藤俊一, 他：関節可動域（上肢含手指）. 奈良 勲, 他（編）: 図解理学療法検査・測定ガイド第 2 版. 文光堂, 2009
5）石原義恕（編）: これでできるリウマチの作業療法. 南江堂, 1996, pp27-33
6）福田 修（監）, 伊藤俊一, 他（編）: PT・OT 測定評価 DVD シリーズ 1 ROM 測定 第 2 版. 三輪書店, 2010
7）Hsieh C, etal : Active neck motion measurments with a tape measure. J Orthop Sports Phys Ther 8 : 88-92, 1986
8）Macrae IF, et al : Measurment of back movment. *Ann Rheum Dis* **28** : 584-589, 1969
9）Frost M, et al : Reliability of measuring trunk motions in centimeters. *Phys Ther* **62** : 1431-1437, 1982
10）Mundale MO, et al : Evaluation of extension of the hip. *Arch Phys Med Rehabil* **37** : 75-80, 1959
11）Kouyoumdjian P, et al : Clinical evaluation of hip joint rotation range of motion in adults. *Orthop Traumatol Surg Res* **98** : 17-23, 2012
12）Megan M, et al : Reliability of three measures of ankle dorsiflexion range of motion. *Int J Sports Phys Ther* **7** : 279-287, 2012
13）Garrow AP, et al : The grading of hallux valgus. The manchester scale. *J Am Podiatr Med Assoc* **91** : 74-78, 2001
14）Jenmifer S, et al : Structure, sex, and strength and knee and hip kinematics during landing. *Jornal of Athletic Training* **46** : 376-385, 2011

15）尾崎尚代：運動器疾患の上肢疼痛を理解する．PT ジャーナル　**47**：534-550，2013
16）舟木一夫：頸肩腕症候群の病態と治療．PT ジャーナル　**47**：571-580，2013
17）平澤康介，他：新図説臨床整形外科講座 第5巻 肩・上腕・肘．メジカルビュー社，1999，pp51-271
18）井上　一，他：新図説臨床整形外科講座 第11巻 リウマチとその周辺疾患．メジカルビュー社，1994，pp13-179
19）鳥巣岳彦，他：標準整形外科学 第9版．医学書院，1993，pp365-425
20）井上　一，他：新図説臨床整形外科講座 第6巻　前腕・手．メジカルビュー社，1995，pp74-259
21）田崎義昭，他：ベッドサイドの神経の診かた 改訂16版．南山堂，2007，pp34-36
22）鈴木重行：ストレッチングの科学．三輪書店，2013，pp69-73

第Ⅱ章

頚部・体幹における関節可動域測定

1 頚部屈曲

基本事項	
測定肢位	座位
基本軸	肩峰を通る床への垂直線
移動軸	外耳孔と頭頂を結ぶ線
参考可動域	0〜60°

測定の順序

❶検者は頚部屈曲の自動可動域を確認する.
❷他動的に頚部屈曲運動を行い，痛みおよび end feel を確認する.
❸頚部屈曲の最終可動域にて，ゴニオメーターで他動可動域を測定する.

測定における注意点

❶頚部を固定し，体幹前傾・屈曲などの代償運動に注意する.
❷基本軸は肩峰を通る床への垂直線のため，肩甲骨の前傾・後傾・外転・内転の代償運動に注意する.
❸前方への転倒リスクがある場合は，検者は対象者の下方に位置し，固定した手で対象者の額も支える．また，対象者が上肢でベッドなどを支持した場合，肩甲骨の前傾・後傾・外転・内転の代償運動に注意する.

最終可動域での制限因子

頭板状筋，頚板状筋，頚腸肋筋，胸腸肋筋，腰腸肋筋，頭最長筋，頚最長筋，胸最長筋，頭棘筋，胸棘筋，大後頭直筋，小後頭直筋，上頭斜筋，下頭斜筋，頭半棘筋，頚半棘筋，多裂筋，頚回旋筋，頚棘間筋，横突間筋の緊張，頚椎椎間関節の関節包，後環椎後頭膜，後縦靱帯，項靱帯，棘上靱帯，棘間靱帯，黄色靱帯.

可動域に制限を有しやすい疾患

頚椎症，頚椎椎間板ヘルニア，後縦靱帯骨化症，頚椎症性脊髄症・神経根症，脳性麻痺，パーキンソン病など.

特異的な end feel

- 結合組織性：頚椎症，頚椎椎間板ヘルニア，後縦靱帯骨化症，頚椎症性脊髄症・神経根症，脳性麻痺，パーキンソン病など.
- スパズム：頚椎症，頚椎椎間板ヘルニア，後縦靱帯骨化症，頚椎症性脊髄症・神経根症など.

臨床における留意点

- 関節リウマチでは，環軸関節亜脱臼のリスクがあるため慎重に計測する.

標準法   1

開始肢位

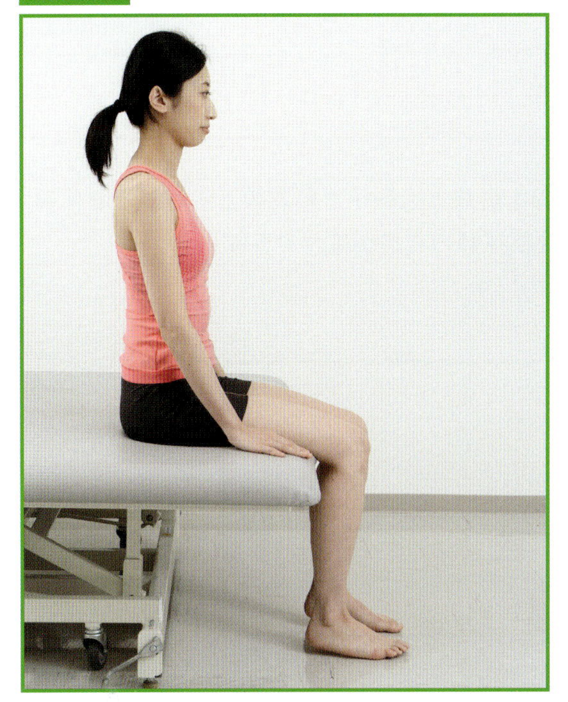

参考可動域

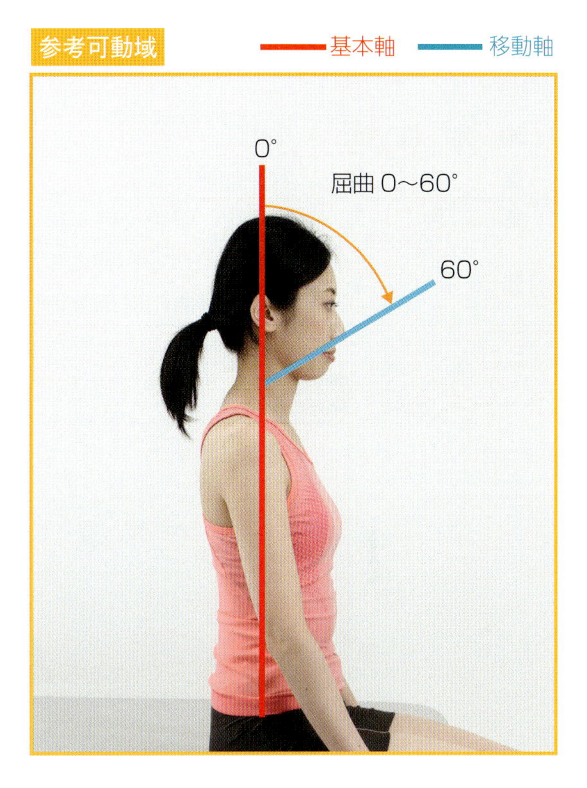

測定場面

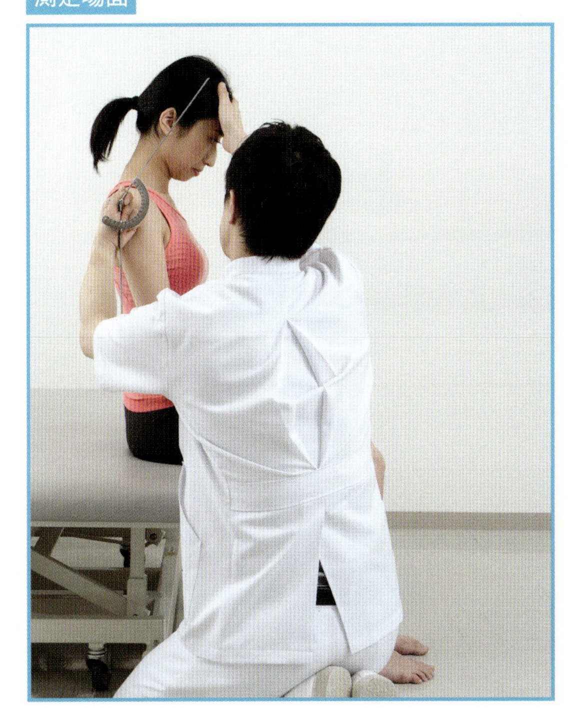

代償運動（体幹前傾・屈曲）

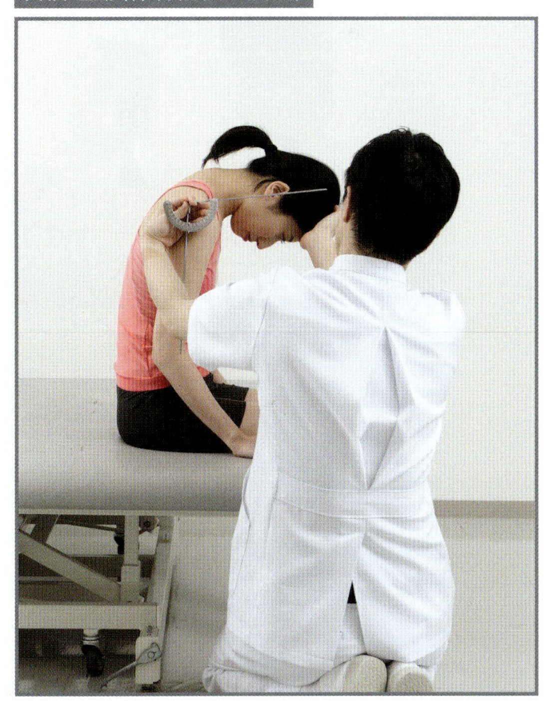

別　法

座位保持が困難な場合の測定法

測定肢位	背臥位
基本軸	体幹と平行な線
移動軸	外耳孔と頭頂を結ぶ線
臨床ポイント	基本軸となる体幹と平行な線を肩峰と大転子を結ぶ線とすることで体幹前傾と屈曲，肩甲骨前傾の代償運動の有無が確認できる

開始肢位

測定場面

代償運動（体幹屈曲）

別　法

メジャー法

測定肢位	直立座位
測定方法	メジャーの上端は下顎の下端，メジャーの下端は胸骨切痕とし，メジャーを一直線にあてる．メジャーは下顎を 0 cm に合わせる．頚部屈曲前の値と頚部最大屈曲時の値の差を測定する
臨床ポイント	ゴニオメーターでの測定では，あいまいとなりやすい基本軸設定の問題を解決しうる測定法だが，頚部側屈・回旋の代償運動に注意する

開始肢位

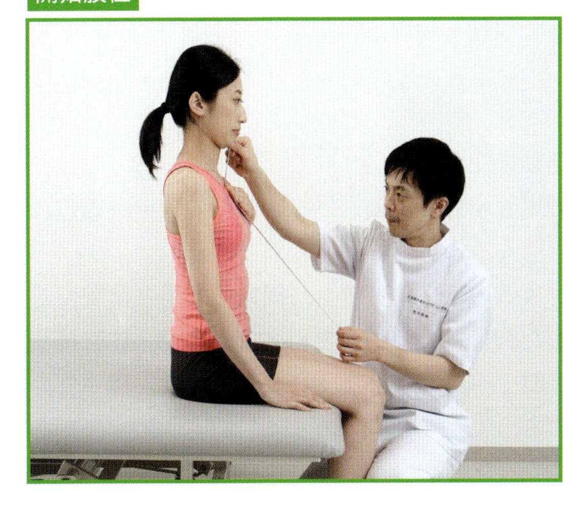

測定場面

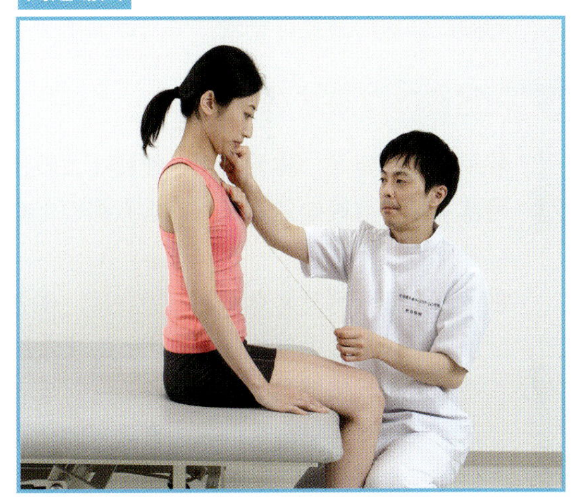

ランドマーク法

測定場面

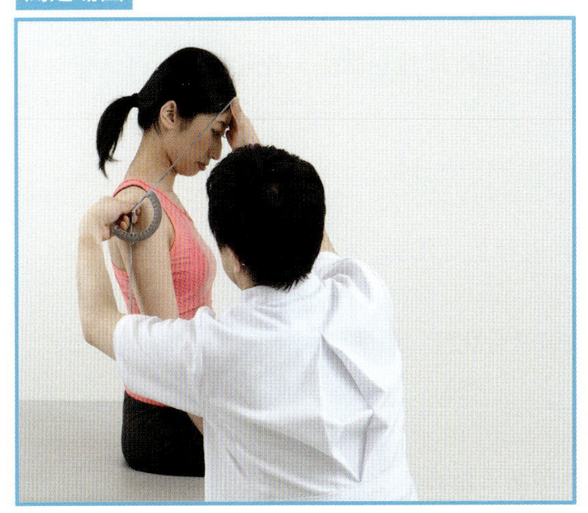

座位にて，基本軸を肩峰を通る床への垂直線，移動軸を肩峰を通る頭頂と外耳孔を結ぶ線の平行線とし，軸心を肩峰とする．移動軸があいまいとなりやすいため注意する．

2 頚部伸展

基本事項

測定肢位	座位
基本軸	肩峰を通る床への垂直線
移動軸	外耳孔と頭頂を結ぶ線
参考可動域	0〜50°

測定の順序

❶検者は頚部伸展の自動可動域を確認する．
❷他動的に頚部伸展運動を行い，痛みおよびend feelを確認する．
❸頚部伸展の最終可動域にて，ゴニオメーターで他動可動域を測定する．

測定における注意点

❶頚部を固定し，体幹後傾・伸展などの代償運動に注意する．
❷基本軸は肩峰を通る床への垂直線のため，肩甲骨屈曲・伸展・外転・内転の代償運動に注意する．
❸後方への転倒リスクがある場合は，検者は対象者の下方に位置し，固定した手と前腕で対象者の頚部と上部体幹も支える．または背もたれ付きの椅子を使用することで，体幹後傾や伸展の代償運動も抑制できる．対象者が上肢でベッドなどを支持した場合は，肩甲骨の前傾・後傾・外転・内転の代償運動に注意する．

最終可動域での制限因子

胸鎖乳突筋，頚長筋，頭長筋，前頭直筋，外側頭直筋，舌骨筋群，前斜角筋，中斜角筋，後斜角筋，頚椎椎間関節の関節包，前縦靱帯，前環椎後頭膜，歯尖靱帯，蓋膜．

可動域に制限を有しやすい疾患

頚椎症，頚椎椎間板ヘルニア，後縦靱帯骨化症，頚椎症性脊髄症・神経根症，パーキンソン病など．

特異的なend feel

- 結合組織性：頚椎症，頚椎椎間板ヘルニア，後縦靱帯骨化症，頚椎症性脊髄症・神経根症，パーキンソン病など．
- スパズム：頚椎症，頚椎椎間板ヘルニア，後縦靱帯骨化症，頚椎症性脊髄症・神経根症など．

臨床における留意点

- 関節リウマチでは，環軸関節亜脱臼のリスクがあるため慎重に計測する．

標準法 2

開始肢位

参考可動域

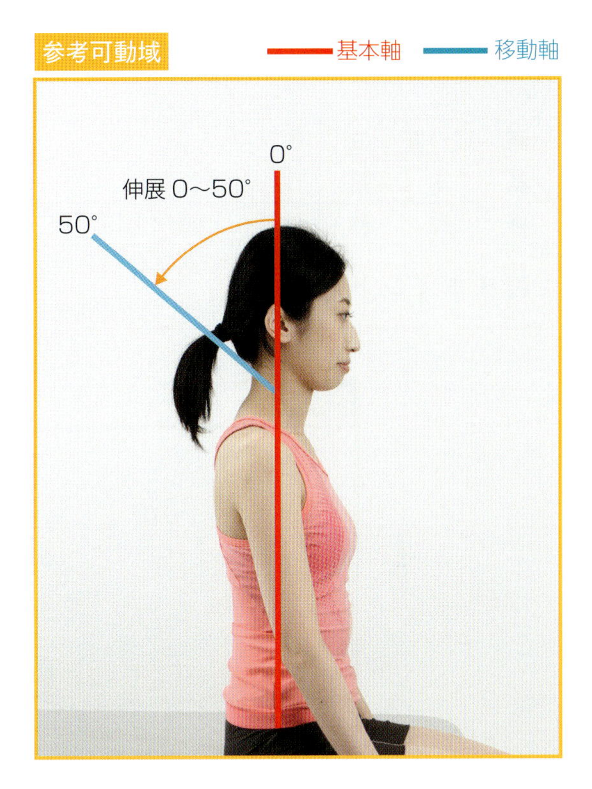

測定場面

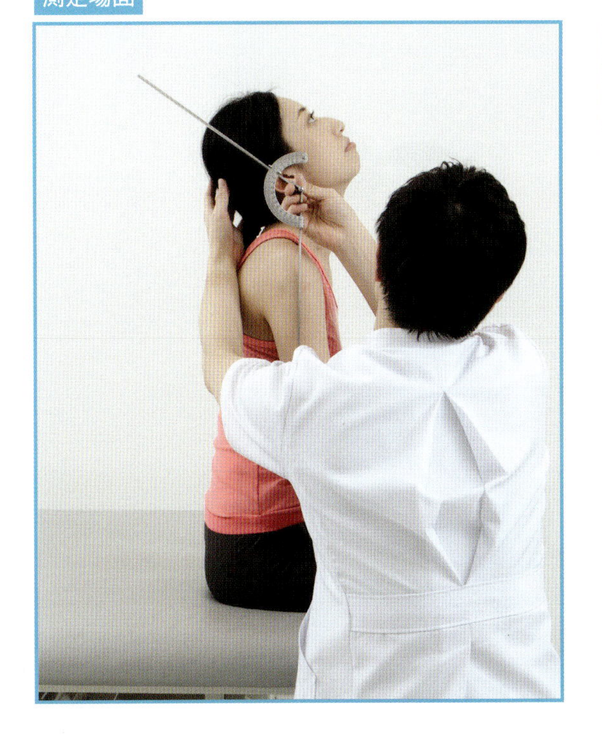

代償運動（体幹後傾・伸展）

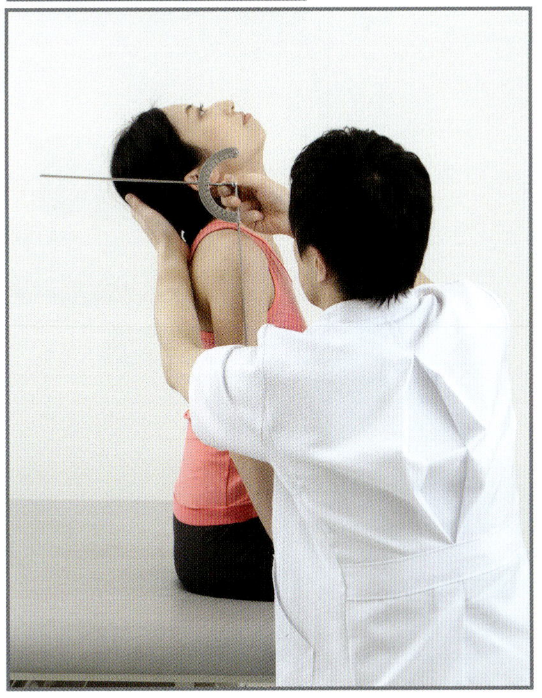

別　法

端座位保持が困難な場合の測定法

測定肢位	腹臥位
基本軸	体幹と平行な線
移動軸	外耳孔と頭頂を結ぶ線
臨床ポイント	基本軸である体幹と平行な線を肩峰と大転子を結ぶ線とすることで体幹後傾と伸展，肩甲骨後傾の代償運動の有無が確認できる

開始肢位

測定場面

代償運動（体幹伸展）

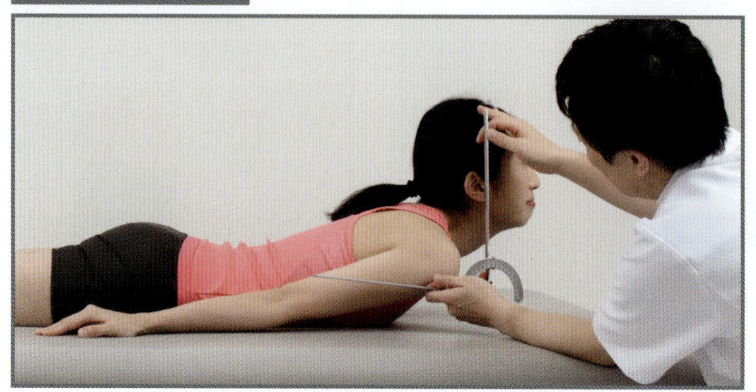

別　法

メジャー法

測定肢位	直立座位
測定方法	メジャーの上端は下顎の下端，メジャーの下端は胸骨切痕とし，メジャーを一直線にあてる．メジャーは下顎を0 cmに合わせる．頸部伸展前の値と頸部最大伸展時の値の差を測定する
臨床ポイント	ゴニオメーターでの測定では，あいまいとなりやすい基本軸設定の問題を解決しうる測定法だが，頸部側屈・回旋の代償運動に注意する

開始肢位

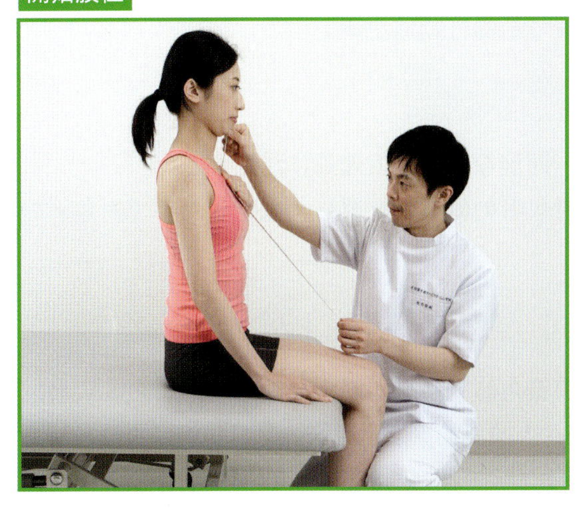

測定場面

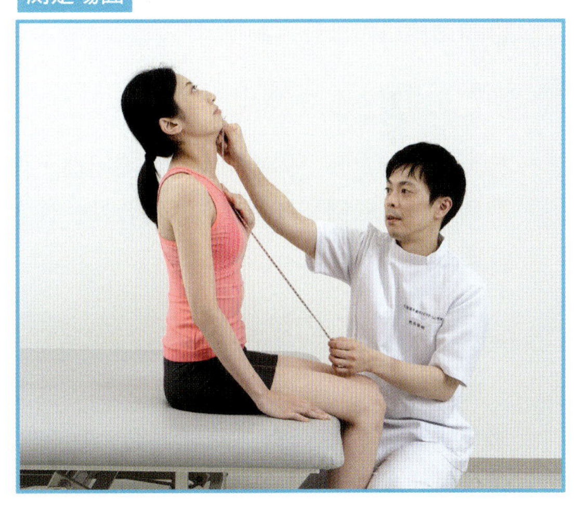

ランドマーク法

測定場面

座位にて，基本軸を肩峰を通る床への垂直線，移動軸を肩峰を通る頭頂と外耳孔を結ぶ線の平行線とし，軸心を肩峰とする．移動軸があいまいとなりやすいため注意する．

3 頸部側屈

基本事項

測定肢位	座位（体幹の背面で測定）
基本軸	第7頸椎棘突起と第1仙椎棘突起を結ぶ線
移動軸	頭頂と第7頸椎棘突起を結ぶ線
参考可動域	0〜50°

測定の順序

❶検者は頸部側屈の自動可動域を確認する．
❷他動的に頸部側屈運動を行い，痛みおよびend feelを確認する．
❸頸部側屈の最終可動域にて，ゴニオメーターで他動可動域を測定する．

測定における注意点

❶頸部を固定し，体幹側屈，頸部屈曲・伸展・回旋などの代償運動に注意する．
❷側方への転倒リスクがある場合は，検者は対象者の側方に位置し，固定した手で対象者の頭部側面も支える．

最終可動域での制限因子

頭長筋，頸長筋，前頭直筋，外側頭直筋，前斜角筋，中斜角筋，後斜角筋，胸鎖乳突筋，頭板状筋，頸板状筋，大後頭直筋，小後頭直筋，上頭斜筋，下頭斜筋，頸腸肋筋，頭最長筋，頸最長筋，頭棘筋，頸棘筋，胸腸肋筋，頭半棘筋，頸半棘筋，多裂筋，頸回旋筋，頸棘間筋，横突間筋，頸椎椎間関節の関節包，翼状靱帯，前縦靱帯，前環椎後頭膜，歯尖靱帯，蓋膜，黄色靱帯，横突間靱帯．

可動域に制限を有しやすい疾患

頸椎症，頸椎椎間板ヘルニア，後縦靱帯骨化症，頸椎症性脊髄症・神経根症，頸肩腕症候群，胸郭出口症候群，片麻痺，パーキンソン病など．

特異的なend feel

- 結合組織性：頸椎症，頸椎椎間板ヘルニア，後縦靱帯骨化症，頸椎症性脊髄症・神経根症，頸肩腕症候群，胸郭出口症候群，片麻痺，パーキンソン病など．
- スパズム：頸椎症，頸椎椎間板ヘルニア，後縦靱帯骨化症，頸椎症性脊髄症・神経根症，頸肩腕症候群，胸郭出口症候群など．

臨床における留意点

- 関節リウマチでは，環軸関節亜脱臼のリスクがあるため慎重に計測する．

標準法 3

開始肢位

参考可動域

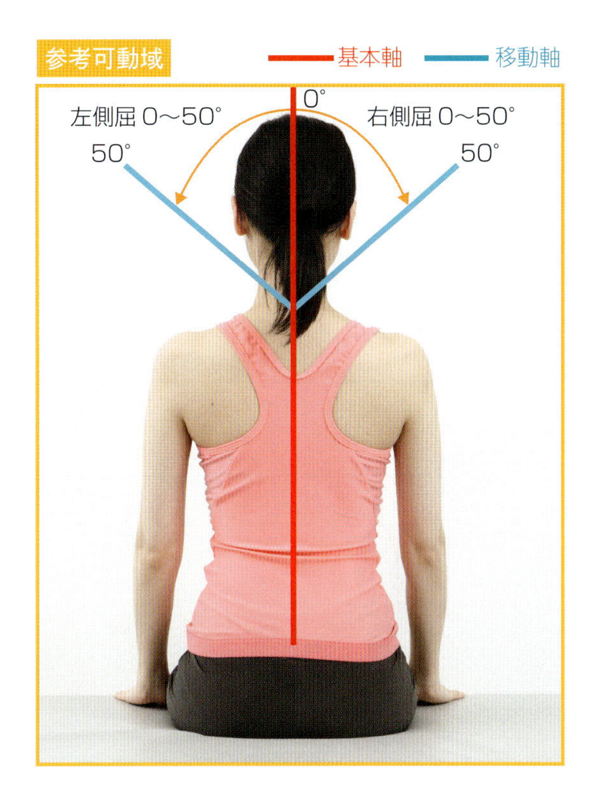

測定場面

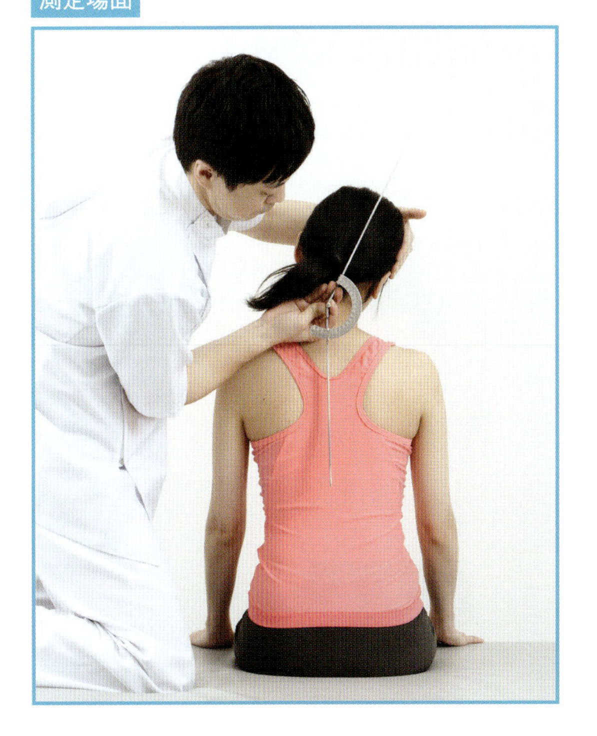

代償運動（体幹側屈，頚部屈曲回旋）

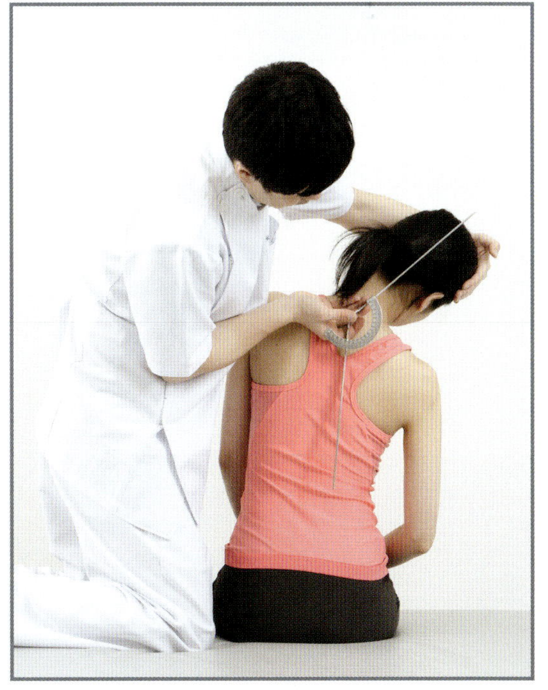

別　法

メジャー法

測　定　肢　位	直立座位
測　定　方　法	メジャーの上端は乳様突起の先端（耳の後ろ），メジャーの下端は肩峰とし，メジャーを一直線にあてる．メジャーは乳様突起の先端を 0 cm に合わせる．頚部側屈前の値と頚部最大側屈時の値の差を測定する
臨床ポイント	ゴニオメーターでの測定ではあいまいとなりやすい基本軸設定の問題を解決しうる測定法だが，頚部屈曲・伸展・回旋の代償運動に注意する

開始肢位

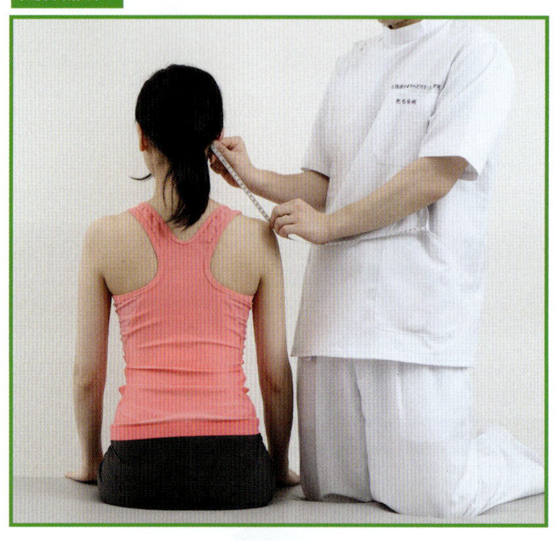

測定場面

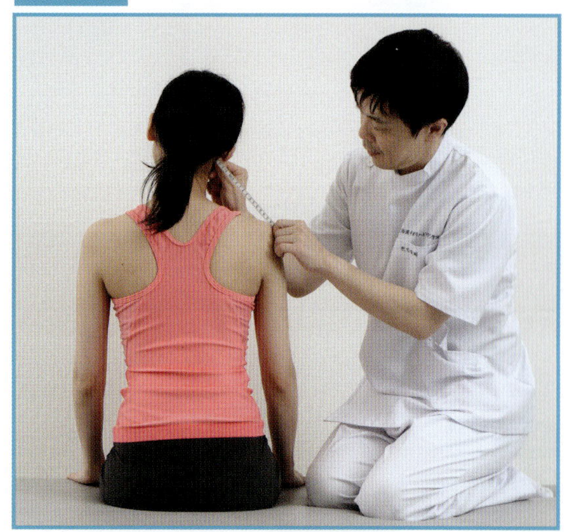

代償運動（頚部伸展・回旋，肩甲帯挙上，体幹側屈）

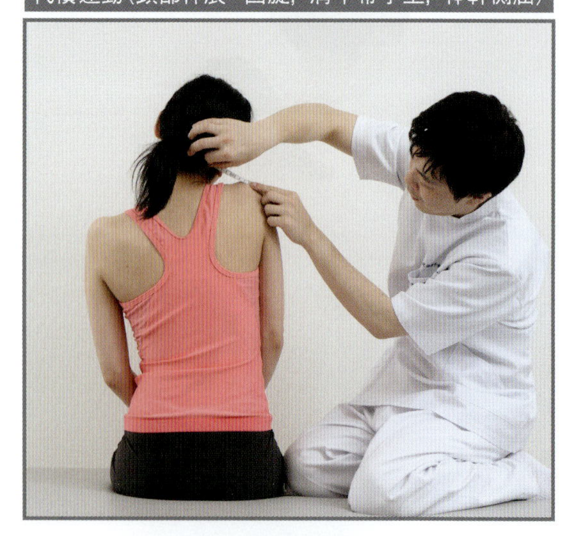

別　法

ランドマーク法

座位にて基本軸を両肩峰を結ぶ線と平行な線，移動軸を頭頂と第７頚椎棘突起を結ぶ線とし，軸心を基本軸と移動軸の交点とする．背柱変形（側弯症や後弯など）がある場合に有用な手法となるが，両側肩甲骨挙上・下制の可動域制限の左右差に留意する．

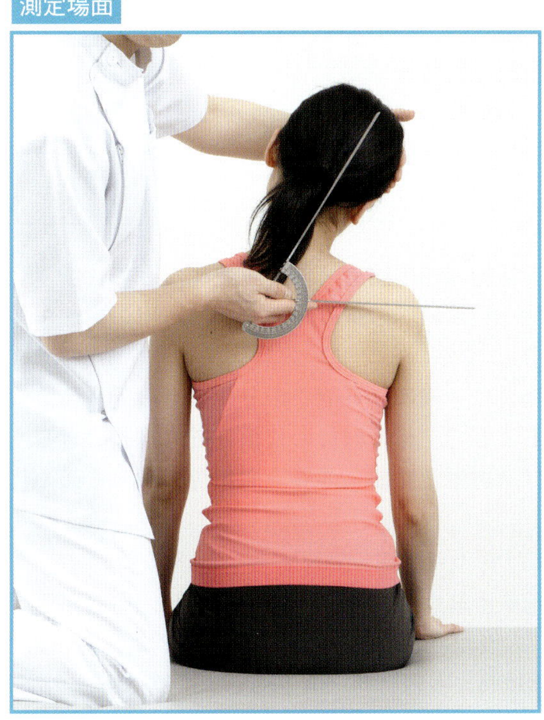

4 頸部回旋

基本事項

測定肢位	座位
基本軸	両側の肩峰を結ぶ線への垂直線
移動軸	鼻梁と後頭結節を結ぶ線
参考可動域	0～60°

測定の順序

❶検者は頸部回旋の自動可動域を確認する.
❷他動的に頸部回旋運動を行い，痛みおよび end feel を確認する.
❸頸部回旋の最終可動域にて対象者の頸部を固定し，ゴニオメーターで測定する.

測定における注意点

❶頸部を固定し，体幹回旋，頸部屈曲・伸展・側屈などの代償運動に注意する.
❷基本軸は両側の肩峰を結ぶ線への垂直線のため，肩甲帯屈曲・伸展，肩甲骨前傾・後傾の代償運動に注意する.
❸転倒リスクがある場合は，検者は可能な限り対象者の近位に位置する．または背もたれ付きの椅子を使用することで，体幹回旋の代償運動も抑制できる．対象者が上肢でベッドなどを支持した場合は，肩甲帯屈曲・伸展，肩甲骨前傾・後傾の代償運動に注意する.

最終可動域での制限因子

頭長筋，頸長筋，前頭直筋，外側頭直筋，前斜角筋，中斜角筋，後斜角筋，胸鎖乳突筋，頭板状筋，頸板状筋，大後頭直筋，小後頭直筋，上頭斜筋，下頭斜筋，頸腸肋筋，頭最長筋，頸最長筋，頭棘筋，頸棘筋，胸腸肋筋，頭半棘筋，頸半棘筋，多裂筋，頸回旋筋，頸棘間筋，横突間筋，頸椎椎間関節の関節包，翼状靱帯，前環椎後頭膜，歯尖靱帯，蓋膜，黄色靱帯，横突間靱帯.

可動域に制限を有しやすい疾患

頸椎症，頸椎椎間板ヘルニア，後縦靱帯骨化症，頸椎症性脊髄症・神経根症，脳性麻痺，片麻痺，パーキンソン病など.

特異的な end feel

- 結合組織性：頸椎症，頸椎椎間板ヘルニア，後縦靱帯骨化症，頸椎症性脊髄症・神経根症，脳性麻痺，片麻痺，パーキンソン病など.
- スパズム：頸椎症，頸椎椎間板ヘルニア，後縦靱帯骨化症，頸椎症性脊髄症・神経根症など.

臨床における留意点

- 関節リウマチでは，環軸関節亜脱臼のリスクがあるため慎重に計測する.

標準法  4

開始肢位

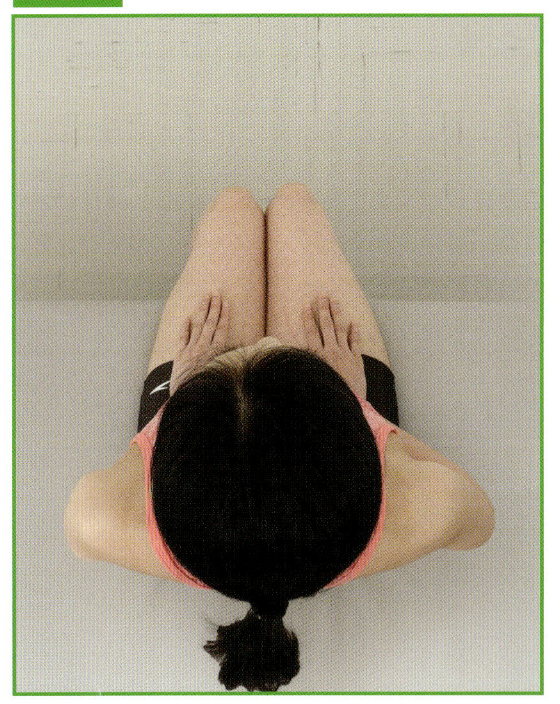

参考可動域　基本軸　移動軸

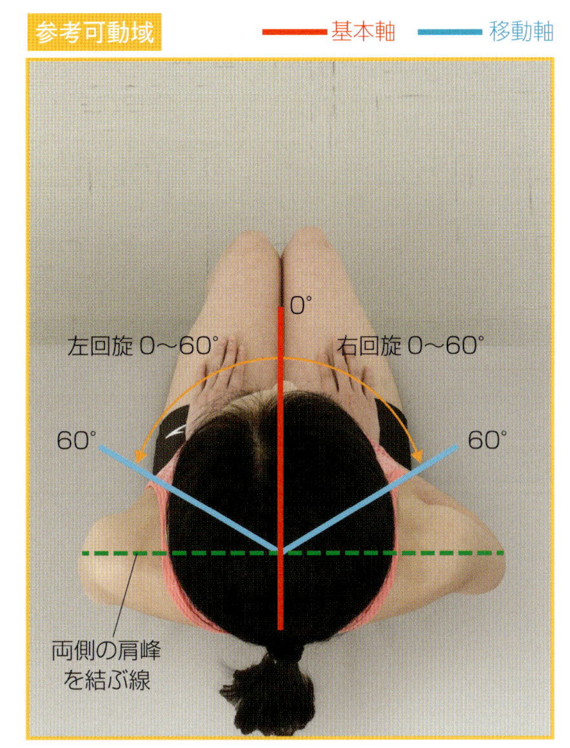

測定場面

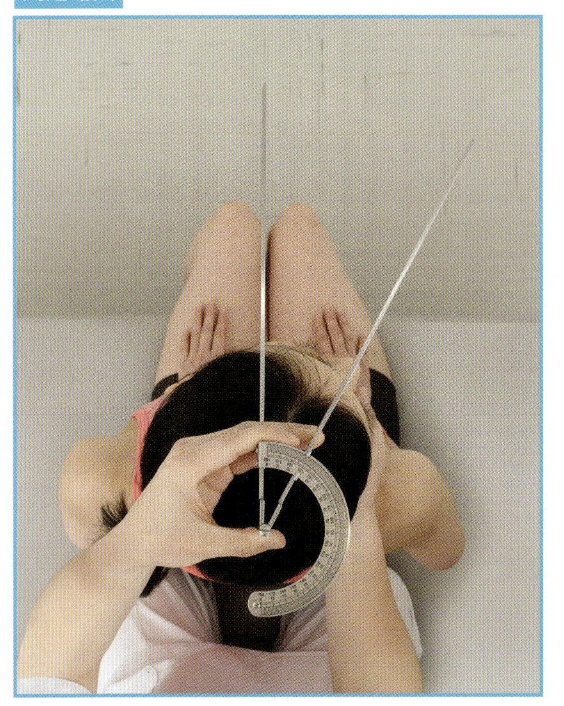

代償運動（体幹回旋）

別　法

座位保持が困難な場合の測定法

測定肢位	背臥位
基本軸	両側の肩峰を結ぶ線への垂直線
移動軸	鼻梁と後頭結節を結ぶ線
臨床ポイント	基本軸となる両側の肩峰を結ぶ線への垂直線が床への垂直線と同様になるため，体幹回旋，肩甲帯屈曲，肩甲骨の前傾の代償運動の有無が確認できる．測定台から肩甲帯の高さに左右差がないことを開始肢位で確認しておくことに留意する

開始肢位

測定場面

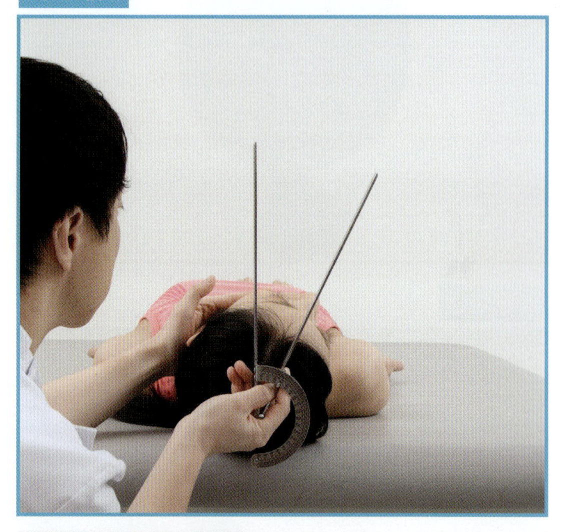

代償運動（体幹回旋）

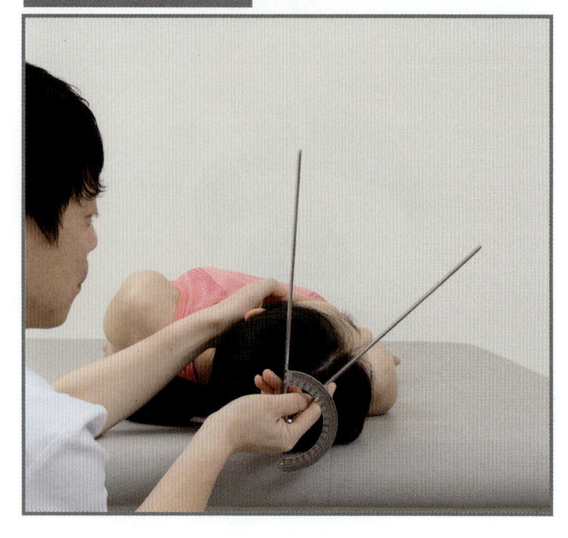

別　法

メジャー法

測定肢位	直立座位
測定方法	メジャーの上端は下顎の先端，メジャーの下端は肩峰とし，メジャーを一直線にあてる．メジャーは下顎の先端を0 cmに合わせる．頸部回旋前の値と頸部最大回旋時の値の差を測定する
臨床ポイント	ゴニオメーターでの測定ではあいまいとなりやすい基本軸設定の問題を解決しうる測定法だが，頸部屈曲・伸展・側屈の代償運動に注意する

開始肢位

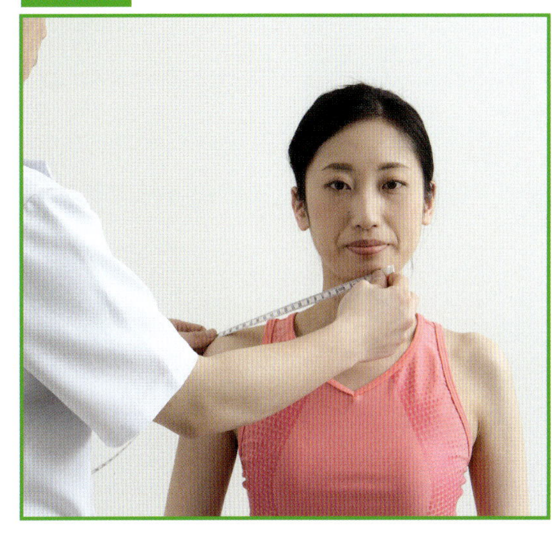

測定場面

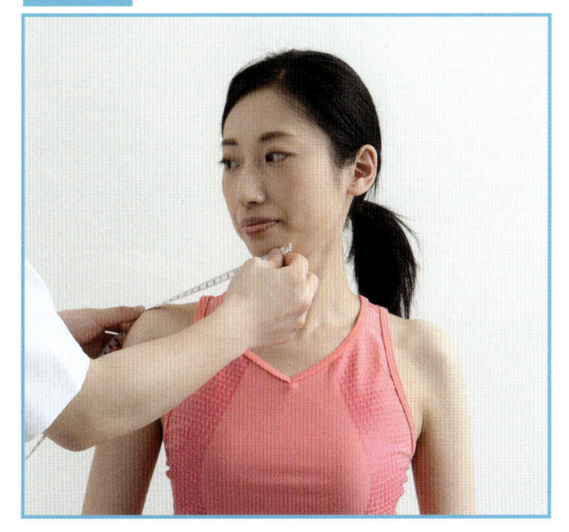

代償運動（頸部伸展・側屈）

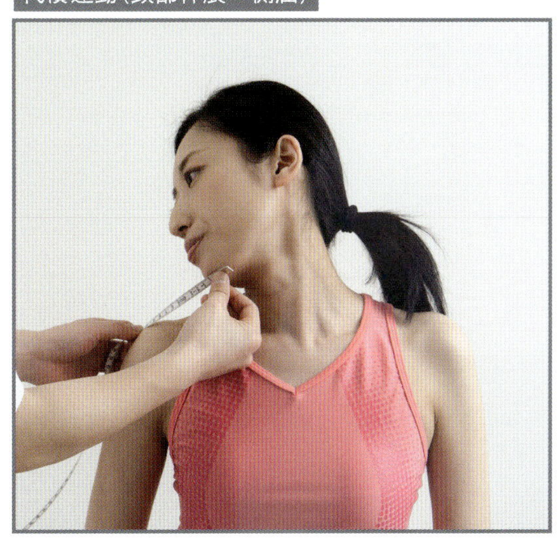

別　法

ランドマーク法

座位または背臥位にて基本軸を両側肩峰を結ぶ線と平行な線，移動軸を鼻梁と後頭結節を結ぶ線とし，軸心を後頭結節とすることであいまいとなりやすい基本軸の問題を解決しうるが，頚部屈曲・伸展制限があると測定面が不一致となることに留意する．

測定場面

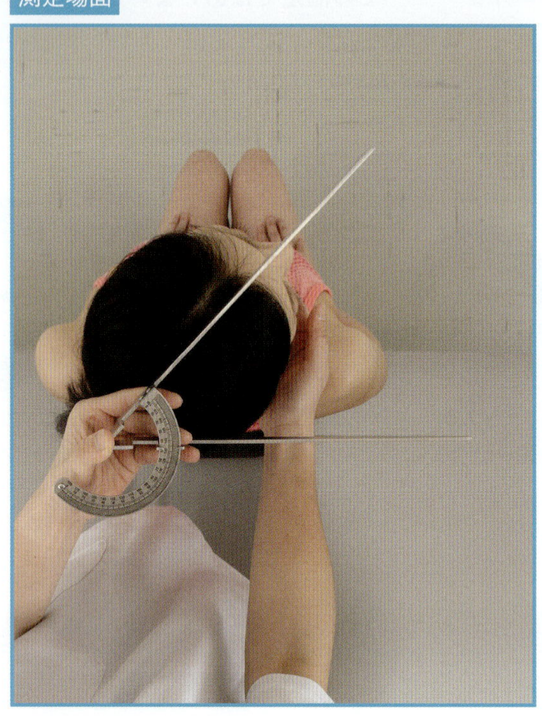

5 胸腰部屈曲（体幹屈曲）

基本事項

測定肢位	座位
基本軸	仙骨後面
移動軸	第1胸椎棘突起と第5腰椎棘突起を結ぶ線
参考可動域	0〜45°

測定の順序

1. 検者は体幹屈曲の自動可動域を確認する.
2. 他動的に体幹屈曲運動を行い，痛みおよびend feelを確認する.
3. 体幹屈曲の最終可動域にて，ゴニオメーターを用いて他動可動域を測定する.

測定における注意点

1. 股関節屈曲などの代償運動に注意する.
2. 基本軸の仙骨後面は，股関節屈曲に伴い位置が変化するため注意する.

最終可動域での制限因子

胸腸肋筋，腰腸肋筋，胸最長筋，多裂筋，胸椎椎間関節の関節包，腰椎椎間関節の関節包，黄色靱帯，後縦靱帯，棘間靱帯，棘上靱帯.

可動域に制限を有しやすい疾患

非特異的腰痛，腰椎椎間板ヘルニア，腰椎すべり症・分離症，特発性側弯症など.

特異的な end feel

- 結合組織性：非特異的腰痛，腰椎椎間板ヘルニア，腰椎すべり症・分離症，特発性側弯症など.
- 骨性：特発性側弯症など.
- スパズム：非特異的腰痛，腰椎椎間板ヘルニア，腰椎すべり症・分離症など.

標準法 5-1

開始肢位

参考可動域

測定場面

代償運動（股関節屈曲）

別　法

メジャー法1〔指床間距離（FFD：Finger-Floor Distance）〕

測定肢位	立位
測定方法	両膝関節伸展位で自動的に体幹屈曲運動を行った際の第3指先端と床の距離をメジャーで測定する
臨床ポイント	ゴニオメーターで測定する場合，基本軸があいまいとなりやすい問題を解決しうる測定法だが，立位バランスやハムストリングスの柔軟性など股関節の関節可動域が影響することに留意する．測定は指尖から下ろしたメジャーが床と垂直となるように測定する

開始肢位

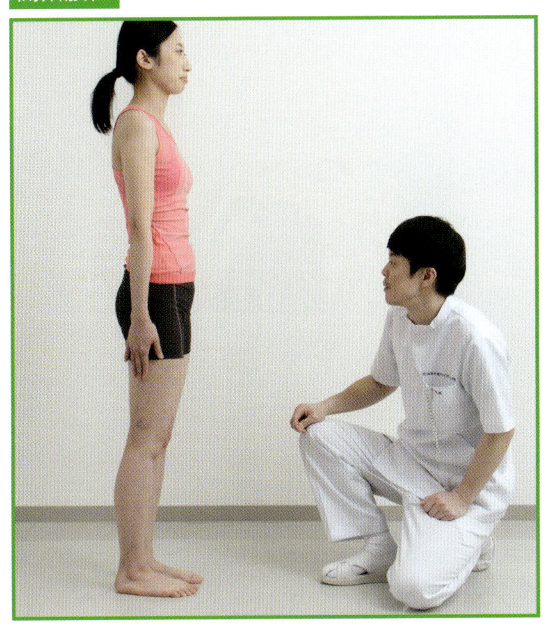

測定場面

胸腰部屈曲（前屈）・伸展（後屈）

測定場面

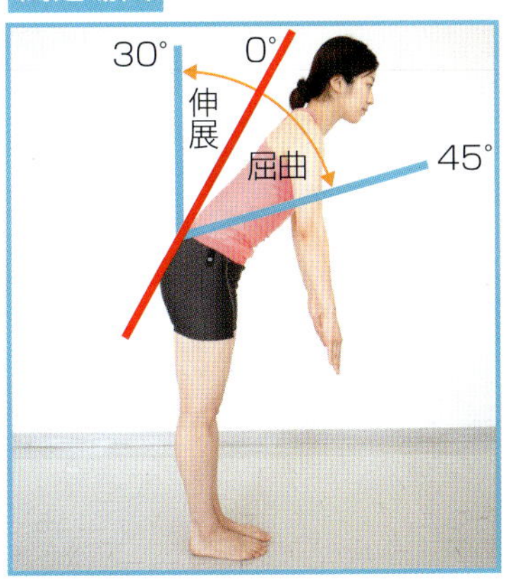

立位での測定は，転倒リスクがあるため注意を要する．

別　法

メジャー法 2（Modified Schober's Test）5-2

測定肢位	立位（足は肩幅程度に開く）
測定方法	両上後腸骨棘を結んだ線と腰椎棘突起を結んだ線の交点から，上方10cm，下方5cmの位置をマークする．両膝関節伸展位で自動的に体幹屈曲運動を行った際のマーク間の距離をメジャーで測定する
臨床ポイント	体幹屈曲運動時には，運動前よりも5cm以上長くなるのが正常とされる

開始肢位

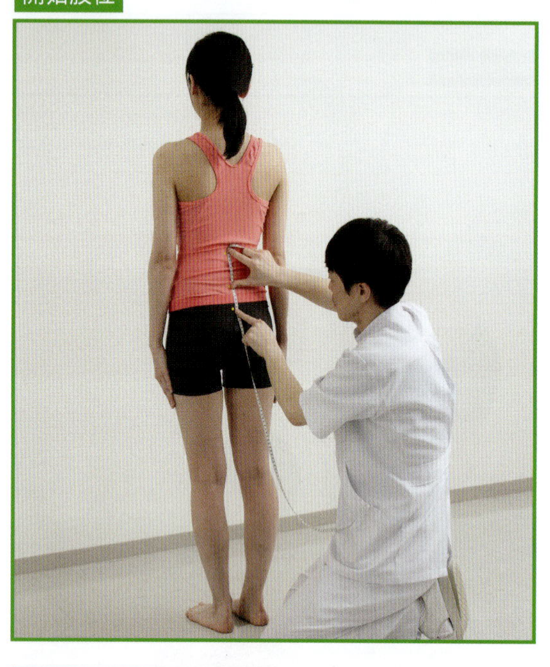

測定場面（屈曲）

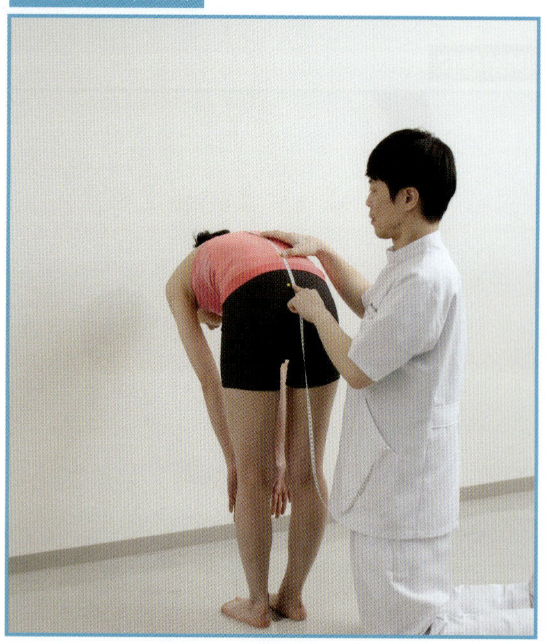

ランドマーク法

測定場面

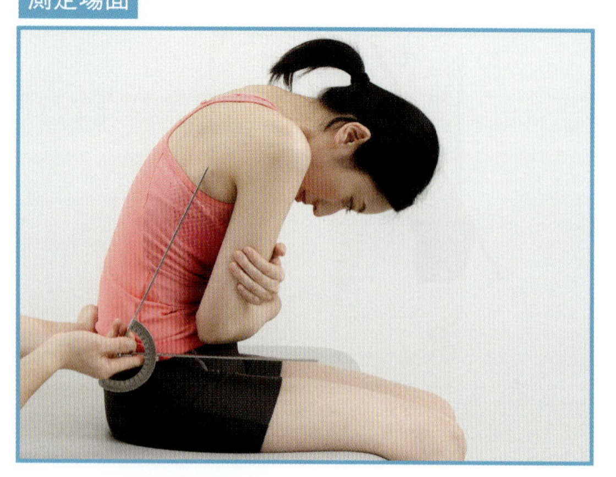

座位にて基本軸を第5腰椎棘突起を通る前額面への垂直線，移動軸を第5腰椎棘突起と第7頚椎棘突起を結ぶ線，軸心を第5腰椎棘突起とする．股関節屈曲の代償運動に注意する．

6 胸腰部伸展（体幹伸展）

基本事項

測定肢位	座位，立位または側臥位
基本軸	仙骨後面
移動軸	第 1 胸椎棘突起と第 5 腰椎棘突起を結ぶ線
参考可動域	0～30°

測定の順序

❶検者は体幹伸展の自動可動域を確認する．
❷他動的に体幹伸展運動を行い，痛みおよび end feel を確認する．
❸体幹伸展の最終可動域にて，ゴニオメーターで他動可動域を測定する．

測定における注意点

❶股関節伸展などの代償運動に注意する．
❷基本軸の仙骨後面は，股関節伸展に伴い位置が変化するため注意する．

最終可動域での制限因子

腹直筋，外腹斜筋，内腹斜筋，大胸筋，胸椎椎間関節関節包，腰椎椎間関節関節包，前縦靱帯．

可動域に制限を有しやすい疾患

非特異的腰痛，腰部脊柱管狭窄症，腰椎すべり症・分離症，脊椎椎体圧迫骨折，特発性側弯症，パーキンソン病など．

特異的な end feel

- 結合組織性：非特異的腰痛，腰部脊柱管狭窄症，腰椎すべり症・分離症，脊椎椎体圧迫骨折，特発性側弯症，パーキンソン病など．
- 骨性：特発性側弯症など．
- スパズム：非特異的腰痛，腰部脊柱管狭窄症，腰椎すべり症・分離症，脊椎椎体圧迫骨折など．

◌ 標準法  6-1

開始肢位

参考可動域

測定場面

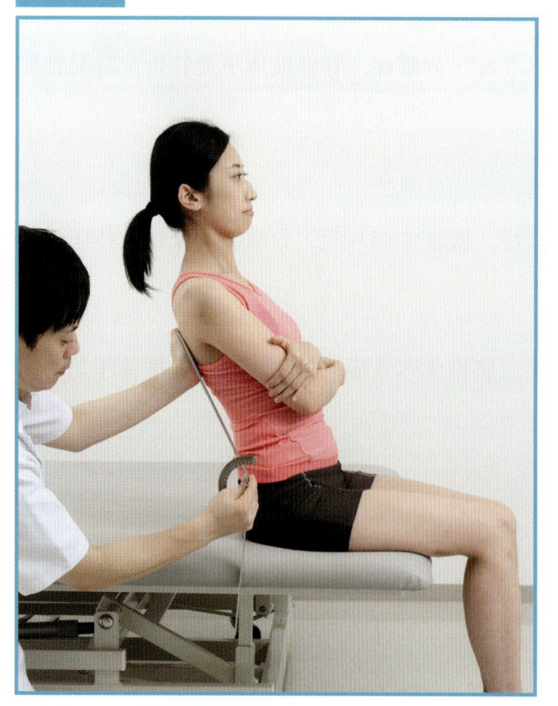

代償運動（股関節伸展）

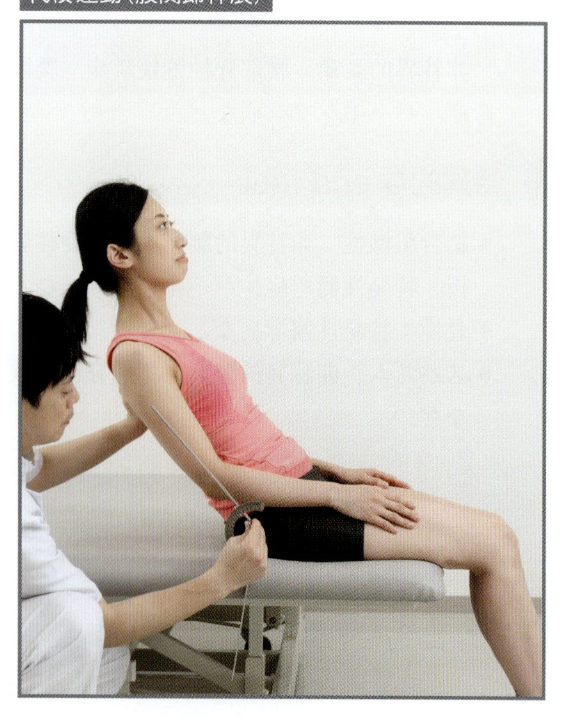

別　法

メジャー法（Modified Schober's Test） 6-2

測定肢位	立位（足は肩幅程度に開く）
測定方法	両上後腸骨棘を結んだ線と腰椎棘突起を結んだ線の交点から，上方10cm，下方5cmの位置をマークする．両膝関節伸展位で自動的に体幹伸展運動を行った際のマーク間の距離をメジャーで測定する
臨床ポイント	体幹伸展運動時には，運動前よりも2cm以上短くなるのが正常とされる

開始肢位

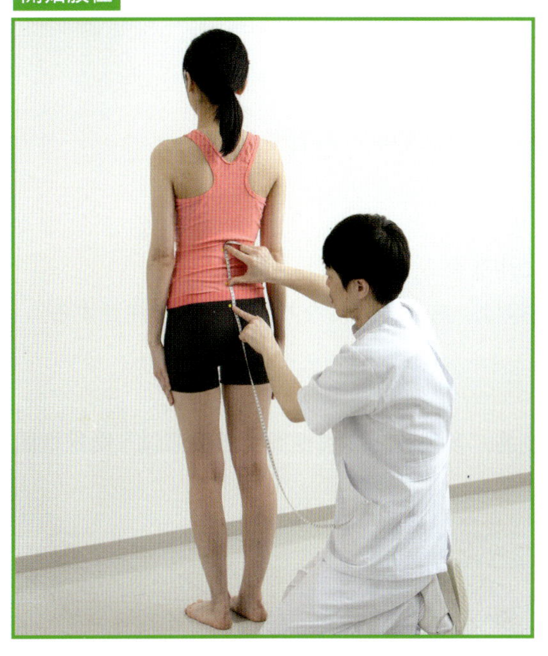

測定場面（伸展）

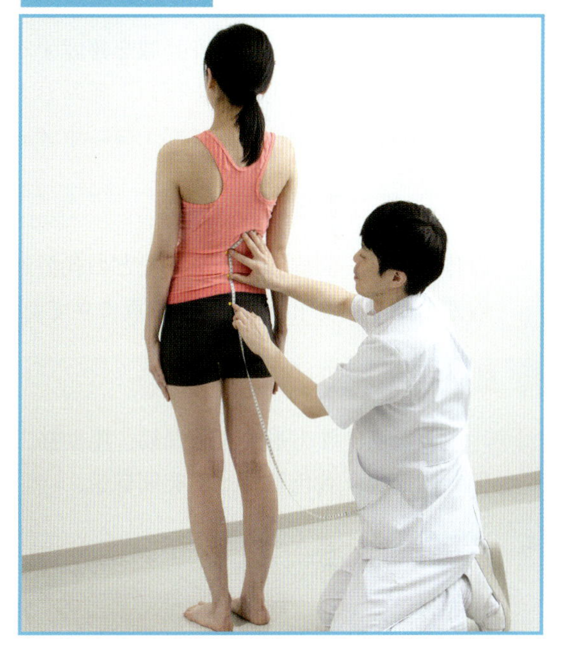

ランドマーク法

座位にて基本軸を第5腰椎棘突起を通る前額面への垂直線，移動軸を第5腰椎棘突起と第7頚椎棘突起を結ぶ線，軸心を第5腰椎棘突起とする．股関節伸展の代償運動に注意する．

測定場面

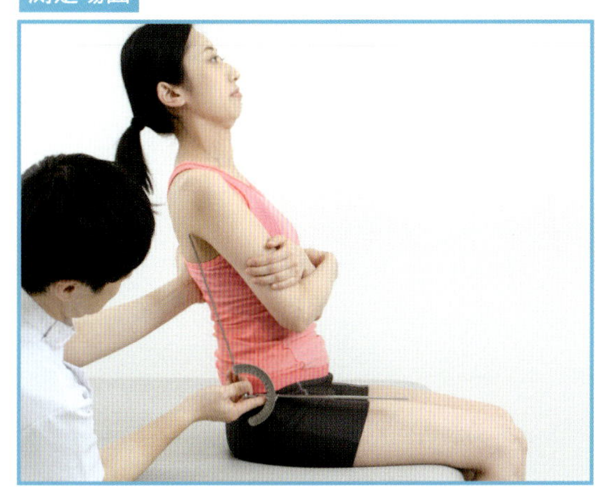

7 胸腰部側屈（体幹側屈）

基本事項	
測定肢位	座位または立位（体幹の背面で測定）
基本軸	ヤコビー（Jacoby）線の中点に立てた垂直線
移動軸	第1胸椎棘突起と第5腰椎棘突起を結ぶ線
参考可動域	0〜50°

測定の順序

❶検者は体幹側屈の自動可動域を確認する.
❷他動的に体幹側屈運動を行い，痛みおよびend feelを確認する.
❸体幹側屈の最終可動域にて，ゴニオメーターで他動可動域を測定する.

測定における注意点

❶体幹伸展・回旋，骨盤挙上などの代償運動に注意する.
❷基本軸であるJacoby線の中点に立てた垂直線は，あいまいになりやすいので注意する.

最終可動域での制限因子

内腹斜筋，腰方形筋，肋間筋，腸肋筋，最長筋，多裂筋，胸椎椎間関節関節包，腰椎椎間関節関節包，黄色靱帯，横突間靱帯.

可動域に制限を有しやすい疾患

非特異的腰痛，腰椎椎間板ヘルニア，特発性側弯症，脳性麻痺，パーキンソン病など.

特異的なend feel

- 結合組織性：非特異的腰痛，特発性側弯症，脳性麻痺，パーキンソン病など.
- 骨性：特発性側弯症など.
- スパズム：非特異的腰痛，腰椎椎間板ヘルニアなど.

標準法  7

開始肢位

参考可動域

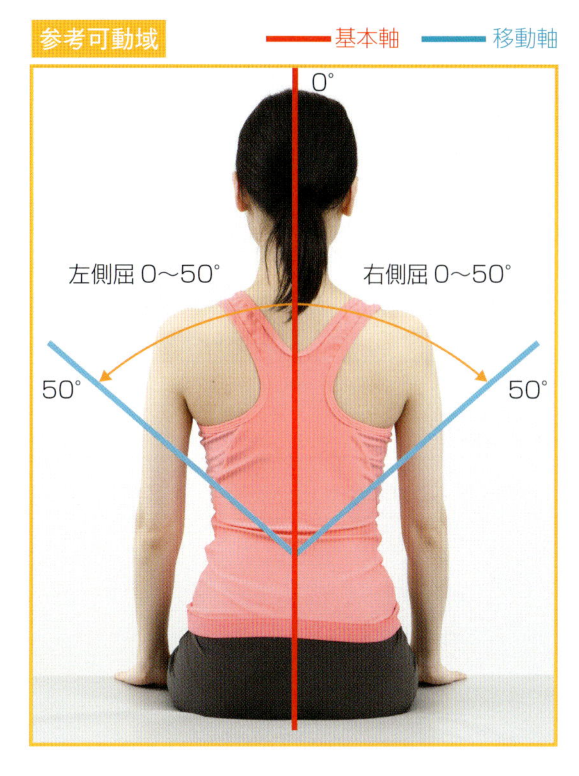

測定場面

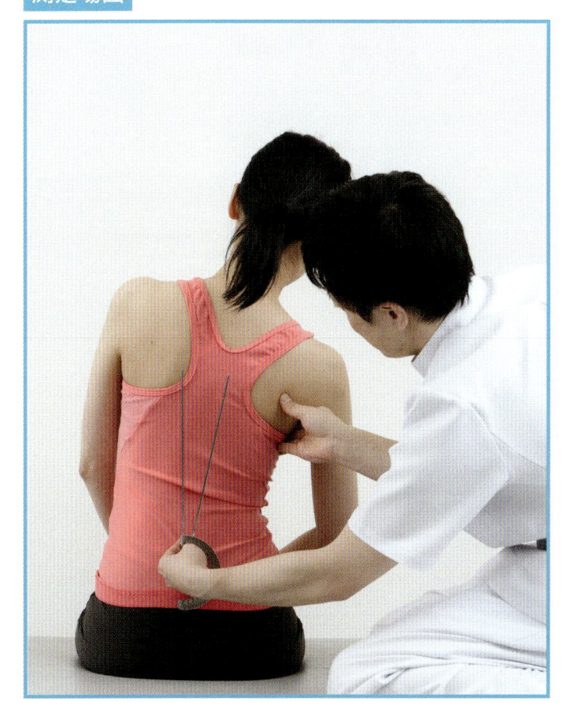

代償運動（体幹伸展・回旋，骨盤挙上）

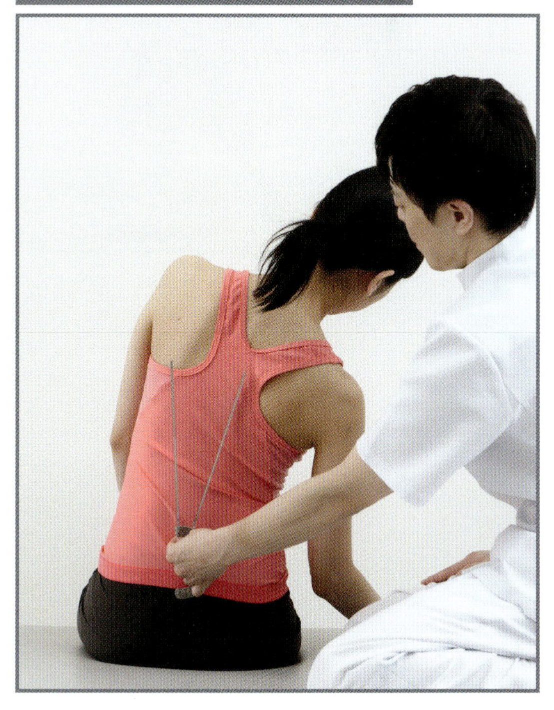

別　法

メジャー法〔指床間距離（FFD：Finger-Floor Distance)〕

測定肢位	立位（足は肩幅程度に開く）
測定方法	両膝関節伸展位で自動的に体幹側屈運動を行った際の第3指先端と床の距離をメジャーで測定する
臨床ポイント	ゴニオメーターで測定する場合，基本軸があいまいとなりやすい問題を解決しうる測定法である．体幹屈曲・伸展・回旋の代償運動に注意し，指尖から下ろしたメジャーが床と垂直となるように測定する

開始肢位

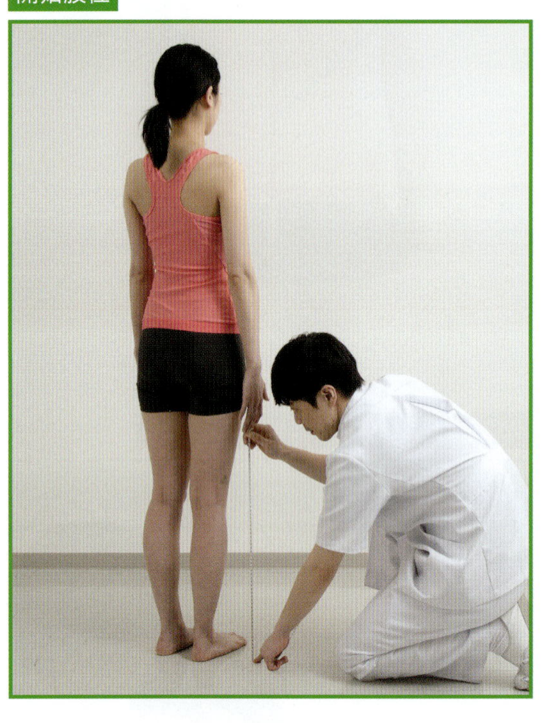

測定場面

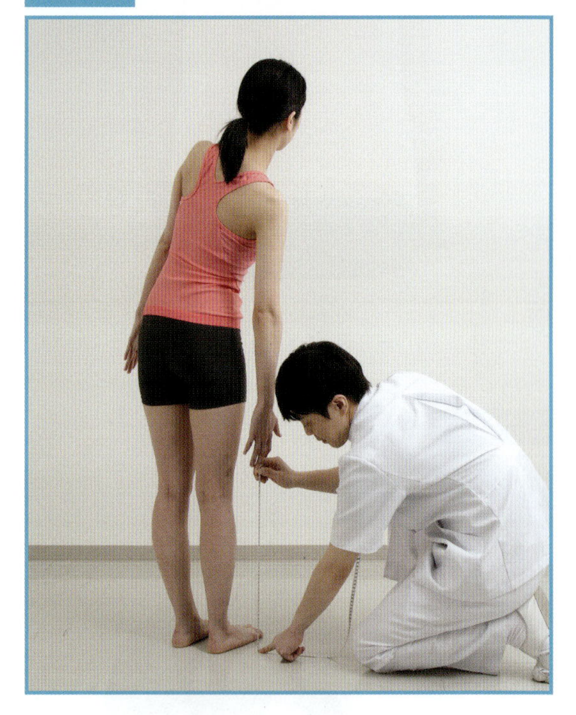

別　法

ランドマーク法

座位にて基本軸をJacoby線，移動軸を第5腰椎棘突起と第1胸椎棘突起を結ぶ線，軸心を第5腰椎棘突起とする．ゴニオメーターが座面に接触せず，骨盤挙上の代償運動の影響も受けない．

測定場面

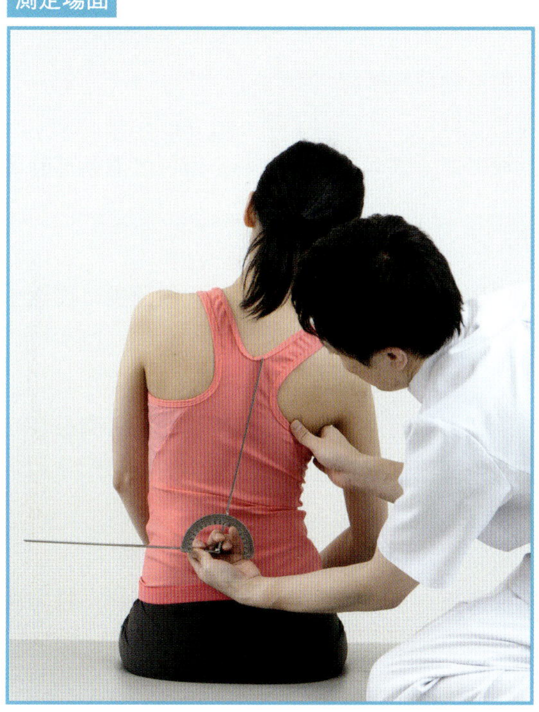

8 胸腰部回旋（体幹回旋）

基本事項

測定肢位	座位
基本軸	両側の上後腸骨棘を結ぶ線
移動軸	両側の肩峰を結ぶ線
参考可動域	0～40°

測定の順序

❶検者は体幹回旋の自動可動域を確認する．
❷他動的に体幹回旋運動を行い，痛みおよび end feel を確認する．
❸体幹回旋の最終可動域にて，ゴニオメーターを用いて他動可動域を測定する．

測定における注意点

❶骨盤を固定して，肩甲帯屈曲，体幹屈曲などの代償運動に注意する．

最終可動域での制限因子

外腹斜筋，内腹斜筋，腰方形筋，胸腸肋筋，腰腸肋筋，胸最長筋，多裂筋，胸椎椎間関節の関節包，腰椎椎間関節の関節包，黄色靱帯，横突間靱帯．

可動域に制限を有しやすい疾患

非特異的腰痛，腰椎椎間板ヘルニア，腰部脊柱管狭窄症，特発性側弯症，脳性麻痺，パーキンソン病，片麻痺など．

特異的な end feel

- 結合組織性：非特異的腰痛，腰椎椎間板ヘルニア，腰部脊柱管狭窄症，特発性側弯症，脳性麻痺，パーキンソン病，片麻痺など．
- 骨性：特発性側弯症など．
- スパズム：非特異的腰痛，腰椎椎間板ヘルニア，腰部脊柱管狭窄症など．

標準法   8

開始肢位

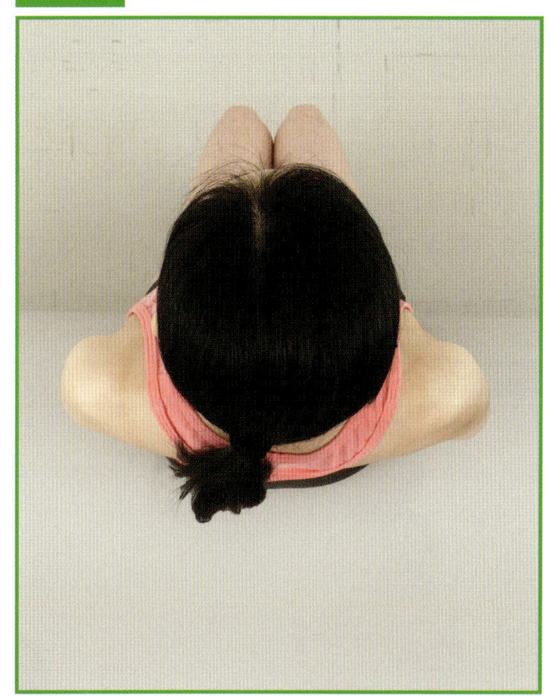

参考可動域

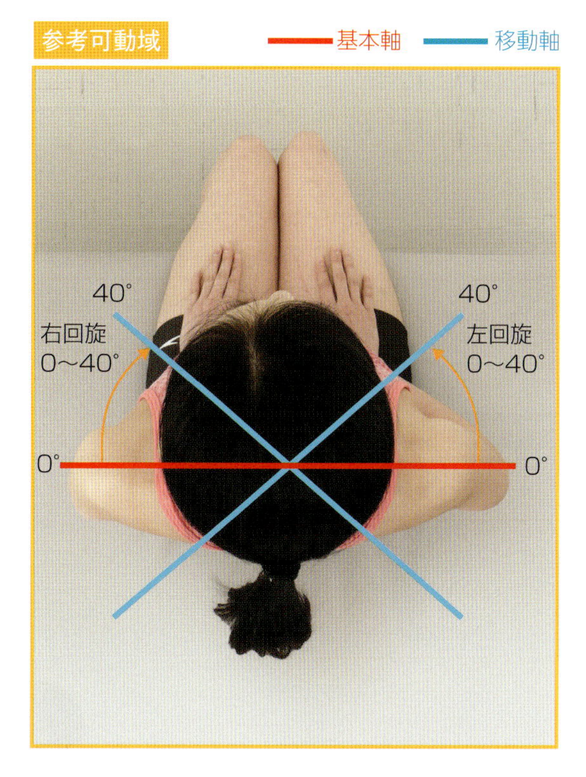

測定場面

代償運動（肩甲帯屈曲，体幹屈曲）

別　法

メジャー法

測定肢位	直立座位
測定方法	メジャーの上端は非回旋側の肩峰，メジャーの下端は回旋側の大転子とし，メジャーを一直線にあてる．メジャーは上端を 0 cm に合わせる．体幹回旋前の値と体幹最大回旋時の値の差を測定する
臨床ポイント	ゴニオメーターで測定する場合，基本軸があいまいとなりやすい問題を解決しうる測定法だが，体幹屈曲・伸展・側屈の代償運動に注意する

開始肢位

測定場面

代償運動（体幹屈曲・側屈）

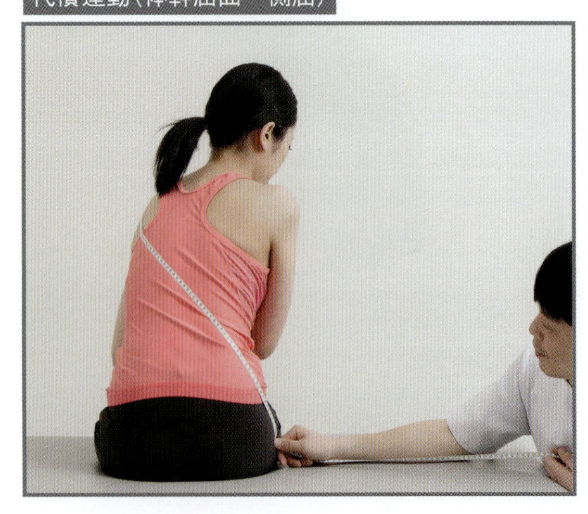

ランドマーク法

座位にて基本軸を腰掛け椅子の背あて，移動軸を両肩甲骨の接線移動，軸心を両肩甲部の接線と背あての延長線の交点とすることで測定が容易となる．

第Ⅲ章

上肢における関節可動域測定

1 肩甲帯屈曲

基本事項

測定肢位	座位
基本軸	両側の肩峰を結ぶ線
移動軸	頭頂と肩峰を結ぶ線
参考可動域	0〜20°

測定の順序

❶検者は肩甲帯屈曲の自動可動域を確認する.
❷他動的に肩甲帯屈曲運動を行い，痛みおよび end feel を確認する.
❸肩甲帯屈曲の最終可動域にて，ゴニオメーターで他動可動域を測定する.

測定における注意点

❶肩甲帯を固定し，体幹回旋・屈曲などの代償運動に注意する.

最終可動域での制限因子

僧帽筋中部線維，大菱形筋，小菱形筋，胸鎖関節の関節包，肩鎖関節の関節包，肋鎖靱帯.

可動域に制限を有しやすい疾患

肩関節周囲炎，肩甲骨骨折，鎖骨骨折，関節リウマチ，片麻痺など.

特異的な end feel

- 結合組織性：肩関節周囲炎，鎖骨骨折，肩甲骨骨折，関節リウマチ，片麻痺など.
- スパズム：肩関節周囲炎，鎖骨骨折，肩甲骨骨折など.
- 骨性：関節リウマチなど.

標準法 1-1

開始肢位

参考可動域

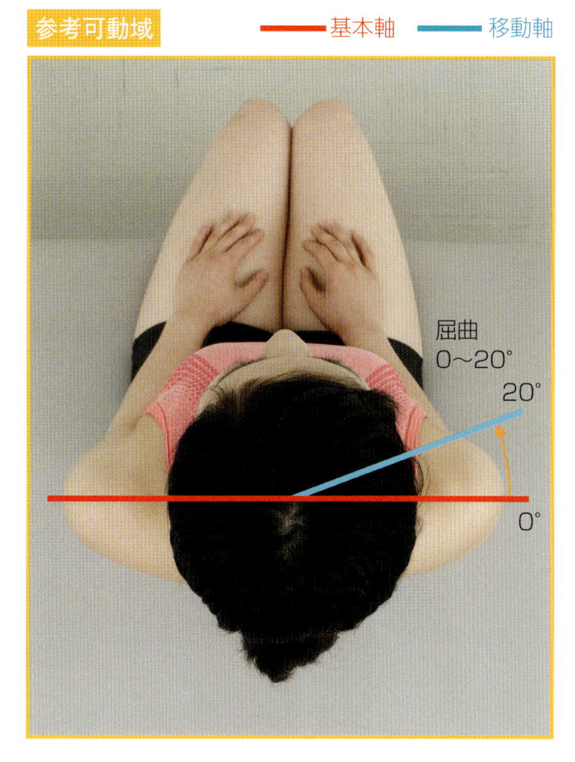

測定場面

代償運動（体幹回旋・屈曲）

別　法

座位がとれない場合の測定法　1-2

測定肢位	背臥位
基本軸	両側の肩峰を結ぶ線
移動軸	頭頂と肩峰を結ぶ線
臨床ポイント	体幹回旋・屈曲の代償運動を抑制できる．上肢の重さの影響を受けることに留意する

開始肢位

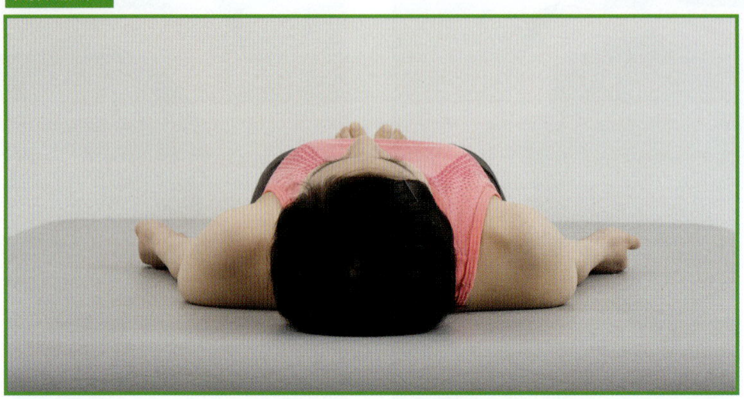

測定場面

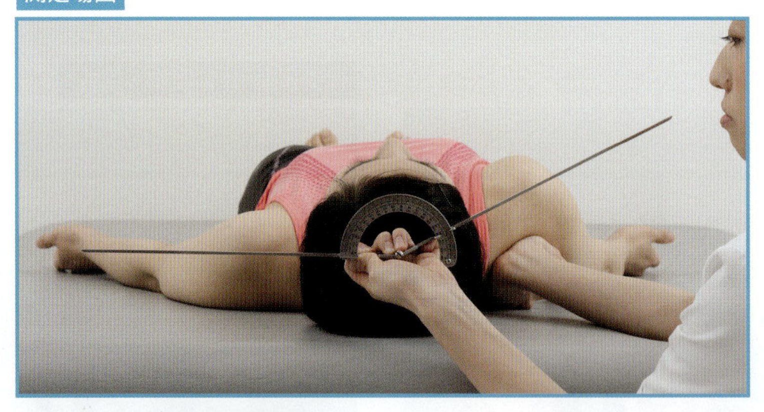

代償運動（体幹回旋・屈曲）

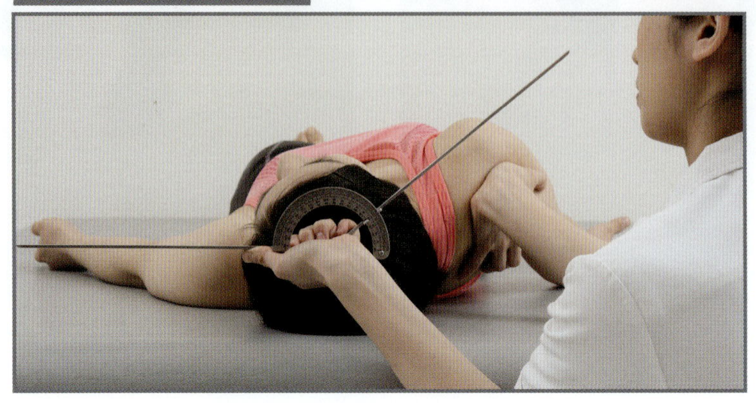

別　法

ランドマーク法

座位または背臥位にて，基本軸を両側の肩峰を通る前額面への垂直線，移動軸を頭頂と肩峰を結ぶ線，軸心を頭頂とする．体幹回旋の代償運動が生じる際の基本軸設定のあいまいさを最小限にすることができるが，背臥位では上肢の重さの影響を受けることに留意する．

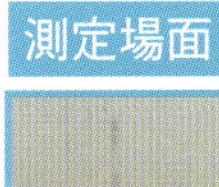

測定場面

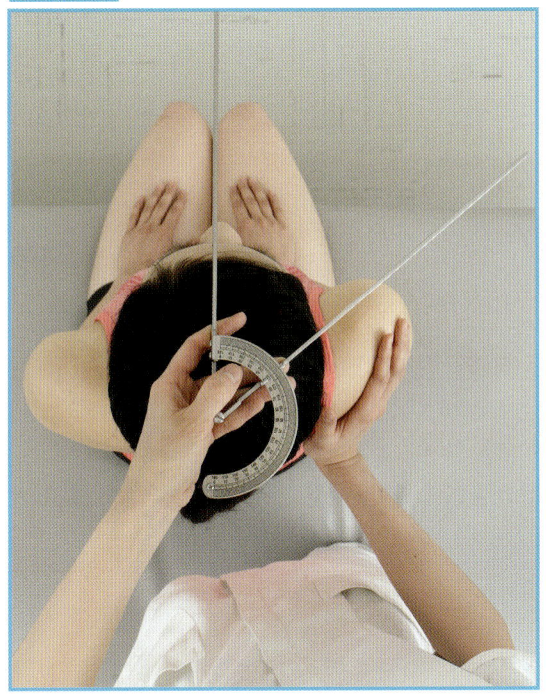

2 肩甲帯伸展

基本事項

測定肢位	座位
基本軸	両側の肩峰を結ぶ線
移動軸	頭頂と肩峰を結ぶ線
参考可動域	0〜20°

測定の順序

❶検者は肩甲帯伸展の自動可動域を確認する．
❷他動的に肩甲帯伸展運動を行い，痛みおよび end feel を確認する．
❸肩甲帯伸展の最終可動域にて，ゴニオメーターで他動可動域を測定する．

測定における注意点

❶肩甲帯を固定し，体幹回旋・伸展などの代償運動に注意する．

最終可動域での制限因子

前鋸筋，小胸筋，大胸筋，胸鎖関節の関節包，肩鎖関節の関節包，肋鎖靱帯．

可動域に制限を有しやすい疾患

肩関節周囲炎，肩甲骨骨折，鎖骨骨折，胸郭出口症候群，関節リウマチ，パーキンソン病など．

特異的な end feel

- 結合組織性：肩関節周囲炎，鎖骨骨折，肩甲骨骨折，胸郭出口症候群，関節リウマチ，パーキンソン病など．
- 骨性：関節リウマチなど．
- スパズム：肩関節周囲炎，鎖骨骨折，肩甲骨骨折，胸郭出口症候群など．

標準法   2-1

開始肢位

参考可動域

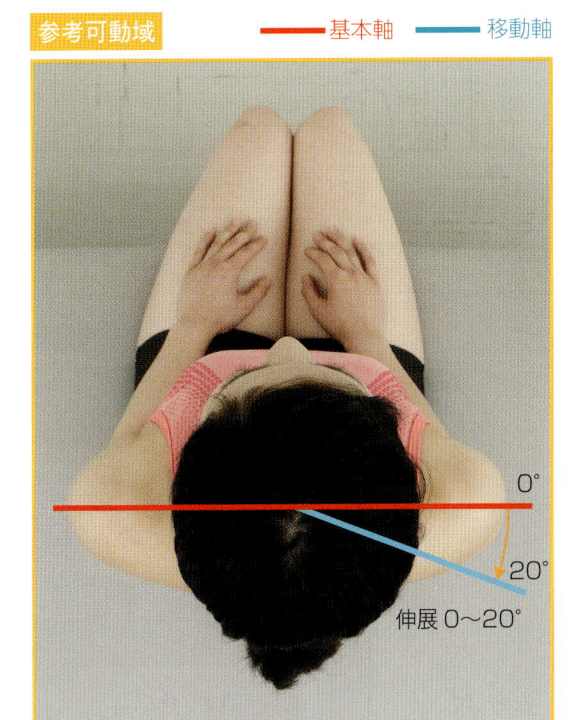

測定場面

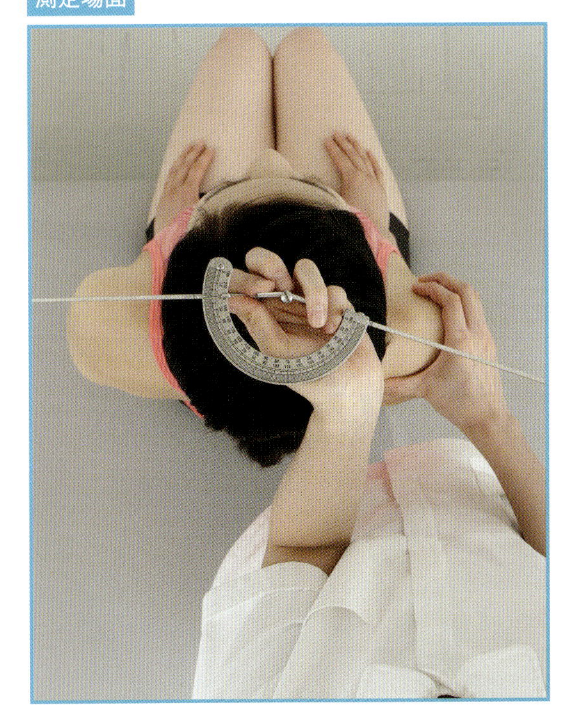

代償運動（体幹回旋・伸展）

別 法

座位がとれない場合の測定法 2-2

測定肢位	腹臥位
基本軸	両側の肩峰を結ぶ線
移動軸	頭頂と肩峰を結ぶ線
臨床ポイント	頭頚部を非測定側へ回旋位にすることで，体幹回旋・伸展の代償運動を抑制できる．上肢の重さの影響を受けることに留意する

開始肢位

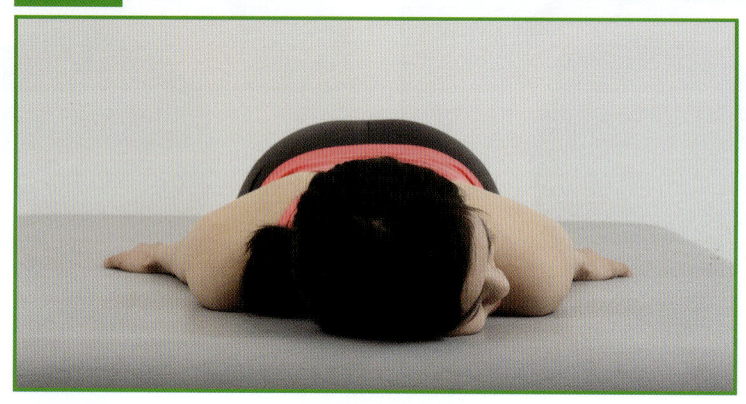

測定場面

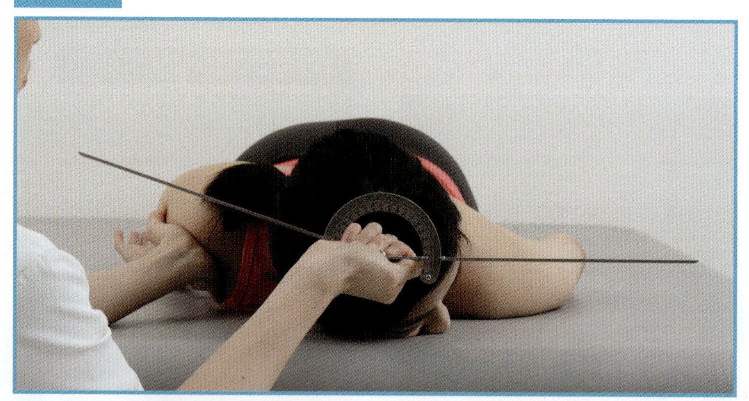

代償運動（体幹回旋・伸展）

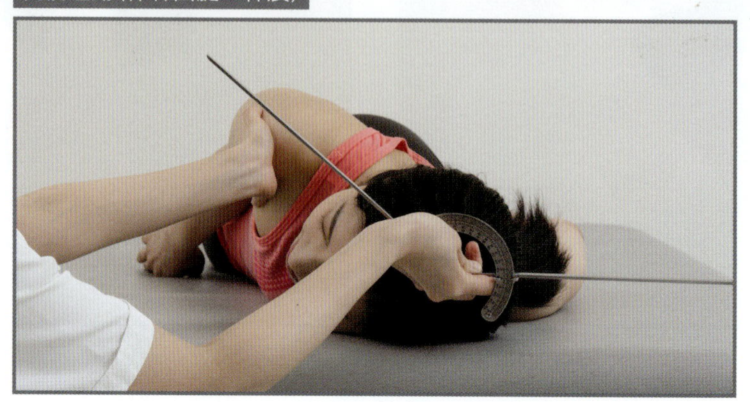

別　法

ランドマーク法

座位または腹臥位にて，基本軸を両側の肩峰を通る前額面への垂直線，移動軸を頭頂と肩峰を結ぶ線，軸心を頭頂とする．体幹回旋の代償運動が生じる際の基本軸設定のあいまいさを最小限にすることができるが，腹臥位では上肢の重さの影響を受けることに留意する．

測定場面

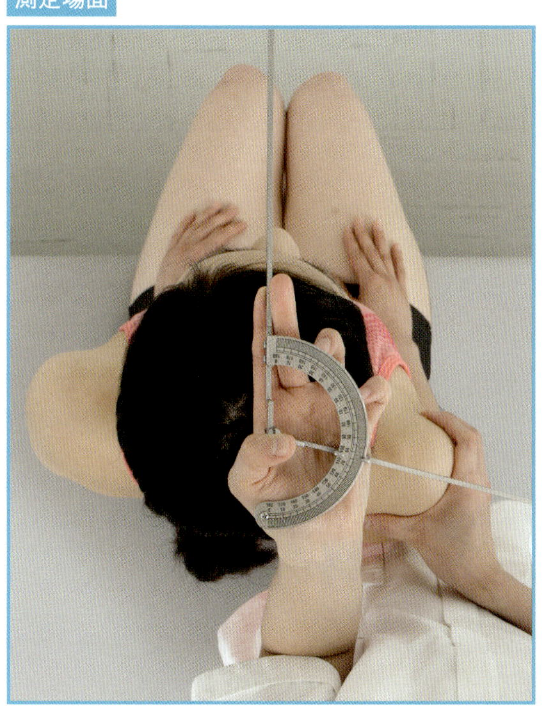

3 肩甲帯挙上

基本事項

測定肢位	座位（背面から測定）
基本軸	両側の肩峰を結ぶ線
移動軸	肩峰と胸骨上縁を結ぶ線
参考可動域	0〜20°

測定の順序

❶検者は肩甲帯挙上の自動可動域を確認する．
❷他動的に肩甲帯挙上運動を行い，痛みおよびend feelを確認する．
❸肩甲帯挙上の最終可動域にて，ゴニオメーターで他動可動域を測定する．

測定における注意点

❶肩甲帯を固定し，体幹側屈などの代償運動に注意する．

最終可動域での制限因子

僧帽筋下部線維，広背筋，小胸筋，胸鎖関節の関節包，肩鎖関節の関節包，肋鎖靱帯．

可動域に制限を有しやすい疾患

肩関節周囲炎，肩甲骨骨折，鎖骨骨折，関節リウマチなど．

特異的なend feel

- 結合組織性：肩関節周囲炎，鎖骨骨折，肩甲骨骨折，関節リウマチなど．
- 骨性：関節リウマチなど．
- スパズム：肩関節周囲炎，鎖骨骨折，肩甲骨骨折など．

標準法 3-1

開始肢位

可動域の参考図

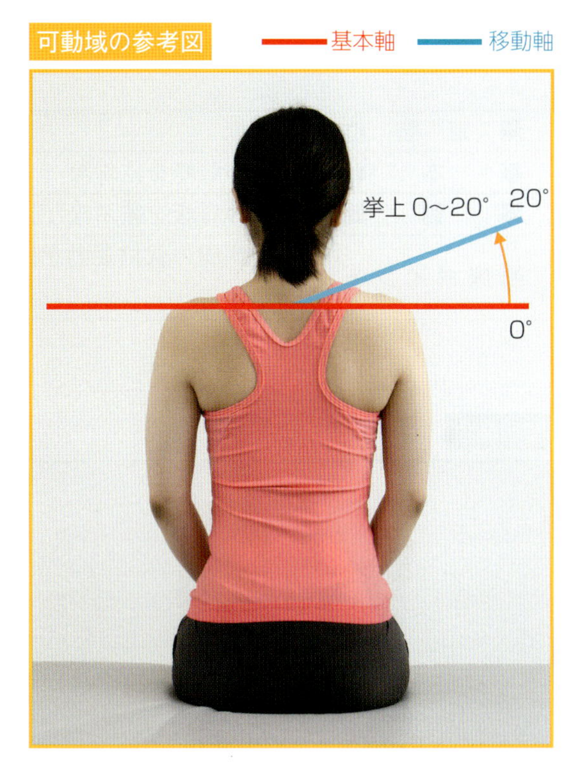

測定場面

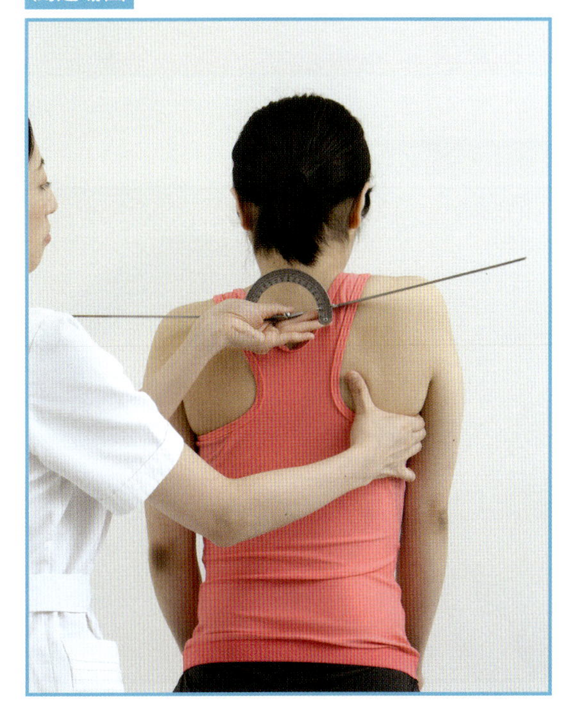

代償運動（体幹側屈）

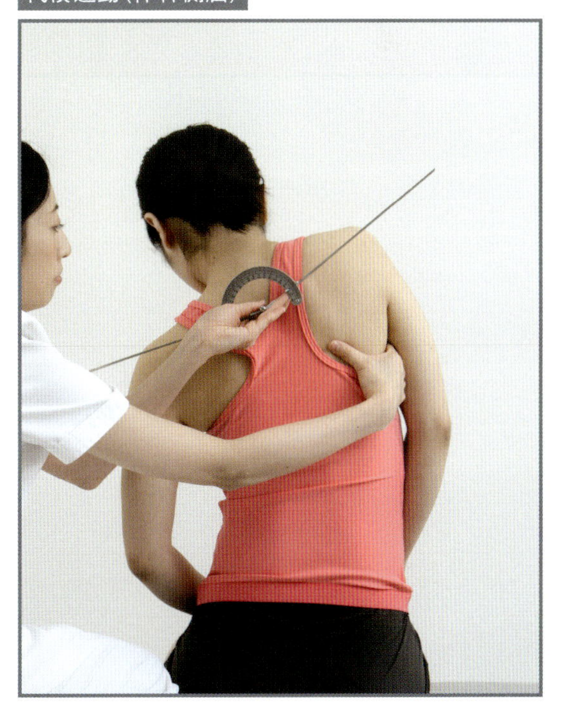

別　法

座位がとれない場合の測定法 3-2

測定肢位	背臥位
基本軸	両側の肩峰を結ぶ線
移動軸	両側の肩峰を結ぶ線と胸骨線上を結ぶ線の交点と肩峰を結ぶ線
臨床ポイント	体幹側屈の代償運動を抑制できる．肩甲骨の動きが確認しづらいことに留意する

開始肢位

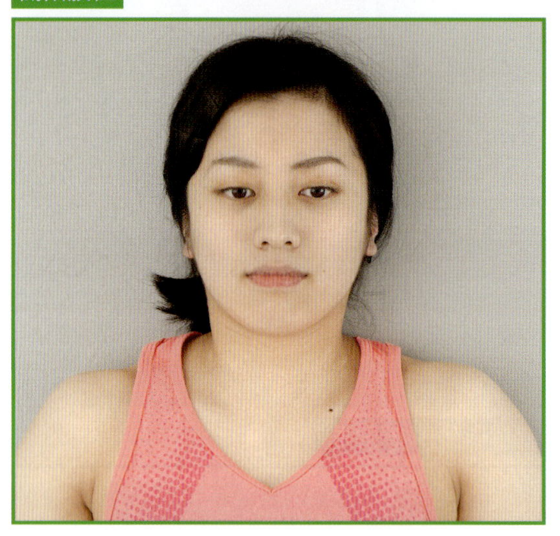

測定場面

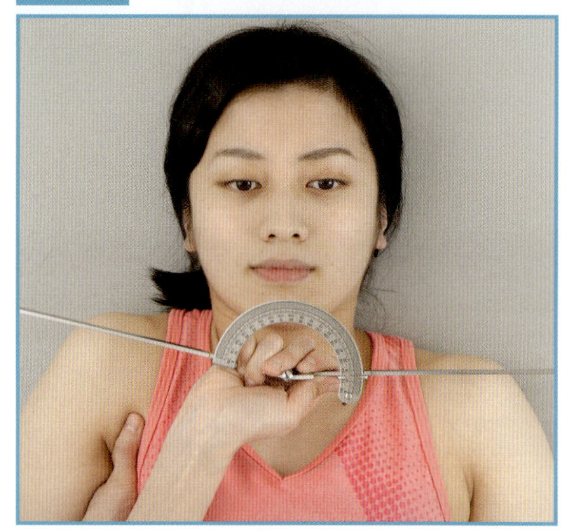

代償運動（体幹側屈）

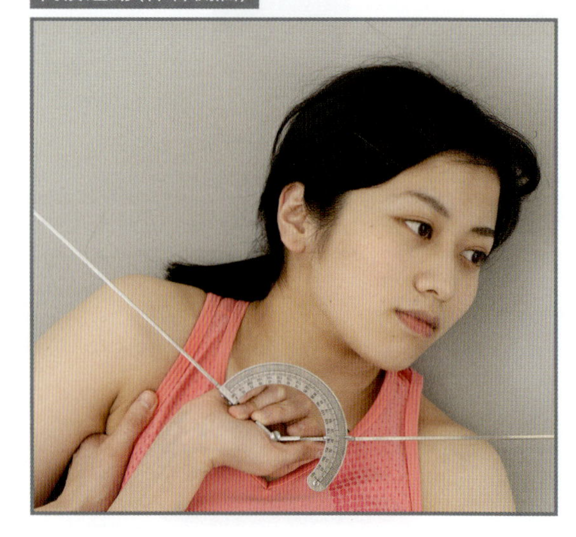

別　法

体幹側屈の代償運動を抑制する測定法

測定肢位は座位とする．検者の下肢で対象者の体幹を支持し，体幹側屈の代償運動を抑制する．ただし，支持した部位に痛み，不快感がないことを必ず確認する．

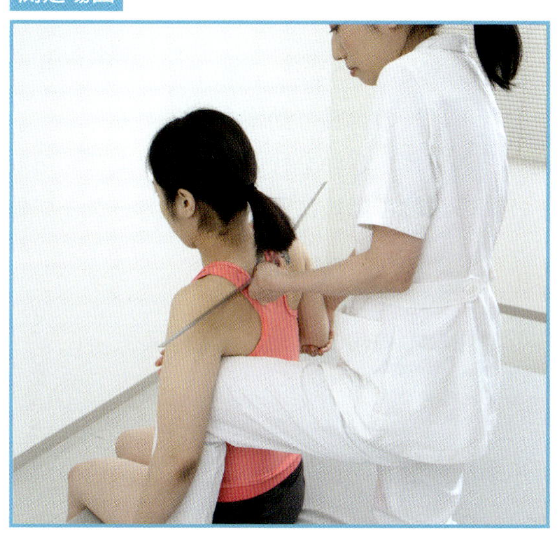

ランドマーク法

測定場面

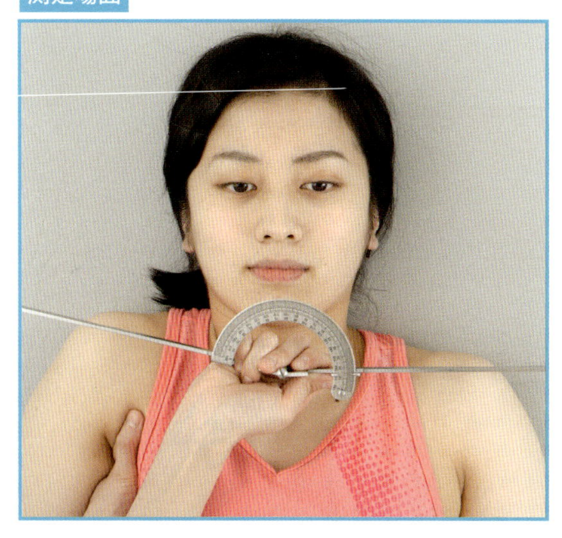

座位または背臥位にて前面から測定する．基本軸を両側の肩峰を結ぶ線，移動軸を両側の肩峰を結ぶ線と胸骨線上の交点から肩峰を結ぶ線，軸心を両側の肩峰を結ぶ線と胸骨線上を結ぶ線の交点とする．

4 肩甲帯下制（引き下げ）

基本事項	
測定肢位	座位（背面から測定）
基本軸	両側の肩峰を結ぶ線
移動軸	肩峰と胸骨上縁を結ぶ線
参考可動域	0〜10°

測定の順序

❶検者は肩甲帯下制（引き下げ）の自動可動域を確認する.
❷他動的に肩甲帯下制（引き下げ）運動を行い，痛みおよびend feelを確認する.
❸肩甲帯下制（引き下げ）の最終可動域にて，ゴニオメーターで他動可動域を測定する.

測定における注意点

❶肩甲帯を固定し，体幹側屈などの代償運動に注意する.

最終可動域での制限因子

僧帽筋上部線維，肩甲挙筋，胸鎖関節の関節包，肩鎖関節の関節包.

可動域に制限を有しやすい疾患

肩関節周囲炎，肩甲骨骨折，鎖骨骨折，胸郭出口症候群，関節リウマチ，片麻痺など.

特異的なend feel

- 結合組織性：肩関節周囲炎，鎖骨骨折，肩甲骨骨折，胸郭出口症候群，関節リウマチ，片麻痺など.
- 骨性：関節リウマチなど.
- スパズム：肩関節周囲炎，鎖骨骨折，肩甲骨骨折，胸郭出口症候群など.

標準法

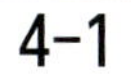

開始肢位

参考可動域

基本軸　移動軸

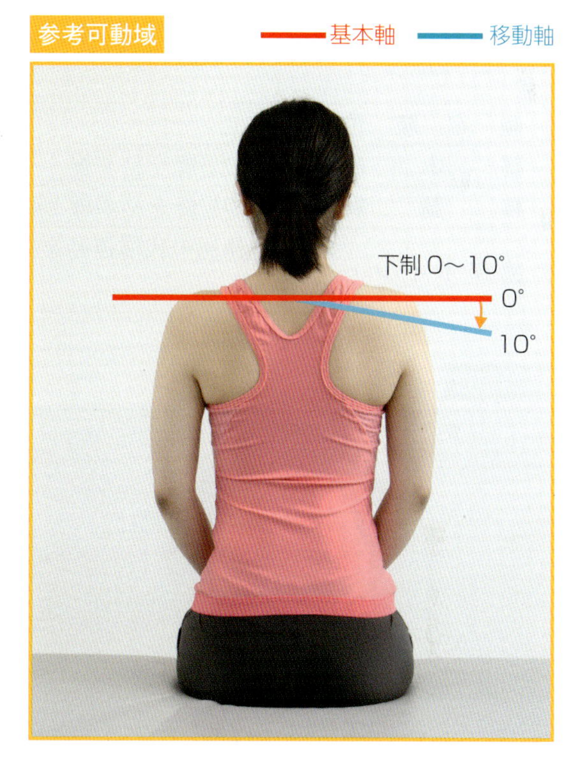

測定場面

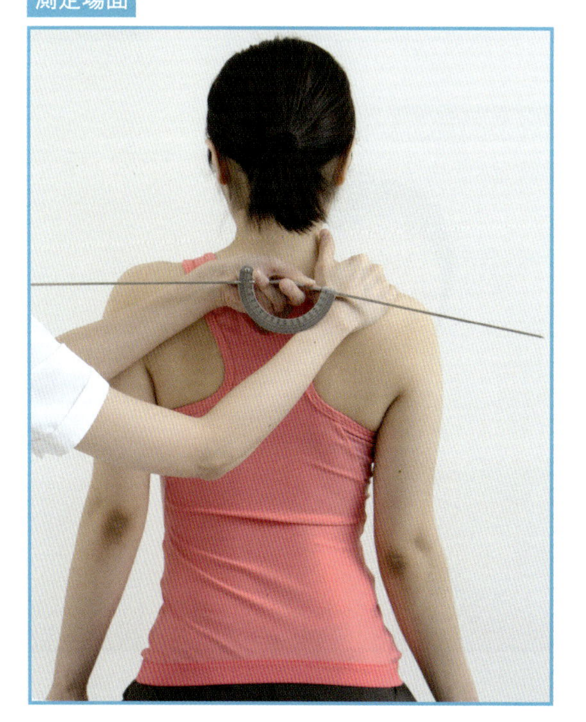

代償運動（体幹側屈）

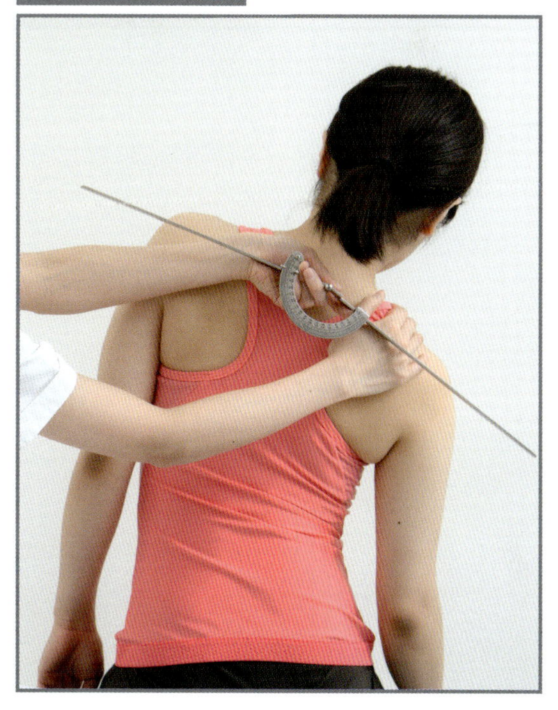

別　法

座位がとれない場合の測定法　4-2

測定肢位	背臥位
基本軸	両側の肩峰を結ぶ線
移動軸	両側の肩峰を結ぶ線と胸骨線上を結ぶ線の交点と肩峰を結ぶ線
臨床ポイント	体幹側屈の代償運動を抑制できる．肩甲骨の動きが確認しづらいことに留意する

開始肢位

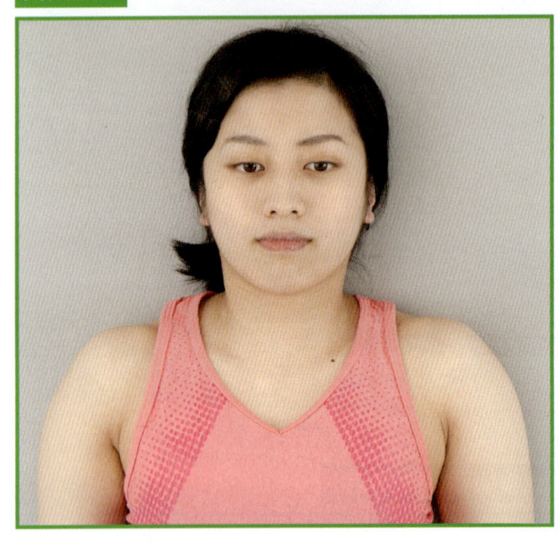

測定場面

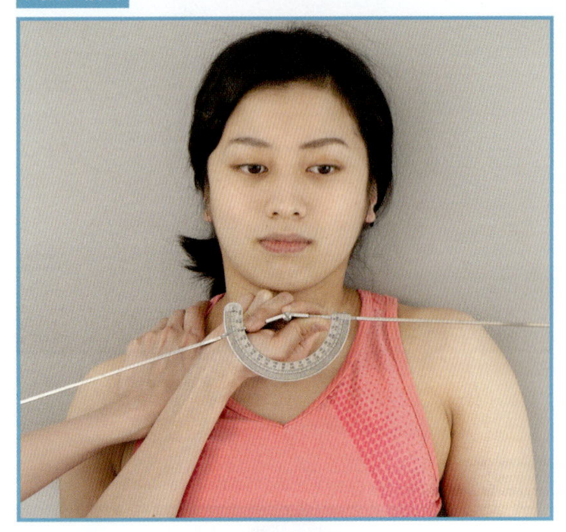

代償運動(体幹側屈)

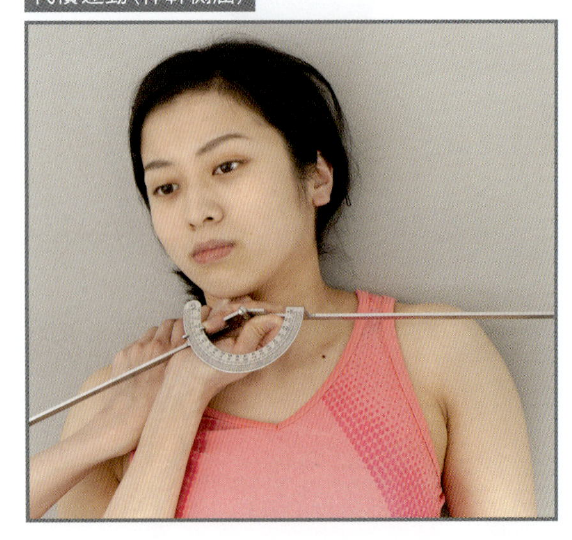

別　法

ランドマーク法

座位または背臥位にて前面から測定する．基本軸を両側の肩峰を結ぶ線，移動軸を両側の肩峰を結ぶ線と胸骨線上の交点から肩峰を結ぶ線，軸心を両側の肩峰を結ぶ線と胸骨線上を結ぶ線の交点とする．

測定場面

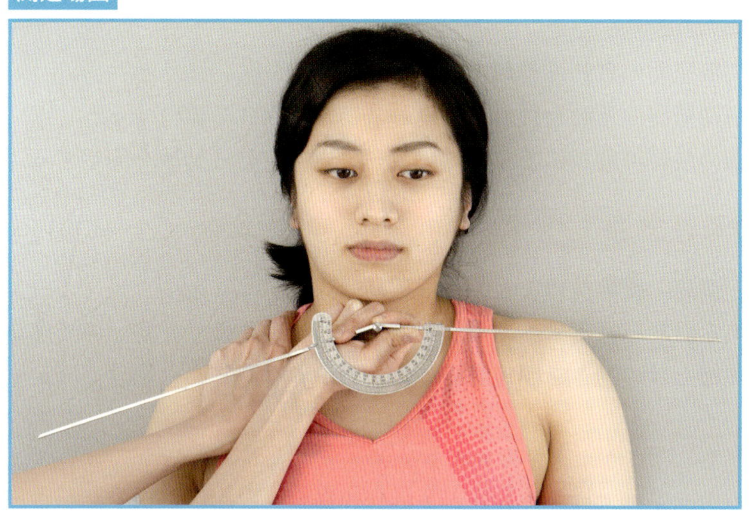

5 肩関節屈曲（前方挙上）

基本事項

測定肢位	座位または立位にて前腕中間位
基本軸	肩峰を通る床への垂直線
移動軸	上腕骨
参考可動域	0〜180°

測定の順序

❶検者は肩関節屈曲の自動可動域を確認する.
❷他動的に肩関節屈曲運動を行い，痛みおよび end feel を確認する.
❸肩関節屈曲の最終可動域にて，ゴニオメーターで他動可動域を測定する.

測定における注意点

❶体幹伸展・側屈，腰椎前弯などの代償運動に注意する.
❷基本軸である肩峰を通る床への垂直線は，あいまいになりやすいので注意する.
❸肩甲上腕関節だけの動きを測定する場合，肩甲骨を固定した状態で測定する.

最終可動域での制限因子

小円筋，大円筋，棘下筋，広背筋，大胸筋胸肋部の緊張，烏口上腕靱帯の後部線維，関節包の後部，肘関節屈曲位では大円筋，上腕三頭筋長頭の緊張が強まる.

可動域に制限を有しやすい疾患

肩関節周囲炎，腱板損傷，上腕骨骨折，鎖骨骨折，肩甲骨骨折，関節リウマチ，片麻痺，パーキンソン病など.

特異的な end feel

- 結合組織性：肩関節周囲炎，腱板損傷，上腕骨骨折，鎖骨骨折，肩甲骨骨折，急性滑液包炎，片麻痺，パーキンソン病など.
- 骨性：関節リウマチ，片麻痺（脱臼・亜脱臼）など.
- スパズム：肩関節周囲炎，上腕骨骨折など.
- 空虚感：急性滑液包炎など.

標準法  5-1

開始肢位

参考可動域

測定場面

代償運動(体幹伸展・側屈，腰椎前弯の増強)

別　法

座位がとれない場合の測定法 5-2

測定肢位	背臥位
基本軸	体幹の中腋窩線と平行な線
移動軸	上腕骨
臨床ポイント	体幹伸展・側屈の代償運動を抑制できるが，胸腰椎前弯による胸郭の浮き上がりの代償運動に注意する．両膝関節を屈曲位とすることで，腰椎前弯の代償運動は抑制できる．肩甲上腕リズムの確認がしづらいため注意する

開始肢位

測定場面

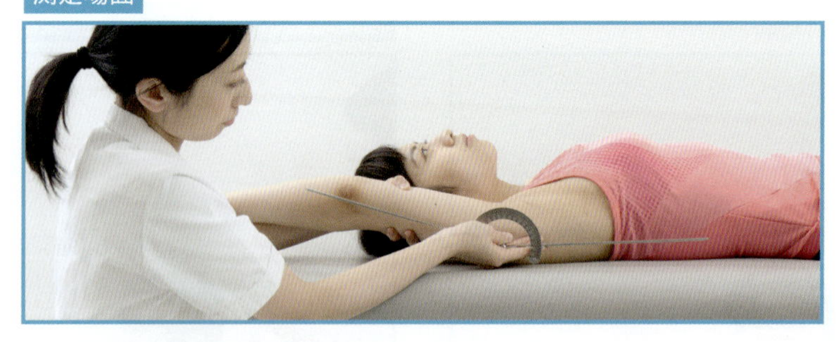

代償運動（胸椎・腰椎の前弯）

別　法

ランドマーク法

座位または立位，背臥位にて，基本軸を肩峰と大転子を結ぶ線，移動軸を肩峰と肘頭を結ぶ線，軸心を肩峰とする．脊柱変形を有する場合など，体幹の影響による基本軸設定のあいまいさを最小限にすることができる．肩甲上腕リズムの確認がしづらいため注意する．

測定場面

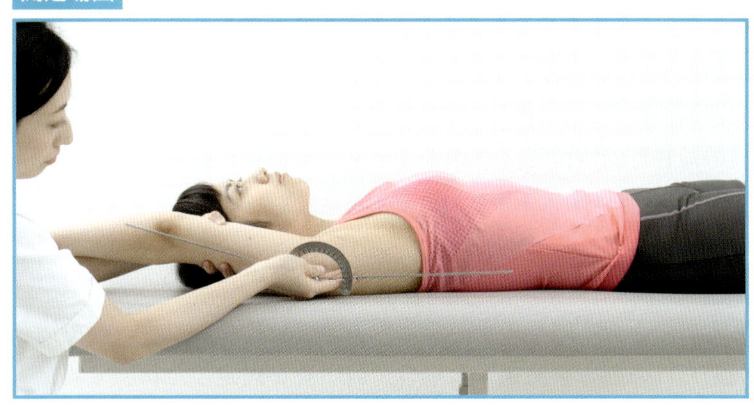

6 肩関節伸展（後方挙上）

基本事項

測定肢位	座位または立位にて前腕中間位
基本軸	肩峰を通る床への垂直線
移動軸	上腕骨
参考可動域	0〜50°

測定の順序

❶検者は肩関節伸展の自動可動域を確認する．
❷他動的に肩関節伸展運動を行い，痛みおよび end feel を確認する．
❸肩関節伸展の最終可動域にて，ゴニオメーターで他動可動域を測定する．

測定における注意点

❶体幹屈曲・回旋などの代償運動に注意する．
❷基本軸である肩峰を通る床への垂直線は，あいまいになりやすいので注意する．
❸肩甲上腕関節だけの動きを測定する場合，肩甲骨を固定した状態で測定する．

最終可動域での制限因子

大胸筋鎖骨部，前鋸筋，烏口上腕靱帯の前部線維，関節包の前部．

可動域に制限を有しやすい疾患

肩関節周囲炎，腱板損傷，上腕骨骨折，鎖骨骨折，肩甲骨骨折，関節リウマチ，片麻痺，パーキンソン病など．

特異的な end feel

- 結合組織性：肩関節周囲炎，腱板損傷，上腕骨骨折，鎖骨骨折，肩甲骨骨折，急性滑液包炎，片麻痺，パーキンソン病など．
- 骨性：関節リウマチ，片麻痺（脱臼・亜脱臼）など．
- スパズム：肩関節周囲炎，上腕骨骨折など．
- 空虚感：急性滑液包炎など．

標準法  6-1

開始肢位

参考可動域

測定場面

代償運動（体幹屈曲・回旋）

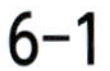

別　法

座位がとれない場合の測定法 6-2

測定肢位	腹臥位
基本軸	体幹の中腋窩線と平行な線
移動軸	上腕骨
臨床ポイント	体幹屈曲の代償運動を抑制できるが，体幹回旋の代償運動に注意する．頭頚部を非測定側に回旋させることで体幹回旋の代償運動を抑制できる

開始肢位

測定場面

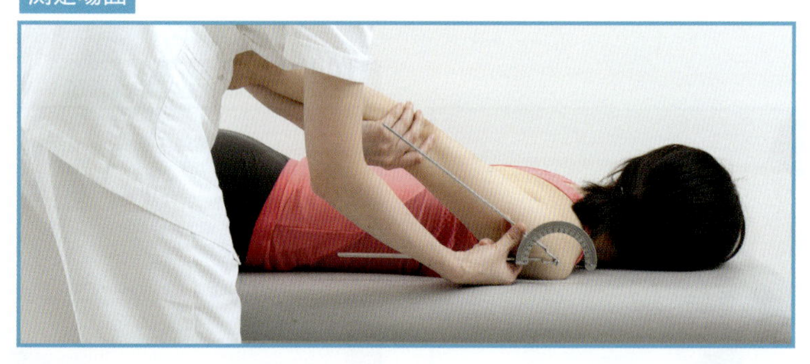

代償運動（体幹回旋）

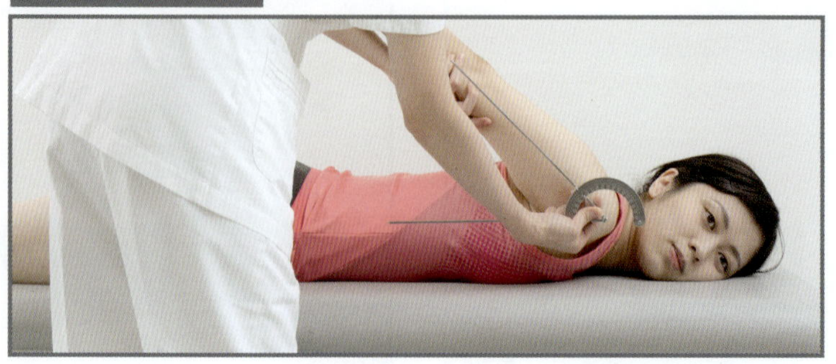

別　法

座位や腹臥位がとれない場合の測定法

測定肢位	側臥位
基本軸	体幹の中腋窩線と平行な線
移動軸	上腕骨
臨床ポイント	体幹回旋の代償運動に注意する

開始肢位

測定場面

代償運動（体幹回旋）

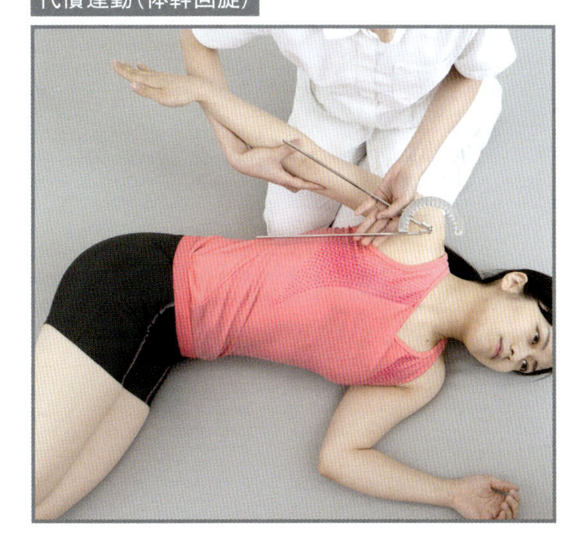

◎別　法

ランドマーク法

座位または立位，腹臥位にて，基本軸を肩峰と大転子を結ぶ線，移動軸を肩峰と肘頭を結ぶ線，軸心を肩峰とする．脊柱変形を有する場合など，体幹の影響による基本軸設定のあいまいさを最小限にすることができる．

測定場面

7 肩関節外転（側方挙上）

基本事項

測定肢位	座位または立位
基本軸	肩峰を通る床への垂直線
移動軸	上腕骨
参考可動域	0～180°

測定の順序

❶検者は肩関節外転の自動可動域を確認する.
❷他動的に肩関節外転運動を行い，痛みおよび end feel を確認する.
❸肩関節外転の最終可動域にて，ゴニオメーターで他動可動域を測定する.

測定における注意点

❶体幹側屈，肩甲帯挙上などの代償運動に注意する.
❷肩関節外転 90° に達する前に肩関節を外旋および前腕を回外させ，大結節の肩峰・烏口肩峰アーチへの衝突を防止する.
❸座位で背面から測定することで，肩甲上腕リズムが観察しやすくなる.
❹肩甲上腕関節だけの動きを測定する場合，肩甲骨を固定した状態で測定する.
❺基本軸である肩峰を通る床への垂直線は，あいまいになりやすいので注意する.

最終可動域での制限因子

小円筋，大円筋，棘下筋，広背筋，大胸筋，菱形筋，僧帽筋中部・下部線維，関節上腕靱帯の下部，関節包の下部.

可動域に制限を有しやすい疾患

肩関節周囲炎，腱板損傷，上腕骨骨折，鎖骨骨折，肩甲骨骨折，関節リウマチ，腕神経叢麻痺，片麻痺，パーキンソン病など.

臨床における留意点

関節包への負荷軽減のため scapula plane（肩甲骨面）で外転させる測定法もある.

特異的な end feel

- 結合組織性：肩関節周囲炎，腱板損傷，上腕骨骨折，鎖骨骨折，肩甲骨骨折，急性滑液包炎，腕神経叢麻痺，片麻痺，パーキンソン病など.
- 骨性：関節リウマチ，片麻痺（脱臼・亜脱臼）など.
- スパズム：肩関節周囲炎，上腕骨骨折など.
- 空虚感：急性滑液包炎など.

標準法  7-1

開始肢位

参考可動域　— 基本軸　— 移動軸

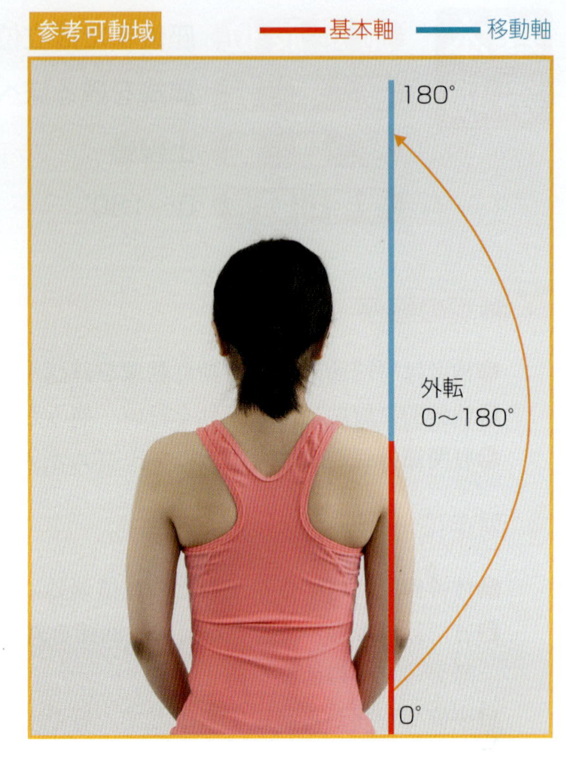

測定場面

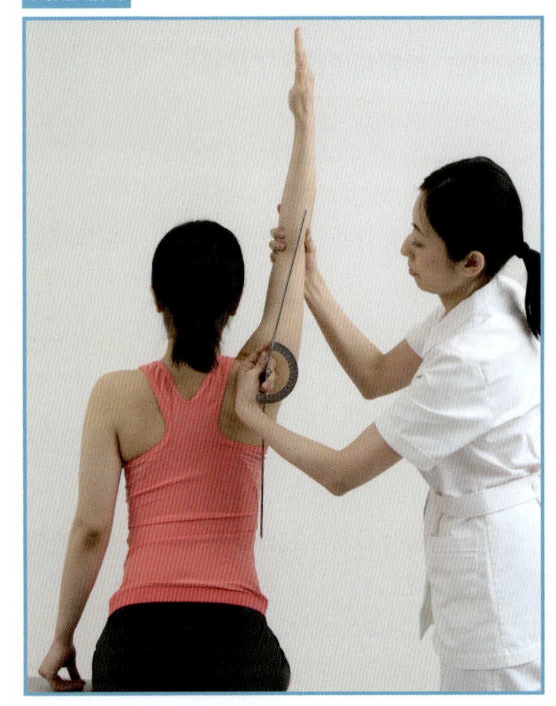

代償運動（①体幹側屈，②肩甲帯挙上）

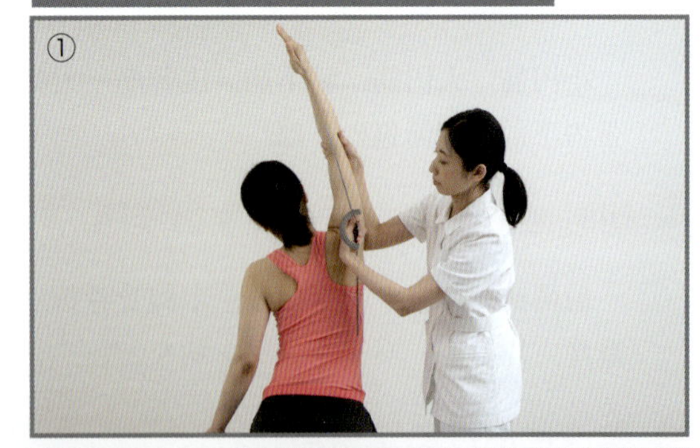

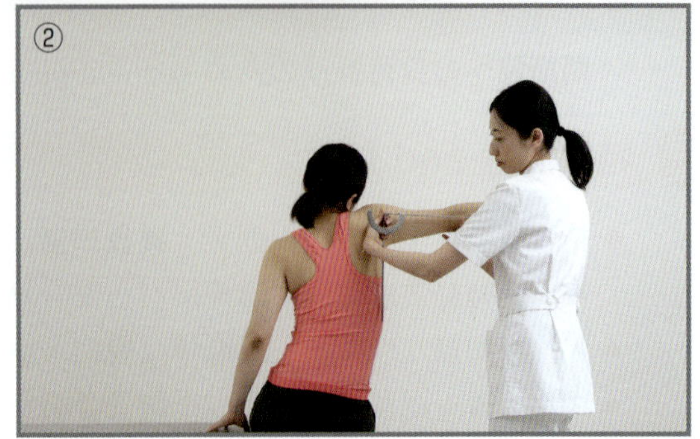

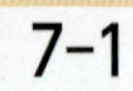

別　法

座位がとれない場合の測定法　7-2

測定肢位	背臥位
基本軸	肩峰を通る胸骨と平行な線
移動軸	上腕骨
臨床ポイント	体幹側屈の代償運動を抑制できるが，肩甲上腕リズムの確認がしづらいことに留意する

開始肢位

測定場面

代償運動（体幹側屈）

別　法

ランドマーク法  7-3

座位または立位，背臥位にて，基本軸を両側の肩峰を結ぶ線，移動軸を肩峰と上腕骨内側上顆を結ぶ線とし，軸心を肩峰とする．側弯症や脊柱変形を有する場合など，体幹の影響による基本軸設定のあいまいさを最小限にすることができる．肩甲上腕リズムの確認がしづらいことに留意する．

測定場面

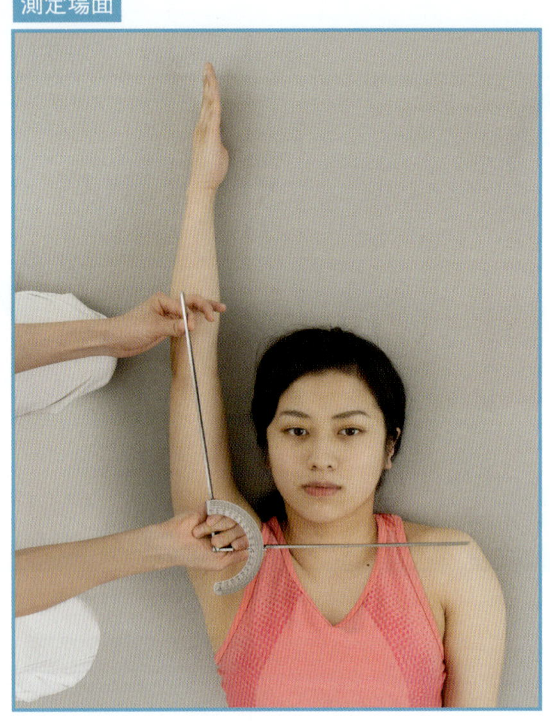

8 肩関節内転

基本事項

測定肢位	座位または立位
基本軸	肩峰を通る床への垂直線
移動軸	上腕骨
参考可動域	0°

測定の順序

❶検者は肩関節内転の自動可動域を確認する．
❷他動的に肩関節内転運動を行い，痛みおよびend feelを確認する．
❸肩関節内転の最終可動域にて，ゴニオメーターで他動可動域を測定する．

測定における注意点

❶体幹側屈・回旋，肩甲帯下制などの代償運動に注意する．
❷座位で背面から測定することで，肩甲上腕リズムが観察しやすくなる．
❸基本軸である肩峰を通る床への垂直線は，あいまいになりやすいので注意する．

最終可動域での制限因子

三角筋，棘上筋，僧帽筋の上部，烏口上腕靱帯，関節上腕靱帯の上部，関節包の上部，肩峰下滑液包．

可動域に制限を有しやすい疾患

肩関節周囲炎，腱板損傷，上腕骨骨折，鎖骨骨折，肩甲骨骨折，関節リウマチなど．

特異的なend feel

- 結合組織性：肩関節周囲炎，腱板損傷，上腕骨骨折，鎖骨骨折，肩甲骨骨折，急性滑液包炎，関節リウマチなど．
- 骨性：関節リウマチなど．
- スパズム：肩関節周囲炎，腱板損傷，上腕骨骨折など．
- 空虚感：急性滑液包炎など．

標準法

開始肢位

参考可動域

測定場面

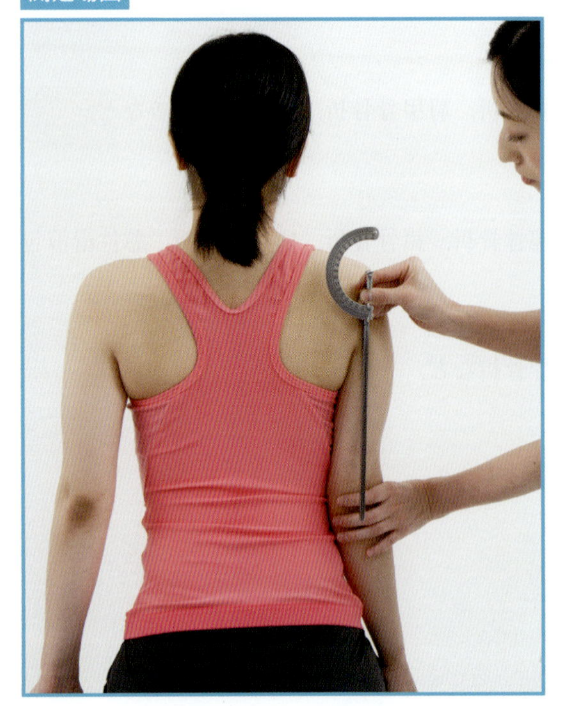

代償運動（体幹側屈・回旋，肩甲帯下制）

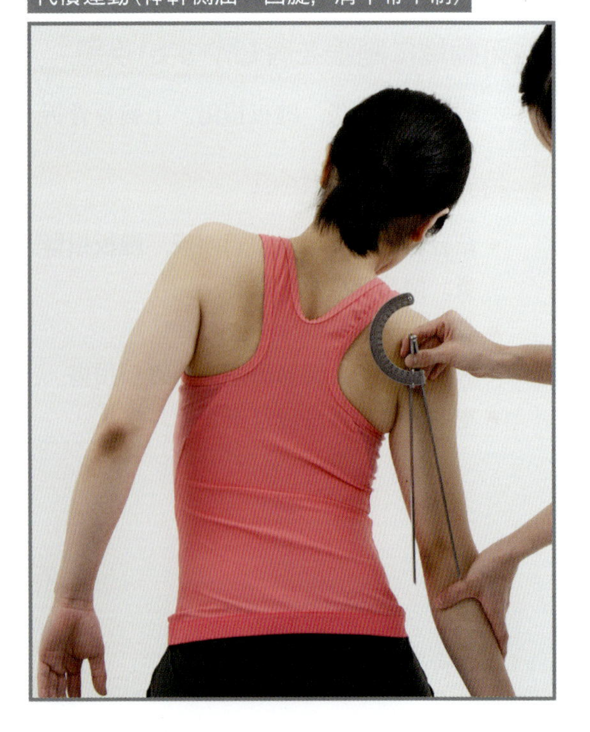

別　法

上肢を体の前面で基本肢位より内側へ動かす方法（座位） 8-1

測定肢位	座位（肩関節 20° または 45° 屈曲位：日本整形外科学会・日本リハビリテーション医学会・日本足の外科学会による方法では測定肢位を立位としているが，転倒リスクがあるため，上肢が大腿と接触しないように肩関節を 45° 屈曲位とした座位での測定が望ましい）
基本軸	肩峰を通る床への垂直線
移動軸	上腕骨
参考可動域	0～75°

開始肢位

測定場面

代償運動（体幹側屈・回旋）

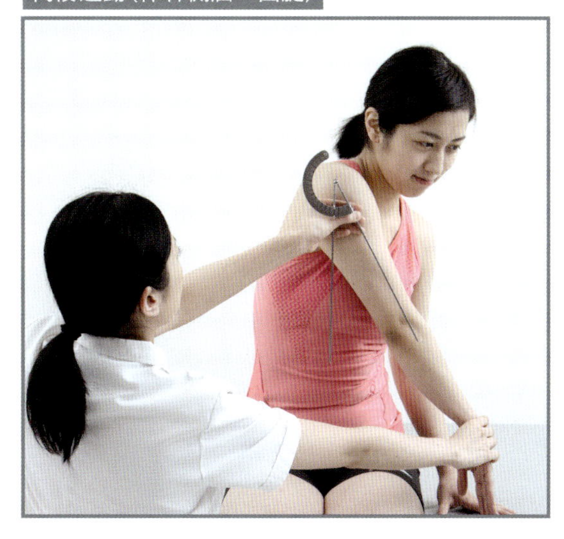

別 法

上肢を体の前面で基本肢位より内側へ動かす方法（背臥位） 8-2

測定肢位	背臥位（肩関節 20° または 45° 屈曲位）
基本軸	肩峰を通る胸骨と平行な線
移動軸	上腕骨
参考可動域	0〜75°
臨床ポイント	日常生活動作で必要な可動域を測定することが可能である

開始肢位

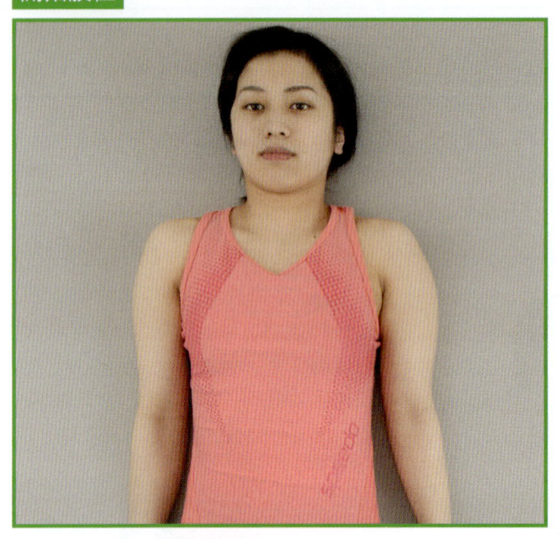

測定場面

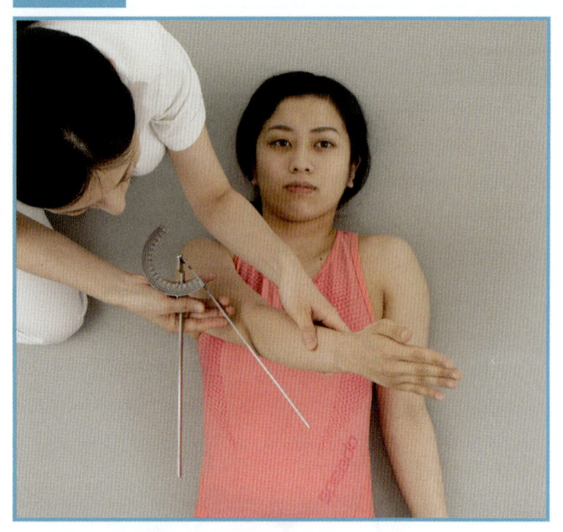

代償運動（体幹側屈・回旋）

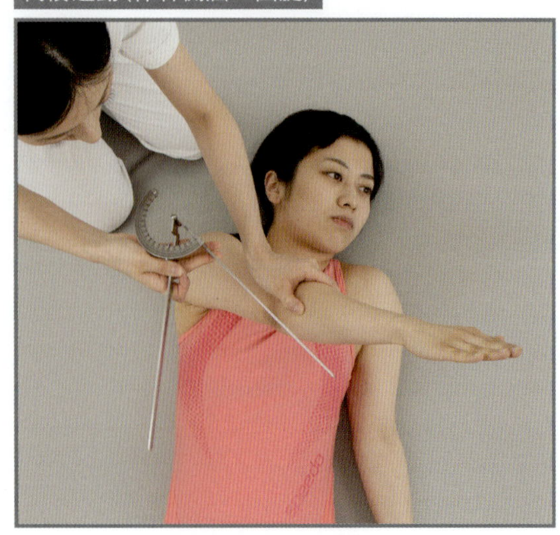

別　法

ランドマーク法  8-3

座位または立位，背臥位にて，基本軸を両側の肩峰を結ぶ線，移動軸を肩峰と上腕骨内側上顆を結ぶ線とし，軸心を肩峰とする．側弯症や脊柱変形を有する場合など，体幹の影響による基本軸設定のあいまいさを最小限にすることができる．肩甲上腕リズムの確認がしづらいことに留意する．

測定場面

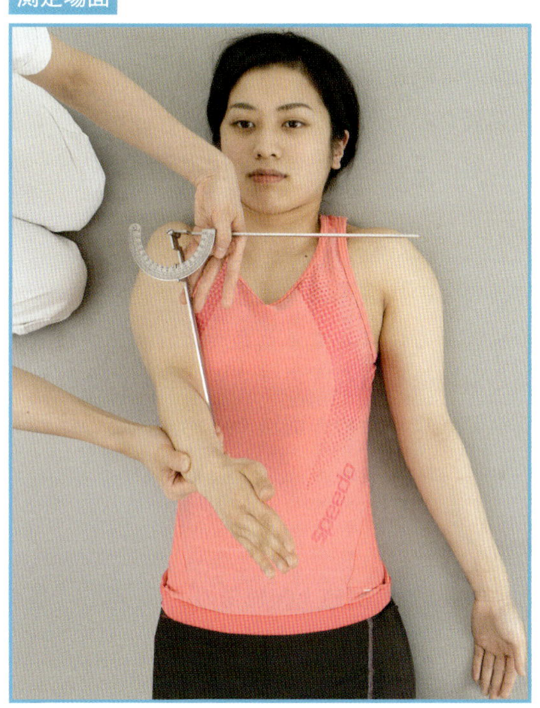

9 肩関節外旋

基本事項

測定肢位	座位または立位にて上腕を体幹に接して肘関節 90° 屈曲位，前腕中間位
基本軸	肘を通る前額面への垂直線
移動軸	尺骨
参考可動域	0〜60°

測定の順序

❶検者は肩関節外旋の自動可動域を確認する．
❷他動的に肩関節外旋運動を行い，痛みおよび end feel を確認する．
❸肩関節外旋の最終可動域にて，ゴニオメーターで他動可動域を測定する．

測定における注意点

❶体幹回旋，肩甲帯伸展などの代償運動に注意する．
❷移動軸は尺骨のため尺骨下方にゴニオメーターを位置させた測定が望ましい．
❸基本軸である肘を通る前額面への垂直線は，あいまいになりやすいので注意する．
❹外旋角度は肩関節肢位で異なるため，別法での測定値との比較から制限因子を推察し治療へ応用する．

最終可動域での制限因子

肩甲下筋の上部，大胸筋鎖骨部，関節上腕靱帯の上部，烏口上腕靱帯，関節包の前方上部．

可動域に制限を有しやすい疾患

肩関節周囲炎，腱板損傷，上腕骨骨折，鎖骨骨折，肩甲骨骨折，反復性肩関節脱臼術後，胸郭出口症候群，急性滑液包炎，関節リウマチ，片麻痺，パーキンソン病など．

特異的な end feel

- 結合組織性：肩関節周囲炎，腱板損傷，上腕骨骨折，鎖骨骨折，肩甲骨骨折，胸郭出口症候群，急性滑液包炎，関節リウマチ，片麻痺，パーキンソン病など．
- 骨性：関節リウマチ，片麻痺（脱臼・亜脱臼）など．
- スパズム：肩関節周囲炎，腱板損傷，上腕骨骨折，反復性肩関節脱臼術後，胸郭出口症候群など．
- 空虚感：急性滑液包炎など．

標準法  9-1

開始肢位

参考可動域　基本軸　移動軸

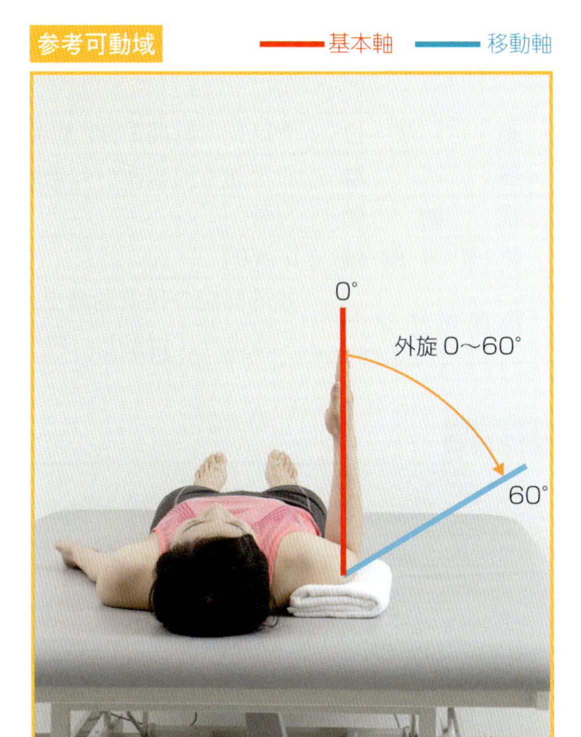

測定場面

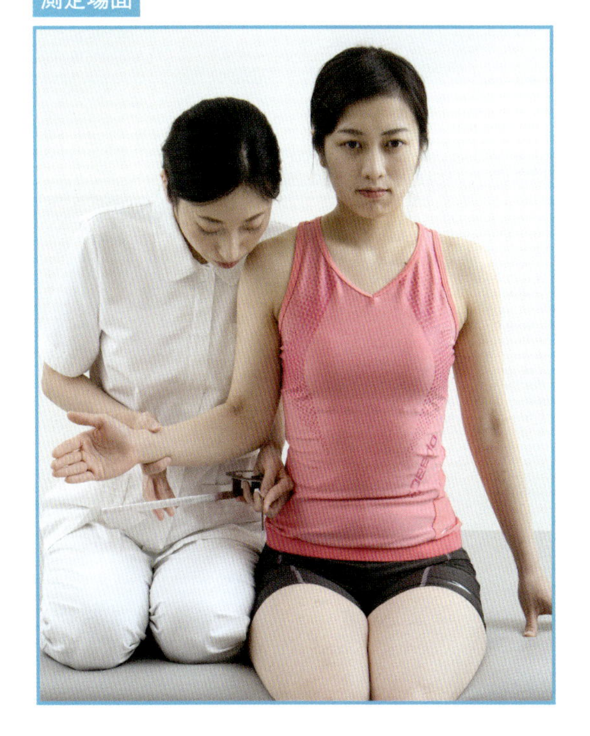

代償運動（体幹回旋，肩甲帯伸展）

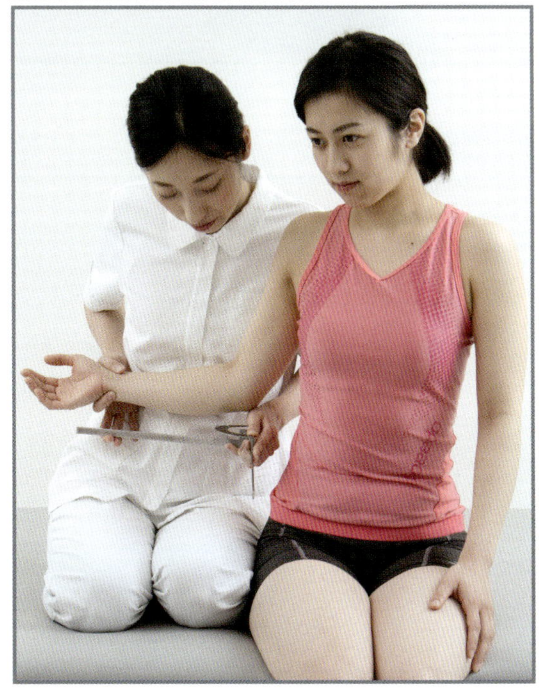

別　法

座位がとれない場合の測定法

測定肢位	背臥位（肘関節 90° 屈曲位，前腕中間位）
基本軸	肘を通る前額面への垂直線
移動軸	尺骨
参考可動域	0～60°
臨床ポイント	体幹回旋の代償運動を抑制できるが，肩関節外旋の運動軸上に肘が位置するように留意し，肩甲帯伸展の代償運動に注意する

開始肢位

測定場面①

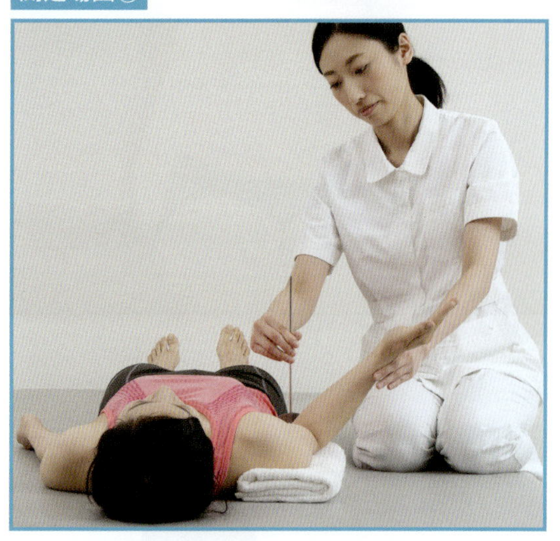

測定場面②

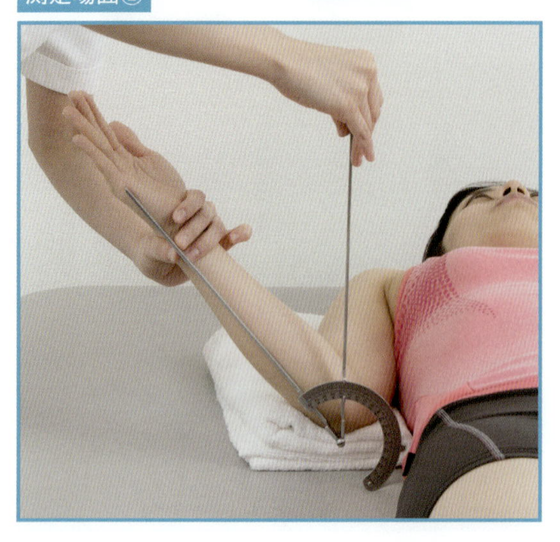

代償運動（体幹回旋，肩甲帯伸展）

別　法

結合組織性の制限因子を推測するための測定法（セカンドポジション） 9-2

測定肢位	背臥位（肩関節 90° 外転位，肘関節 90° 屈曲位，前腕中間位）
基本軸	肘を通る前額面への垂直線
移動軸	尺骨
参考可動域	0～90°
制限因子	肩甲下筋の下部，大胸筋肋骨部，大円筋，前鋸筋，関節上腕靱帯の下部，関節包の前方下部，烏口上腕靱帯
臨床ポイント	体幹伸展と胸郭の浮き上がりの代償運動に注意する

開始肢位

測定場面

代償運動（体幹伸展，胸郭の浮き上がり）

別　法

結合組織性の制限因子を推測するための測定法（サードポジション）

測定肢位	背臥位（肩関節 90° 屈曲位，肘関節 90° 屈曲位，前腕中間位）
基本軸	両側の肩峰を結ぶ線
移動軸	肘頭と尺骨茎状突起を結ぶ線
参考可動域	規定なし
制限因子	大円筋，関節包の上方部，烏口上腕靱帯
臨床ポイント	肩関節内転，前腕回内の代償運動に注意する

開始肢位

測定場面

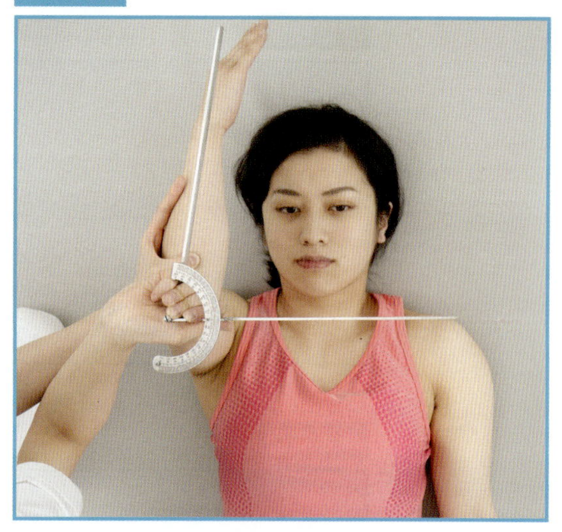

代償運動（肩関節内転）

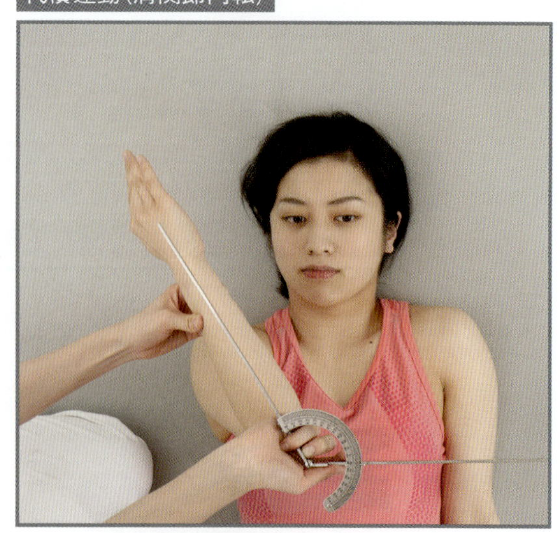

別　法

ランドマーク法（セカンドポジション） 9-3

基本軸を肘頭と大転子を結ぶ線，移動軸を肘頭と尺骨茎状突起を結ぶ線，軸心を肘頭とする．基本軸である肘を通る前額面への垂直線のあいまいさを最小限にすることができる．

ランドマーク法（サードポジション） 9-4

基本軸を両側の肩峰を結ぶ線，移動軸を肘頭と尺骨茎状突起を結ぶ線，軸心を肩峰と肘頭を重ねた点とする．基本軸である肘を通る矢状面への垂直線のあいまいさを最小限にすることができる．

測定場面

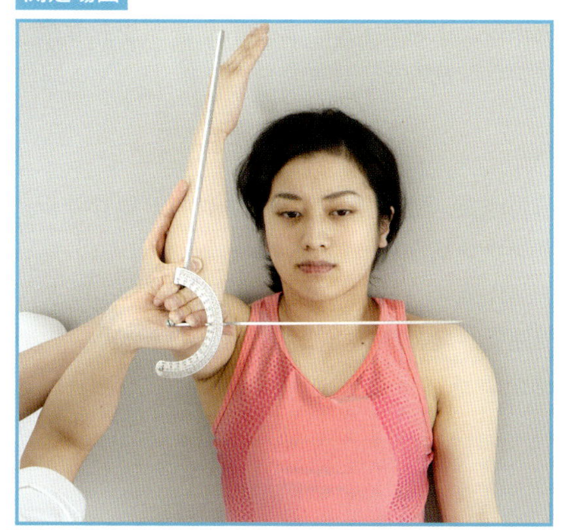

10 肩関節内旋

基本事項

測定肢位	座位または立位にて上腕を体幹に接して肘関節 90° 屈曲位，前腕中間位
基本軸	肘を通る前額面への垂直線
移動軸	尺骨
参考可動域	0～80°

測定の順序

❶検者は肩関節内旋の自動可動域を確認する.
❷他動的に肩関節内旋運動を行い，痛みおよび end feel を確認する.
❸肩関節内旋の最終可動域にて，ゴニオメーターで他動可動域を測定する.

測定における注意点

❶体幹回旋，肩関節屈曲・外転，肩甲帯屈曲などの代償運動に注意する.
❷移動軸は尺骨のため尺骨下方にゴニオメーターを位置させた測定が望ましい.
❸基本軸である肘を通る前額面への垂直線は，あいまいになりやすいので注意する.
❹内旋角度は肩関節肢位で異なるため，別法での測定値との比較から制限因子を推察し治療へ応用する.

最終可動域での制限因子

棘下筋，関節包の後方中部.

可動域に制限を有しやすい疾患

肩関節周囲炎，腱板損傷，上腕骨骨折，鎖骨骨折，肩甲骨骨折，急性滑液包炎，関節リウマチ，片麻痺，パーキンソン病など.

特異的な end feel

- 結合組織性：肩関節周囲炎，腱板損傷，上腕骨骨折，鎖骨骨折，肩甲骨骨折，関節リウマチ，片麻痺，パーキンソン病など.
- 骨性：関節リウマチ，片麻痺（脱臼・亜脱臼）など.
- スパズム：肩関節周囲炎，腱板損傷，上腕骨骨折など.
- 空虚感：急性滑液包炎など.

標準法  10-1

開始肢位

参考可動域

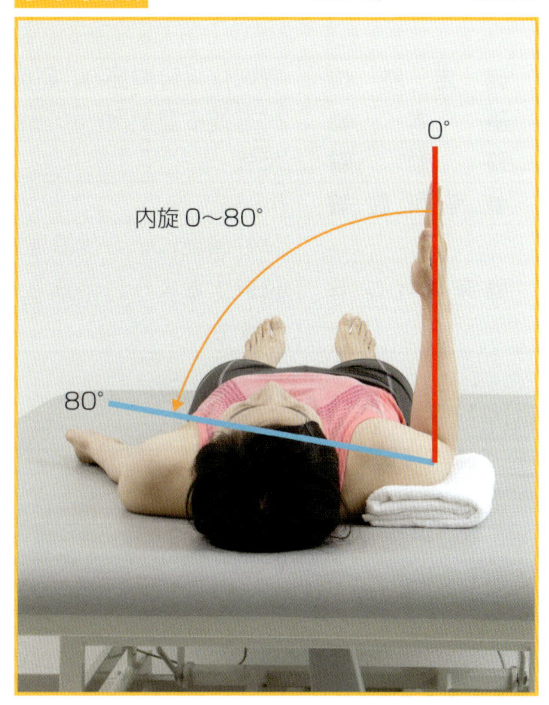

測定場面

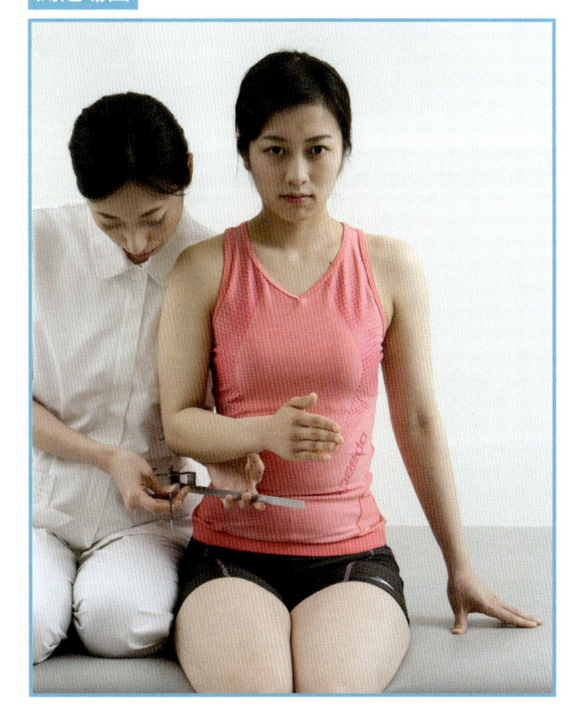

代償運動（体幹回旋，肩関節屈曲・外転，肩甲帯屈曲）

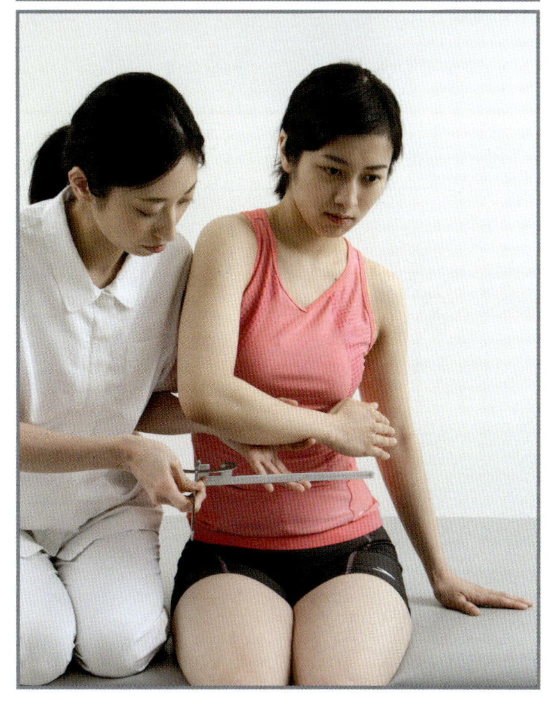

別　法

座位がとれない場合の測定法

測定肢位	背臥位（肘関節 90°屈曲位，前腕中間位）
基本軸	肘を通る前額面への垂直線
移動軸	尺骨
参考可動域	0〜80°
臨床ポイント	体幹回旋による代償運動を抑制できるが，肩関節内旋の運動軸上に肘が位置するように留意し，肩関節屈曲・外転，肩甲帯屈曲の代償運動に注意する

開始肢位

測定場面①

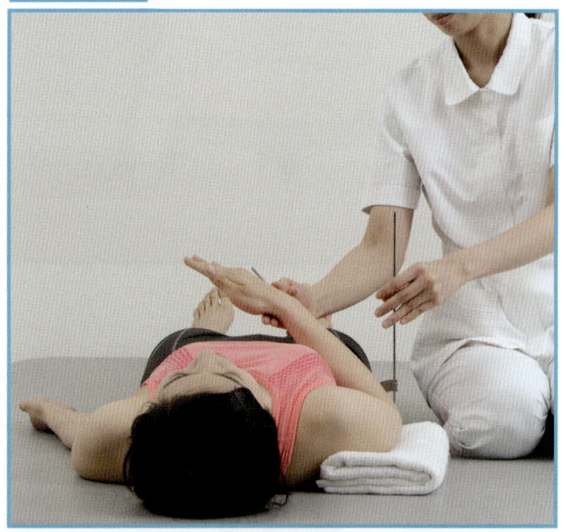

測定場面②

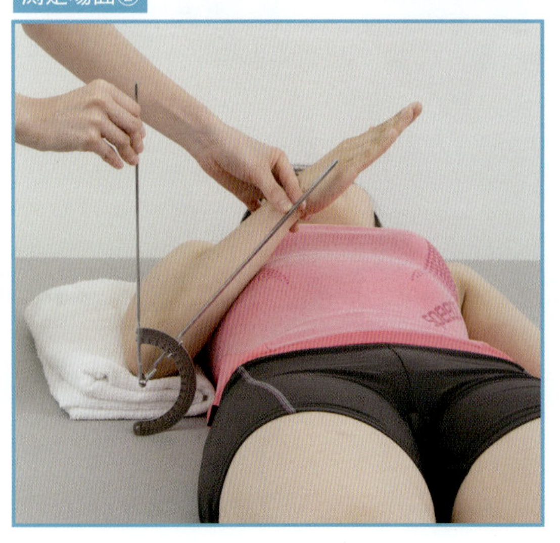

代償運動（肩関節屈曲，肩甲帯屈曲）

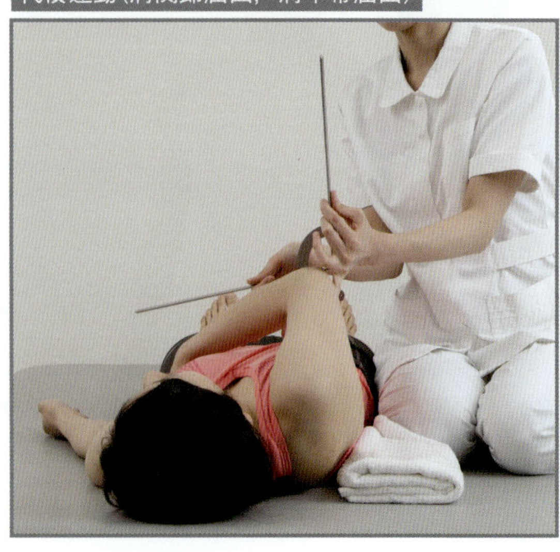

別　法

結合組織性の制限因子を推測するための測定法（セカンドポジション）10-2

測定肢位	背臥位（肩関節 90°外転位，肘関節 90°屈曲位，前腕中間位）
基本軸	肘を通る前額面への垂直線
移動軸	尺骨
参考可動域	0～70°
制限因子	棘下筋，小円筋，菱形筋，僧帽筋中部・下部線維，関節包の後方下部
臨床ポイント	体幹屈曲，肩関節伸展，肩甲帯屈曲，前腕回外の代償運動に注意する

開始肢位

測定場面

代償運動（体幹屈曲，肩関節伸展，肩甲帯屈曲）

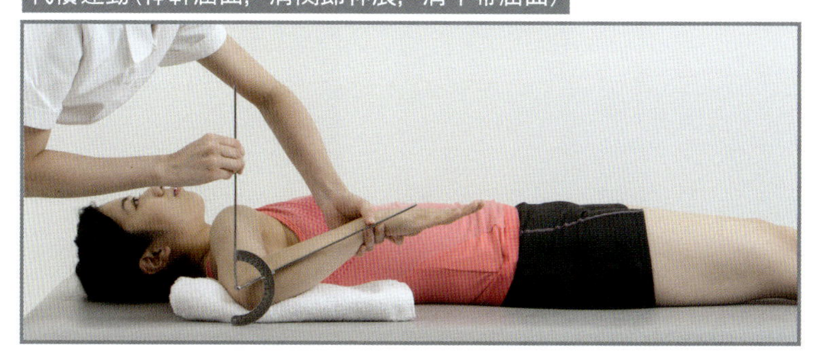

別　法

結合組織性の制限因子を推測するための測定法（サードポジション）

測定肢位	背臥位（肩関節90°屈曲，0°外転位，肘関節90°屈曲位，前腕中間位）
基本軸	両側の肩峰を結ぶ線
移動軸	肘頭と尺骨茎状突起を結ぶ線
参考可動域	規定なし
制限因子	小円筋，関節包の後方下部，関節上腕靱帯の下部
臨床ポイント	肩甲帯屈曲，前腕回外の代償運動に注意する

開始肢位

測定場面

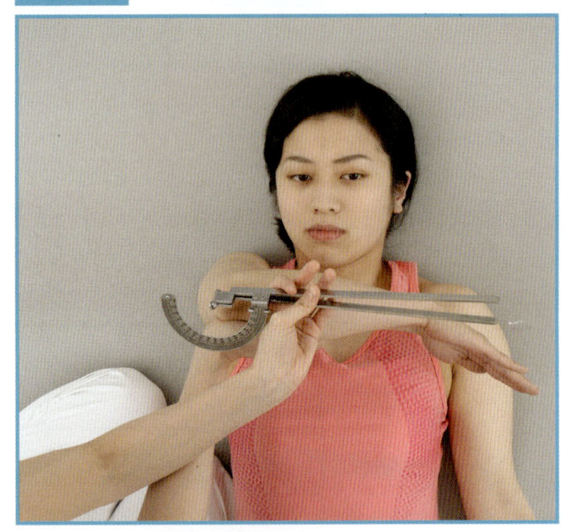

代償運動（肩甲帯屈曲）

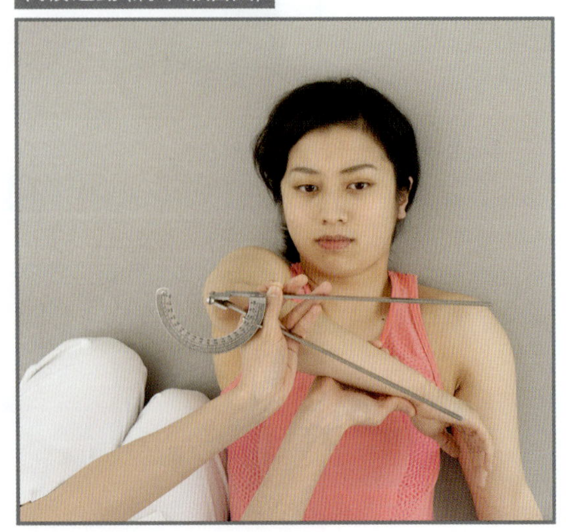

別　法

ランドマーク法（セカンドポジション）10-3

基本軸を肘頭と大転子を結ぶ線，移動軸を肘頭と尺骨茎状突起を結ぶ線，軸心を肘頭とする．基本軸である肘を通る前額面への垂直線のあいまいさを最小限にすることができる．

ランドマーク法（サードポジション）10-4

基本軸を両側の肩峰を結ぶ線，移動軸を肘頭と尺骨茎状突起を結ぶ線，軸心を肩峰と肘頭を重ねた点とする．基本軸である肘を通る矢状面への垂直線のあいまいさを最小限にすることができる．

測定場面

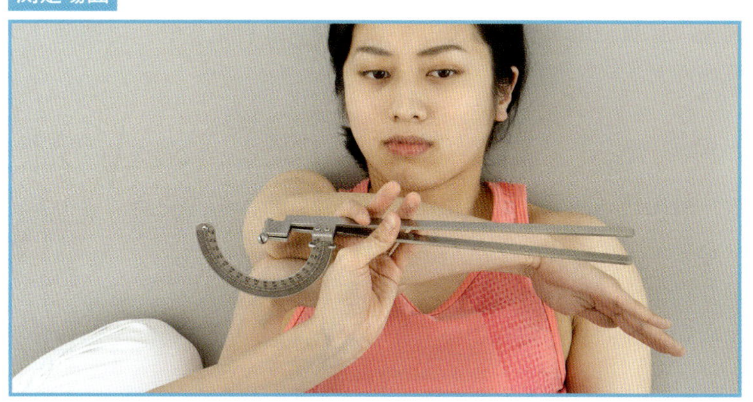

11 肩関節水平屈曲

基本事項

測定肢位	背臥位にて肩関節 90°外転位，前腕回内位
基本軸	肩峰を通る矢状面への垂直線
移動軸	上腕骨
参考可動域	0〜135°

測定の順序

❶検者は肩関節水平屈曲の自動可動域を確認する.
❷他動的に肩関節水平屈曲運動を行い，痛みおよび end feel を確認する.
❸肩関節水平屈曲の最終可動域にて，ゴニオメーターで他動可動域を測定する.

測定における注意点

❶体幹回旋などの代償運動に注意する.
❷両肩峰の位置が左右対称になっていることを確認する.
❸肘関節伸展位とし，上腕三頭筋の緊張による影響を統一する.
❹肩関節水平屈曲の運動面と測定面が平行となるよう留意する．特に肩関節屈曲制限がある場合，肩関節内転の運動面での測定となるため注意する.
❺基本軸である肩峰を通る矢状面への垂直線は，あいまいになりやすいので注意する.

最終可動域での制限因子

三角筋後部線維，棘下筋，小円筋，菱形筋，僧帽筋中部・下部線維，関節包の後方.

可動域に制限を有しやすい疾患

肩関節周囲炎，腱板損傷，上腕骨骨折，鎖骨骨折，肩甲骨骨折，関節リウマチ，パーキンソン病，片麻痺など.

特異的な end feel

- 結合組織性：肩関節周囲炎，腱板損傷，上腕骨骨折，鎖骨骨折，肩甲骨骨折，急性滑液包炎，関節リウマチ，パーキンソン病，片麻痺など.
- 骨性：関節リウマチ，片麻痺（脱臼・亜脱臼）など.
- スパズム：肩関節周囲炎，腱板損傷，鎖骨骨折，肩甲骨骨折，上腕骨骨折など.
- 空虚感：急性滑液包炎など.

標準法 11-1

開始肢位

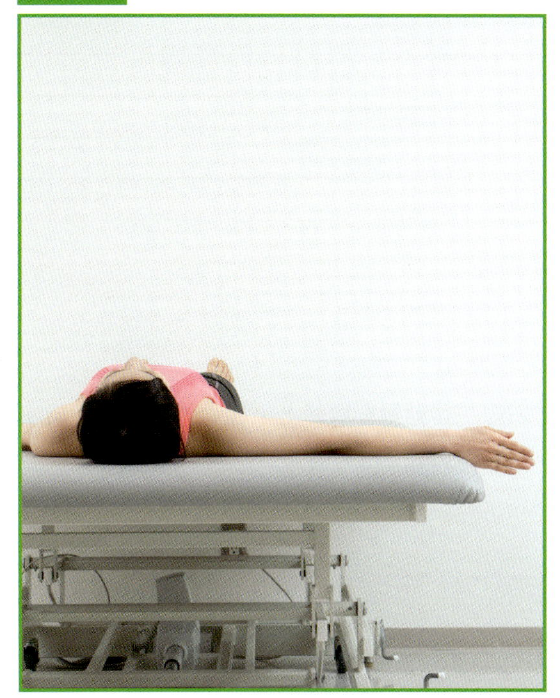

参考可動域

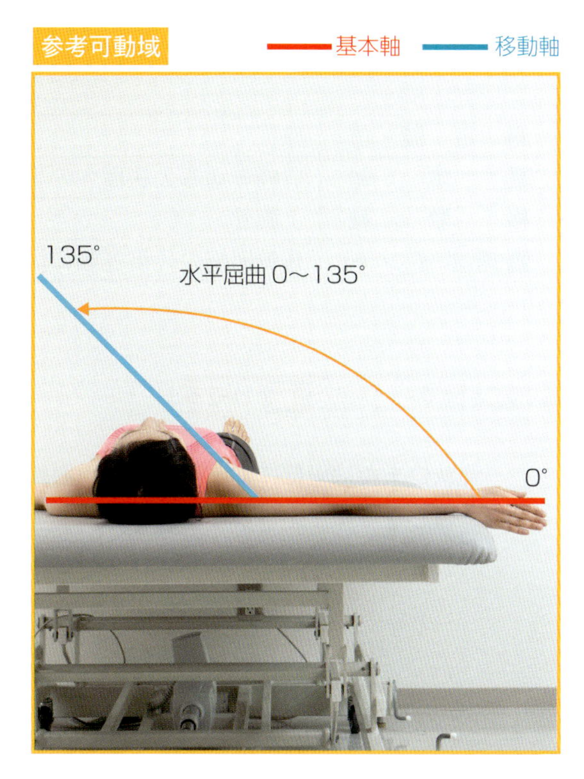

測定場面

代償運動（体幹回旋）

別　法

あらかじめ座位をとっている対象者への簡便な測定法

測定肢位	座位
基本軸	肩峰を通る矢状面への垂直線
移動軸	上腕骨
臨床ポイント	体幹回旋の代償運動に注意する

ランドマーク法 11-2

背臥位または座位にて，基本軸を両肩峰を結ぶ線，移動軸を肩峰と上腕骨外側上顆を結ぶ線，軸心を肩峰とすることで，体幹回旋の代償運動の影響を受けない．

測定場面

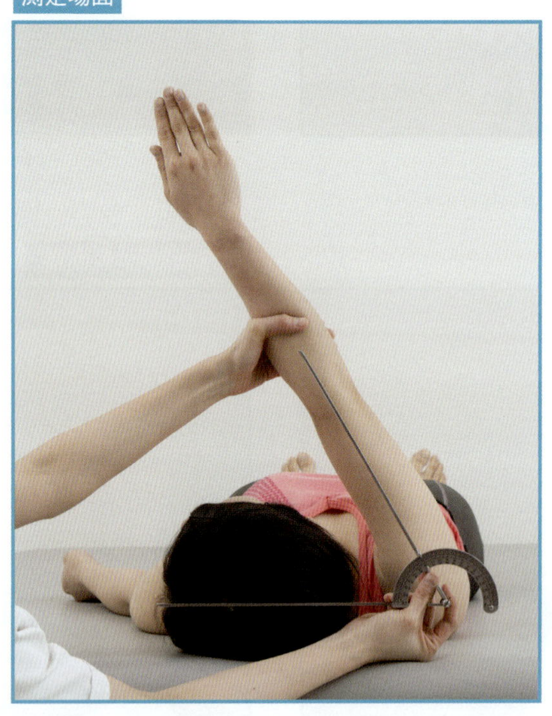

12 肩関節水平伸展

基本事項

測定肢位	腹臥位にて肩関節 90°外転位，前腕回内位
基本軸	肩峰を通る矢状面への垂直線
移動軸	上腕骨
参考可動域	0〜30°

測定の順序

❶検者は肩関節水平伸展の自動可動域を確認する.
❷他動的に肩関節水平伸展運動を行い，痛みおよび end feel を確認する.
❸肩関節水平伸展の最終可動域にて，肩関節水平伸展面と測定面が平行となるよう留意しながらゴニオメーターで他動可動域を測定する.

測定における注意点

❶肘関節伸展位で行う.
❷体幹回旋などの代償運動に注意する.
❸頭頚部を非測定側回旋位にすることで体幹回旋の代償運動が抑制できる.
❹両肩峰の位置が左右対称になっていることを確認する.
❺上腕二頭筋の短縮が疑われる場合は，肘関節屈曲位でも測定し，二関節の影響を考察する.
❻肩関節外転制限がある場合，肩関節外旋運動になりやすいため注意する.
❼基本軸である肩峰を通る矢状面への垂直線は，あいまいになりやすいので注意する.

最終可動域での制限因子

肩甲下筋，大胸筋，上腕二頭筋，烏口上腕靱帯，関節上腕靱帯，関節包の前方.

可動域に制限を有しやすい疾患

肩関節周囲炎，腱板損傷，上腕骨骨折，鎖骨骨折，肩甲骨骨折，胸郭出口症候群，関節リウマチ，パーキンソン病，片麻痺など.

特異的な end feel

- 結合組織性：肩関節周囲炎，腱板損傷，上腕骨骨折，鎖骨骨折，肩甲骨骨折，胸郭出口症候群，急性滑液包炎，関節リウマチ，パーキンソン病，片麻痺など.
- 骨性：関節リウマチなど.
- スパズム：肩関節周囲炎，腱板損傷，上腕骨骨折，胸郭出口症候群など.
- 空虚感：急性滑液包炎など.

標準法 12-1

開始肢位

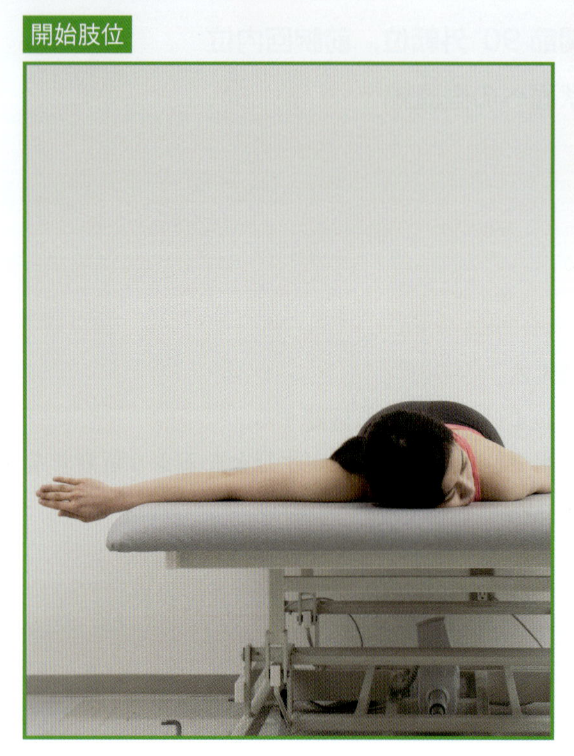

参考可動域

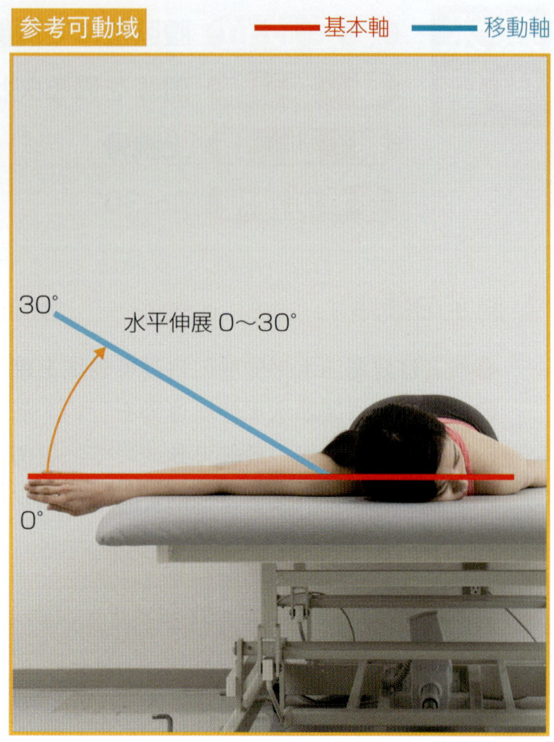

測定場面

代償運動（体幹回旋）

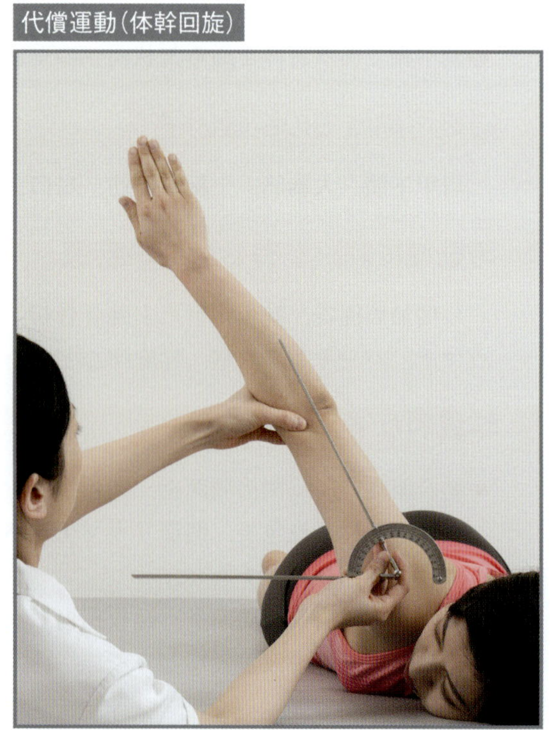

別　法

腹臥位がとれない場合，あらかじめ座位をとっている対象者への簡便な測定法

測定肢位	座位
基本軸	肩峰を通る矢状面への垂直線
移動軸	上腕骨
臨床ポイント	体幹回旋の代償運動に注意する

ランドマーク法 12-2

腹臥位または座位にて，基本軸を両肩峰を結ぶ線，移動軸を肩峰と上腕骨外側上顆を結ぶ線，軸心を肩峰とすることで，体幹回旋の代償運動の影響を受けない．

測定場面

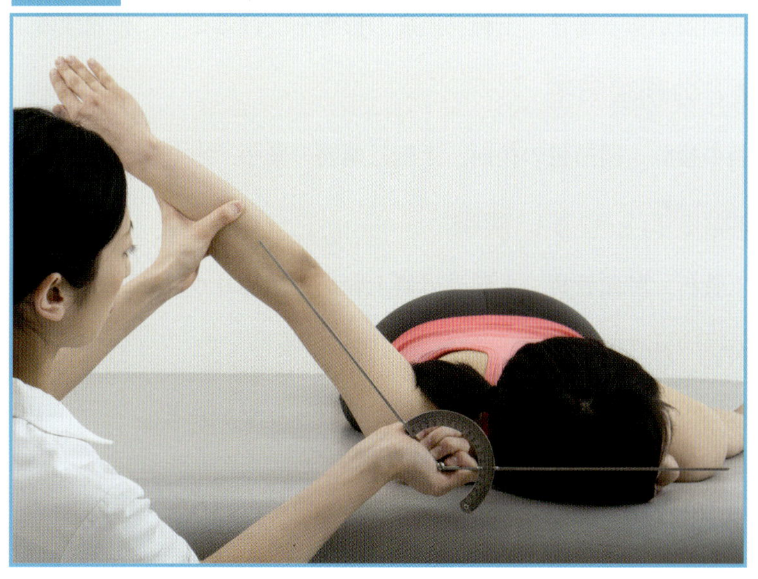

13 肘関節屈曲

基本事項

測定肢位	座位または背臥位にて肩関節中間位，前腕回外位
基本軸	上腕骨
移動軸	橈骨
参考可動域	0〜145°

測定の順序

❶検者は肘関節屈曲の自動可動域を確認する.
❷他動的に肘関節屈曲運動を行い，痛みおよび end feel を確認する.
❸肘関節屈曲の最終可動域にて，ゴニオメーターで他動可動域を測定する.

測定における注意点

❶前腕回内などの代償運動に注意する.
❷肩関節屈曲制限がある場合，上腕三頭筋の影響を受けることに留意する.

最終可動域での制限因子

前腕と上腕の接触，関節包の後面，上腕三頭筋の緊張.

可動域に制限を有しやすい疾患

上腕骨顆上骨折，肘頭骨折，上腕骨外側上顆炎，関節リウマチ.

特異的な end feel

- 結合組織性：上腕骨顆上骨折，肘頭骨折，関節リウマチなど.
- 骨性：関節リウマチなど.
- スパズム：上腕骨顆上骨折，肘頭骨折，上腕骨外側上顆炎など.

標準法 13-1

開始肢位

参考可動域

測定場面

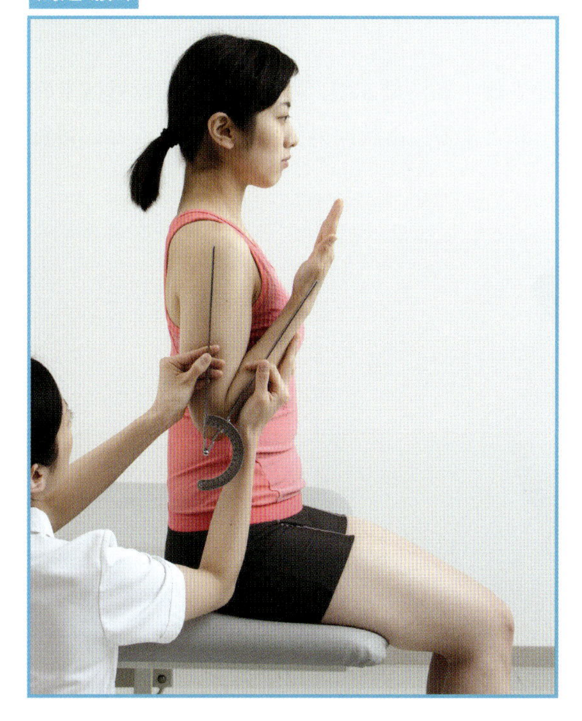

代償運動（前腕回内）

別　法

座位がとれない場合の測定法 13-2

測定肢位	背臥位
基本軸	上腕骨
移動軸	橈骨
臨床ポイント	前腕回内の代償運動に注意する

開始肢位

測定場面

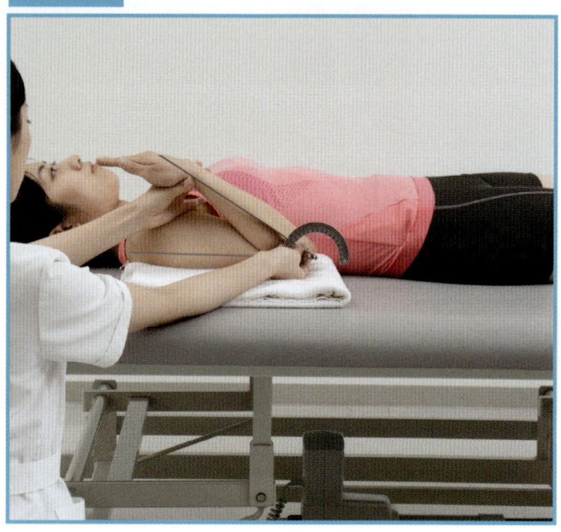

ランドマーク法

座位または背臥位にて，基本軸を肩峰と上腕骨外側上顆を結ぶ線，移動軸を上腕骨外側上顆から橈骨茎状突起を結ぶ線，軸心を上腕骨外側上顆とする．前腕回外位で測定することに留意する．

測定場面

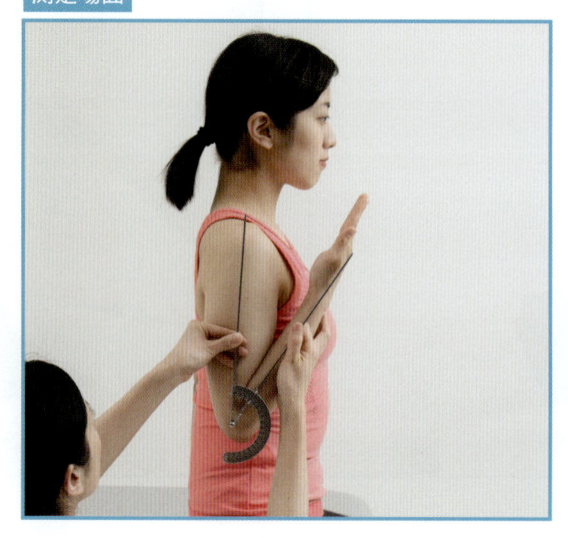

筋長検査

上腕三頭筋の筋長テスト 13-3

検査筋	上腕三頭筋
検査肢位	座位
基本軸	上腕骨
移動軸	橈骨
被験者の動き	肘関節屈曲位で，肩関節を完全屈曲させる
臨床ポイント	上腕三頭筋が短縮していれば，測定側の肘関節に屈曲制限がみられる

開始肢位

測定場面①

測定場面②（肘関節屈曲角度の変化を観察）

14 肘関節伸展

基本事項

測定肢位	座位または背臥位にて肩関節中間位，前腕回外位
基本軸	上腕骨
移動軸	橈骨
参考可動域	0〜5°

測定の順序

❶検者は肘関節伸展の自動可動域を確認する.
❷他動的に肘関節伸展運動を行い，痛みおよび end feel を確認する.
❸肘関節伸展の最終可動域にて，ゴニオメーターで他動可動域を測定する.

測定における注意点

❶肩関節外旋などの代償運動に注意する.
❷肩関節外旋位で肘角の測定とならないように留意する.
❸肩関節の屈曲角度により上腕二頭筋の影響を受けることに留意する.
❹肘関節の伸展制限がある場合はゴニオメーターの当て方が逆となるため注意する.

最終可動域での制限因子

上腕二頭筋，上腕筋，腕橈骨筋，肘頭と肘頭窩の接触，関節包の前面，側副靱帯.

可動域に制限を有しやすい疾患

上腕骨顆上骨折，肘頭骨折，上腕骨外側上顆炎，関節リウマチ，脳性麻痺，パーキンソン病，片麻痺など.

特異的な end feel

- 結合組織性：上腕骨顆上骨折，肘頭骨折，関節リウマチ，脳性麻痺，パーキンソン病，片麻痺など.
- 骨性：関節リウマチなど.
- スパズム：上腕骨顆上骨折，肘頭骨折，上腕骨外側上顆炎など.

標準法  14-1

開始肢位

参考可動域

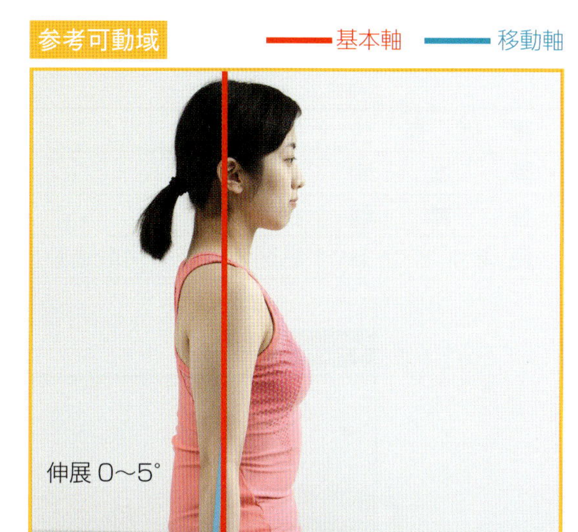

測定場面

肘関節に伸展制限がある場合の測定法（ゴニオメーターの向きに注意する）

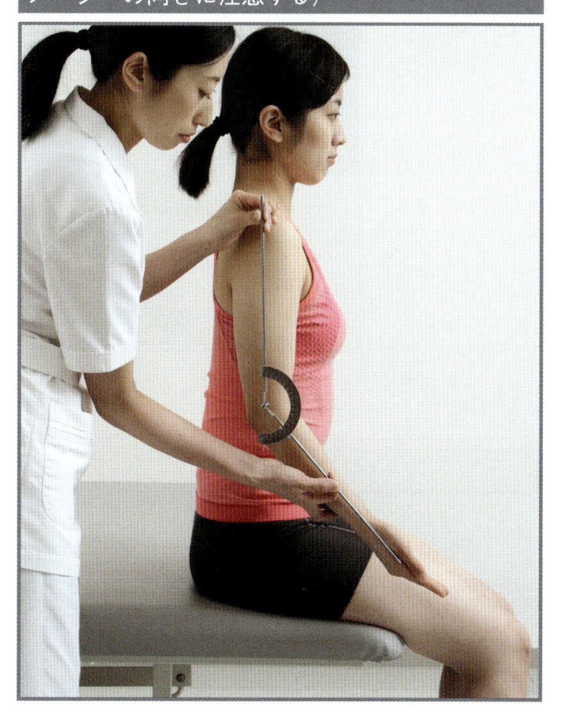

別　法

座位がとれない場合の測定法 14-2

測定肢位	背臥位
基本軸	上腕骨
移動軸	橈骨
臨床ポイント	肩関節外旋の代償運動に注意する

開始肢位

測定場面

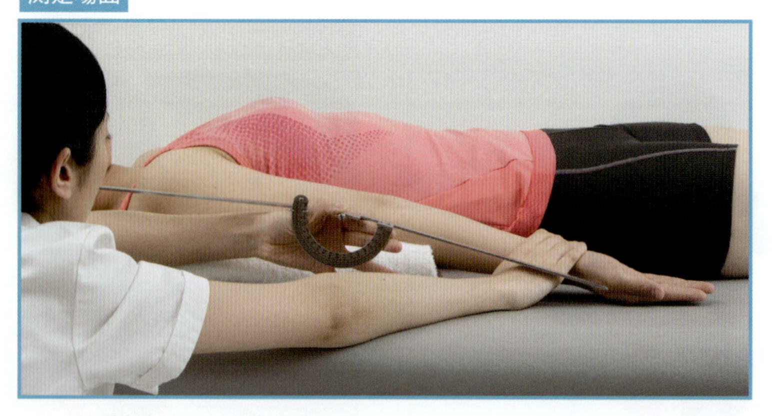

ランドマーク法

座位または背臥位にて，基本軸を肩峰と上腕骨外側上顆を結ぶ線，移動軸を上腕骨外側上顆から橈骨茎状突起を結ぶ線，軸心を上腕骨外側上顆とする．前腕回外位で測定することに留意する．

筋長検査

上腕二頭筋の筋長テスト 14-3

検査筋	上腕二頭筋
検査肢位	座位
基本軸	体幹の中腋窩線と平行な線
移動軸	上腕骨
被験者の動き	肩関節伸展位から前腕を回内させる
臨床ポイント	上腕二頭筋が短縮していれば，測定側の肩関節に伸展制限がみられる

開始肢位

測定場面①

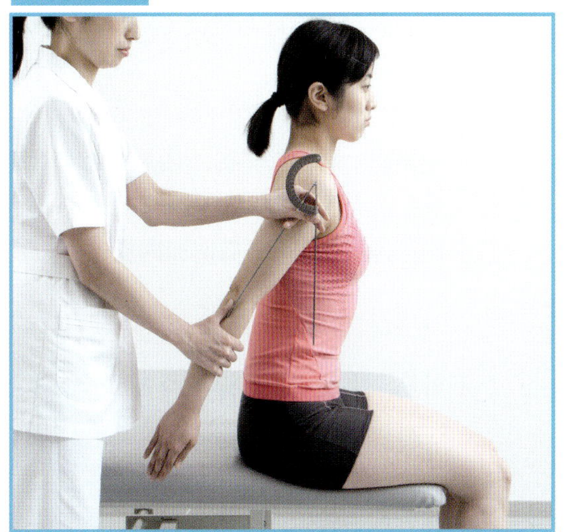

測定場面②（肩関節伸展角度の変化を観察）

15 前腕回内

基本事項

測定肢位	座位または背臥位にて肩関節中間位，肘関節 90° 屈曲位
基本軸	上腕骨
移動軸	手指を伸展した手掌面
参考可動域	0～90°

測定の順序

❶検者は前腕回内の自動可動域を確認する．
❷他動的に前腕回内運動を行い，痛みおよび end feel を確認する．
❸前腕回内の最終可動域にて，ゴニオメーターで他動可動域を測定する．

測定における注意点

❶体幹側屈，肩関節外転・内旋などの代償運動に注意する．
❷尺骨を軸とし橈骨が回内するため，橈骨から運動を誘導する．
❸肘関節伸展位では，肩関節内旋による代償運動が生じるため肘関節 90° 屈曲位で測定する．

最終可動域での制限因子

回外筋，上腕二頭筋，橈骨と尺骨の接触，下橈尺関節の背側橈尺靭帯，骨間膜．

可動域に制限を有しやすい疾患

上腕骨顆上骨折，肘頭骨折，上腕骨外側上顆炎，橈骨遠位端骨折，Monteggia 脱臼骨折，Galeazzi 脱臼骨折，関節リウマチ，パーキンソン病，片麻痺など．

特異的な end feel

- 結合組織性：上腕骨顆上骨折，肘頭骨折，橈骨遠位端骨折，Monteggia 脱臼骨折，Galeazzi 脱臼骨折，関節リウマチ，パーキンソン病，片麻痺など．
- 骨性：関節リウマチなど．
- スパズム：上腕骨顆上骨折，肘頭骨折，上腕骨外側上顆炎，橈骨遠位端骨折，Monteggia 脱臼骨折，Galeazzi 脱臼骨折など．

標準法 15

開始肢位

参考可動域

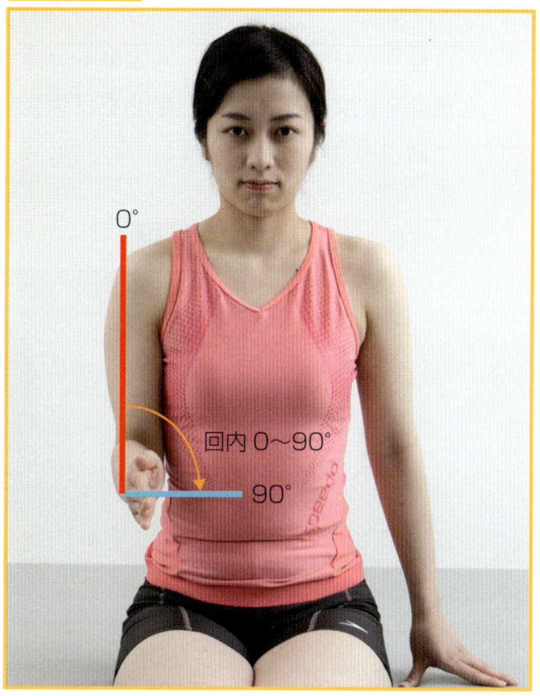

測定場面

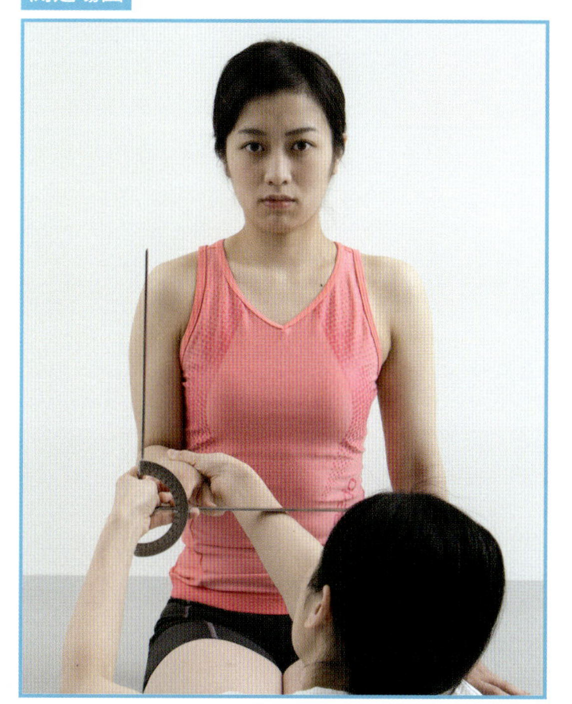

代償運動（体幹側屈，肩関節外転・内旋）

◎別　法

ランドマーク法

座位または背臥位にて，基本軸を肩峰と上腕骨内側上顆を結ぶ線，移動軸を尺骨茎状突起と橈骨茎状突起を結ぶ線，軸心を尺骨茎状突起とする．手指の屈曲拘縮などにより手指伸展が不能の場合に有用である．

測定場面

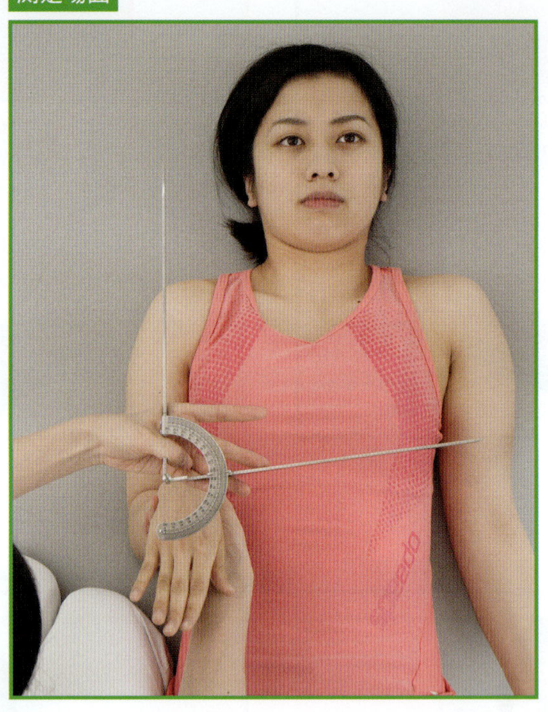

16 前腕回外

基本事項	
測定肢位	座位または背臥位にて肩関節中間位，肘関節 90° 屈曲位
基本軸	上腕骨
移動軸	手指を伸展した手掌面
参考可動域	0〜90°

測定の順序

❶検者は前腕回外の自動可動域を確認する．
❷他動的に前腕回外運動を行い，痛みおよび end feel を確認する．
❸前腕回外の最終可動域にて，ゴニオメーターで他動可動域を測定する．

測定における注意点

❶体幹側屈，肩関節内転・外旋などの代償運動に注意する．
❷尺骨を軸として橈骨が回外するため，橈骨から運動を誘導する．
❸肘関節伸展位では，肩関節外旋による代償運動が生じるため肘関節 90° 屈曲位で測定する．

最終可動域での制限因子

円回内筋，方形回内筋，下橈尺関節掌側橈尺靱帯，骨間膜．

可動域に制限を有しやすい疾患

上腕骨顆上骨折，肘頭骨折，上腕骨外側上顆炎，橈骨遠位端骨折，Monteggia 脱臼骨折，Galeazzi 脱臼骨折，関節リウマチ，パーキンソン病，片麻痺など．

特異的な end feel

- 結合組織性：上腕骨顆上骨折，肘頭骨折，橈骨遠位端骨折，Monteggia 脱臼骨折，Galeazzi 脱臼骨折，関節リウマチ，パーキンソン病，片麻痺など．
- 骨性：関節リウマチなど．
- スパズム：上腕骨顆上骨折，肘頭骨折，上腕骨外側上顆炎，橈骨遠位端骨折，Monteggia 脱臼骨折，Galeazzi 脱臼骨折など．

標準法  16

開始肢位

参考可動域　基本軸　移動軸

測定場面

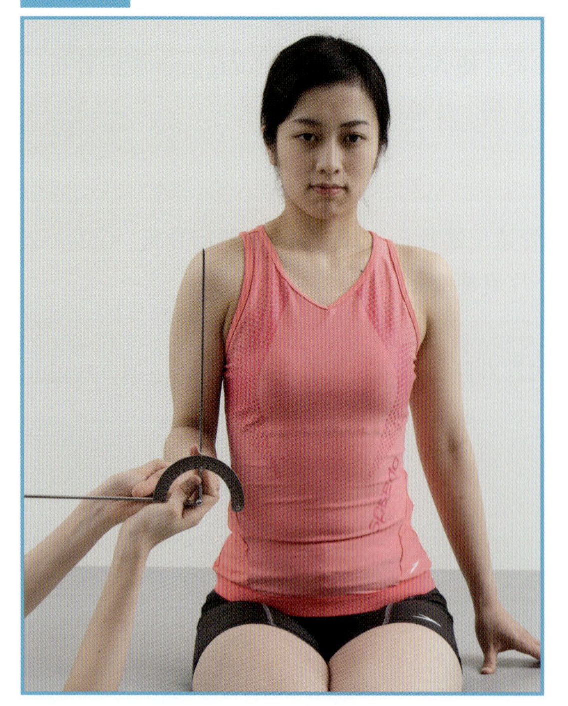

代償運動(体幹側屈，肩関節内転・外旋)

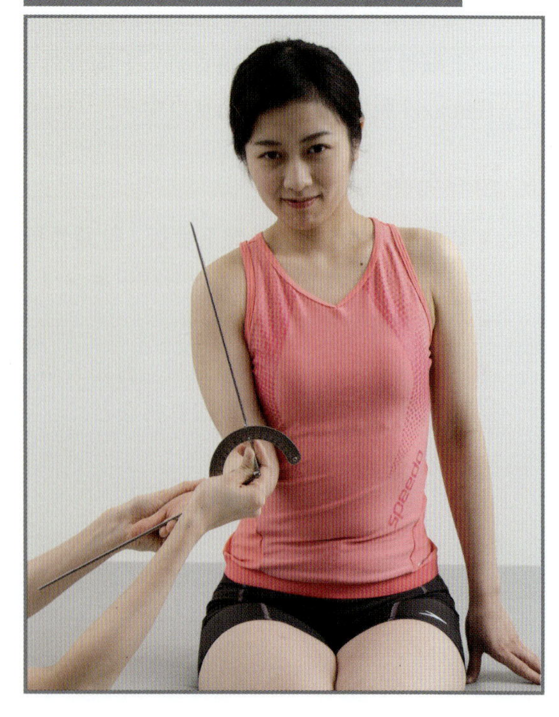

別　法

ランドマーク法

座位または背臥位にて，基本軸を肩峰と上腕骨内側上顆を結ぶ線，移動軸を尺骨茎状突起と橈骨茎状突起を結ぶ線，軸心を尺骨茎状突起とする．手指の屈曲拘縮などにより手指伸展が不能の場合に有用である．

測定場面

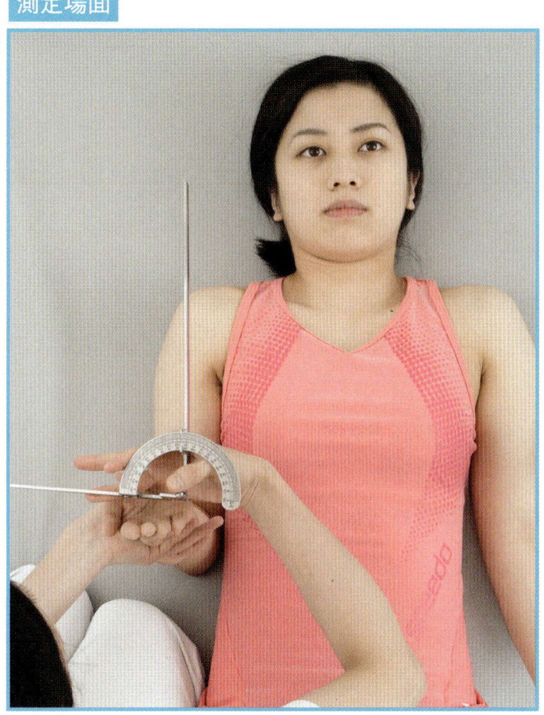

17 手関節伸展（背屈）

基本事項

測定肢位	座位または背臥位にて前腕回内・回外中間位
基本軸	橈骨
移動軸	第2中手骨
参考可動域	0〜70°

測定の順序

❶検者は手関節背屈の自動可動域を確認する．
❷他動的に手関節背屈運動を行い，痛みおよび end feel を確認する．
❸手関節背屈の最終可動域にて，ゴニオメーターで他動可動域を測定する．

測定における注意点

❶手関節橈屈などの代償運動に注意する．
❷手関節を背屈する際，手指軽度屈曲位を保持し，浅指屈筋および深指屈筋の緊張による制限を抑制する．
❸座位での測定時，前腕を肘の高さの机に置くと測定しやすく，前腕回内・回外中間位を保ちやすい．
❹浮腫が生じている場合，手関節背屈の制限因子の一つとなる可能性があるため，浮腫の評価も行う．

最終可動域での制限因子

橈骨と手根骨の接触，掌側橈骨手根靱帯，関節包掌側．

可動域に制限を有しやすい疾患

橈骨遠位端骨折，反射性交感神経性ジストロフィー，関節リウマチ，橈骨神経麻痺（高位型），頚髄損傷（C5 残存レベル），片麻痺など．

特異的な end feel

- 軟部組織性：橈骨遠位端骨折，反射性交感神経性ジストロフィーなどによる腫張．
- 結合組織性：橈骨遠位端骨折，関節リウマチ，橈骨神経麻痺（高位型），頚髄損傷（C5 残存レベル），片麻痺など．
- 骨性：関節リウマチなど．
- スパズム：橈骨遠位端骨折，反射性交感神経性ジストロフィーなど．

標準法 17-1

開始肢位

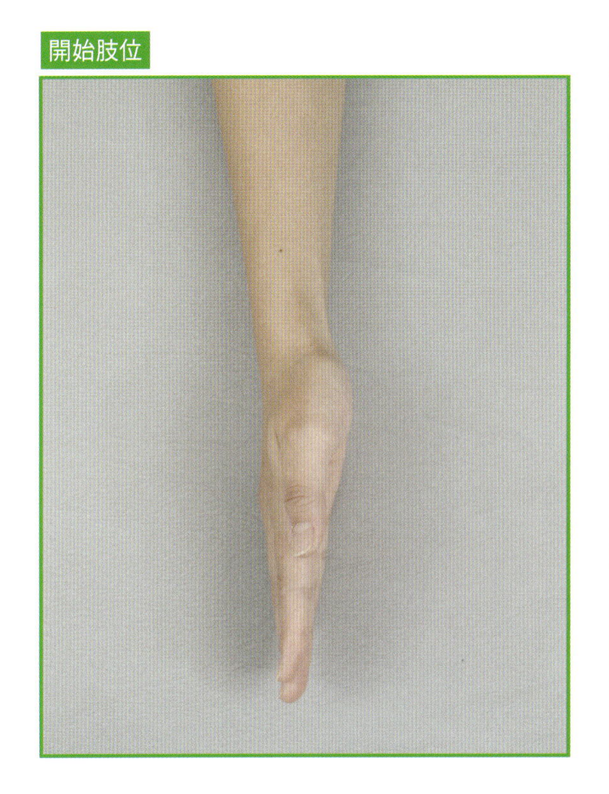

参考可動域

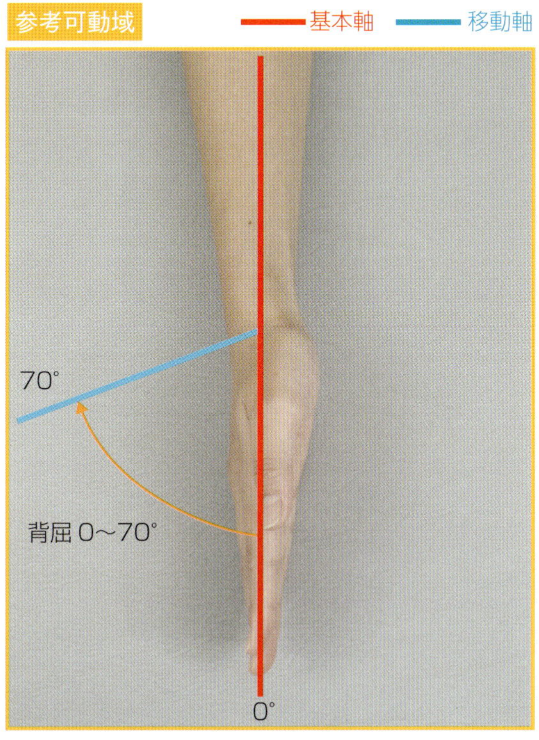

測定場面

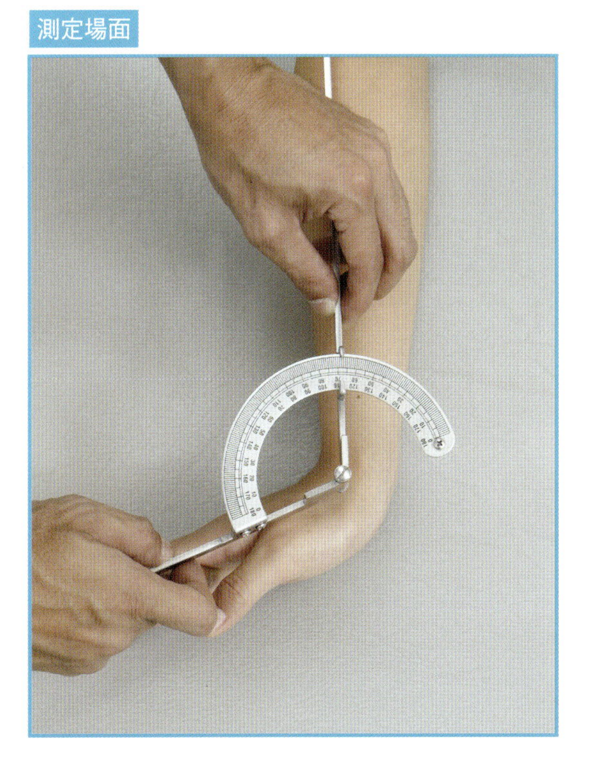

代償運動（手関節橈屈）

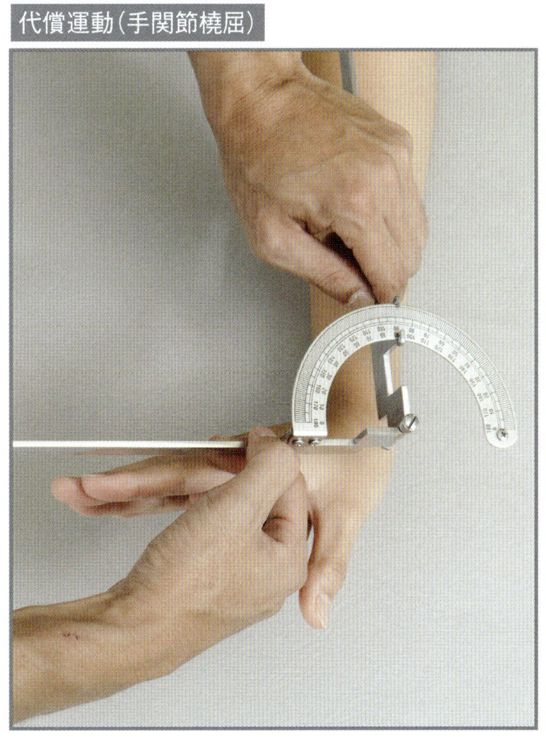

別　法

ランドマーク法 17-2

座位または背臥位にて，基本軸を肘頭と尺骨茎状突起を結ぶ線，移動軸を三角骨と第５中手骨頭を結ぶ線，軸心を三角骨とする．

測定場面

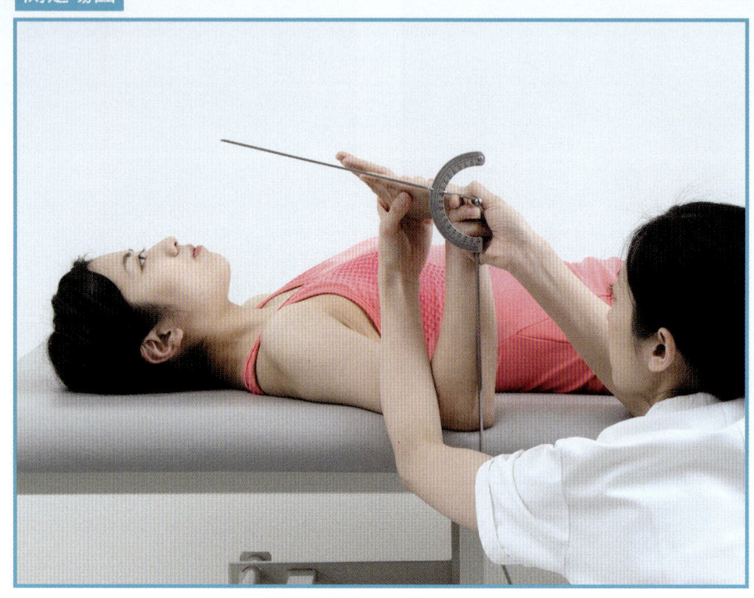

18 手関節屈曲（掌屈）

基本事項

測定肢位	座位または背臥位にて前腕回内・回外中間位
基本軸	橈骨
移動軸	第2中手骨
参考可動域	0〜90°

測定の順序

❶検者は手関節掌屈の自動可動域を確認する．
❷他動的に手関節掌屈運動を行い，痛みおよび end feel を確認する．
❸手関節掌屈の最終可動域にて，ゴニオメーターで他動可動域を測定する．

測定における注意点

❶手関節尺屈などの代償運動に注意する．
❷手関節を掌屈する際，手指伸展位を保持し，指伸筋および示指伸筋，小指伸筋の緊張による制限を抑制する．
❸座位での測定時，前腕を肘の高さの机の上に置くと測定しやすく，前腕回内・回外中間位を保ちやすい．
❹浮腫が生じている場合，手関節掌屈制限因子の一つとなる可能性があるため，浮腫の評価も行う．

最終可動域での制限因子

背側橈骨手根靱帯，関節包背側．

可動域に制限を有しやすい疾患

橈骨遠位端骨折，反射性交感神経性ジストロフィー，関節リウマチなど．

特異的な end feel

- 軟部組織性：橈骨遠位端骨折，反射性交感神経性ジストロフィーなどによる腫張．
- 結合組織性：橈骨遠位端骨折，関節リウマチなど．
- 骨性：関節リウマチなど．
- スパズム：橈骨遠位端骨折，反射性交感神経性ジストロフィーなど．

◯ 標準法 18-1

開始肢位

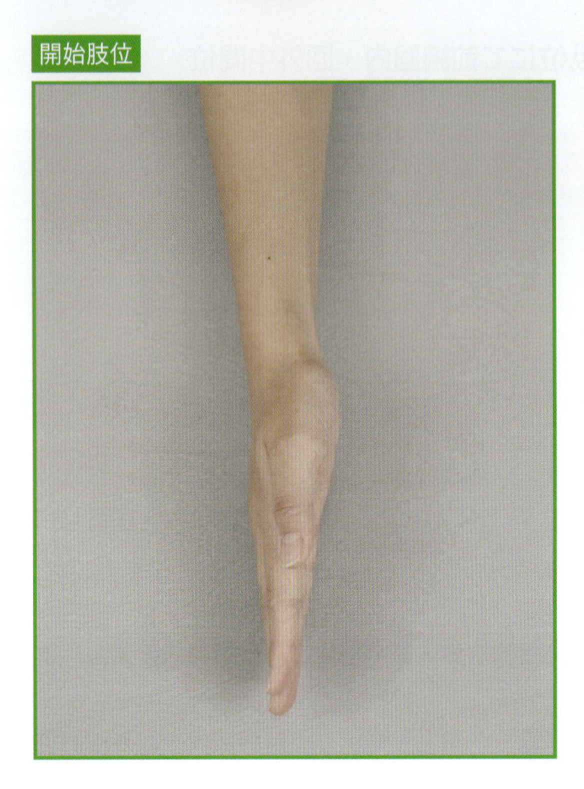

参考可動域

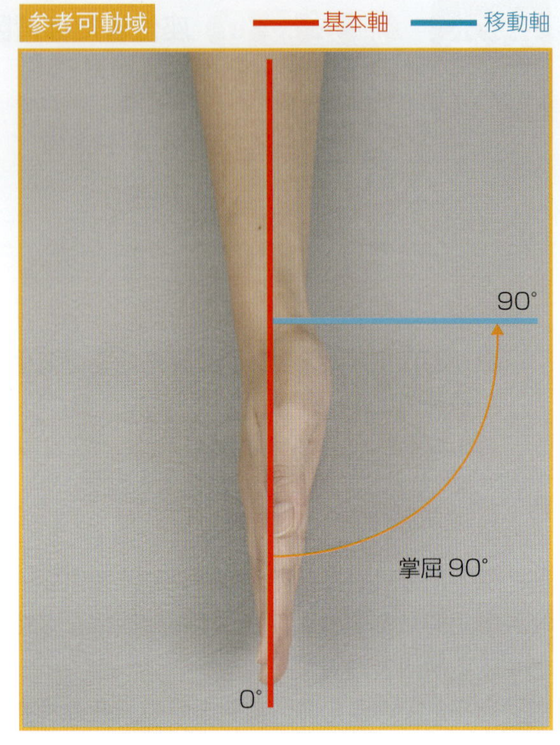

測定場面

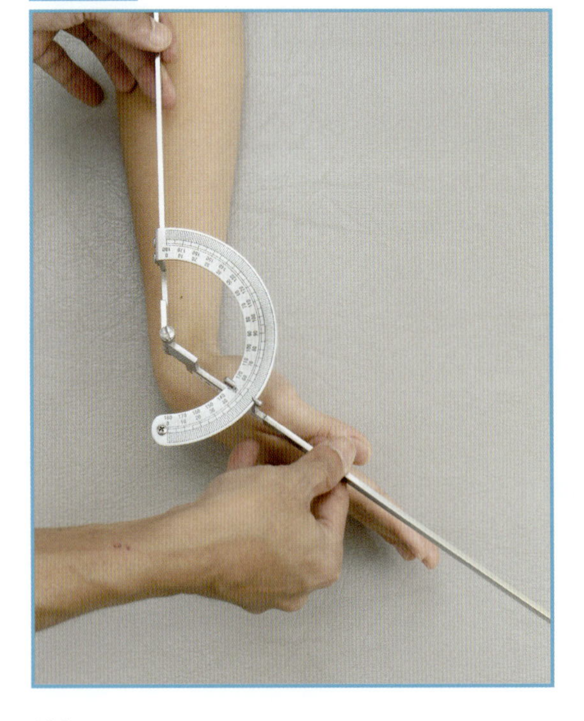

代償運動（手関節尺屈）

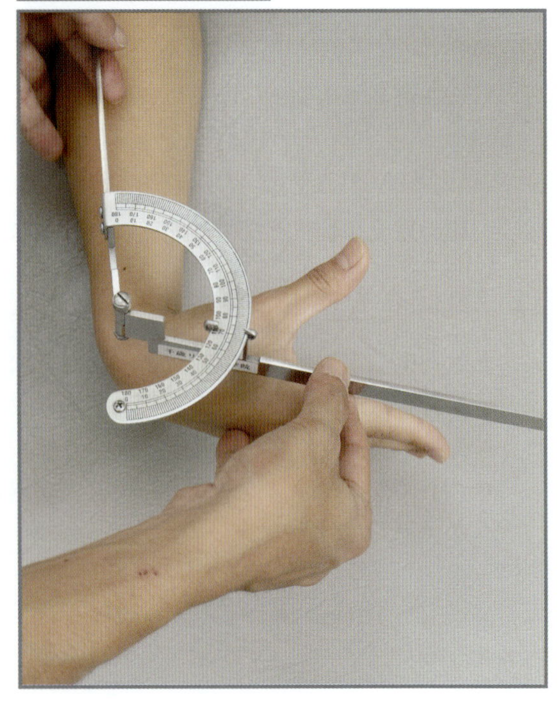

別　法

ランドマーク法 18-2

座位または背臥位にて，基本軸を肘頭と尺骨茎状突起を結ぶ線，移動軸を三角骨と第5中手骨頭を結ぶ線，軸心を三角骨とする．

測定場面

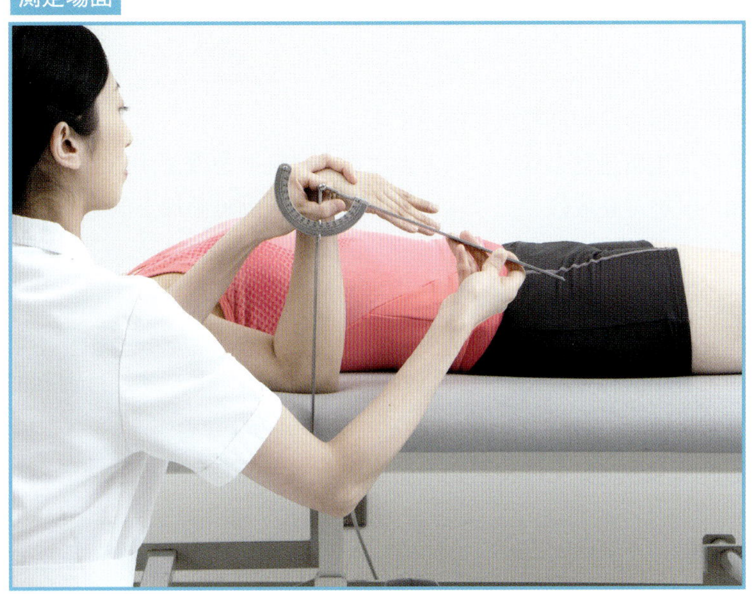

19 手関節橈屈

基本事項

測定肢位	座位または背臥位にて前腕回内位
基本軸	前腕の中央線
移動軸	第3中手骨
参考可動域	0～25°

測定の順序

❶検者は手関節橈屈の自動可動域を確認する.
❷他動的に手関節橈屈運動を行い，痛みおよびend feelを確認する.
❸手関節橈屈の最終可動域にて，ゴニオメーターで他動可動域を測定する.

測定における注意点

❶手関節背屈などの代償運動に注意する.
❷座位での測定時，前腕を肘の高さの机の上に置くと測定しやすく，前腕回外による代償運動を抑制しやすい.
❸浮腫が生じている場合，手関節橈屈の制限因子の一つとなる可能性があるため，浮腫の評価も行う.

最終可動域での制限因子

橈骨茎状突起と舟状骨の接触，関節包尺側，尺側側副靱帯，尺骨手根靱帯，背側橈骨手根靱帯，関節包背側.

可動域に制限を有しやすい疾患

橈骨遠位端骨折，反射性交感神経性ジストロフィー，関節リウマチなど.

特異的なend feel

- 軟部組織性：橈骨遠位端骨折，反射性交感神経性ジストロフィーなどによる腫張.
- 結合組織性：橈骨遠位端骨折，関節リウマチなど.
- 骨性：関節リウマチなど.
- スパズム：橈骨遠位端骨折，反射性交感神経性ジストロフィーなど.

標準法 19-1

開始肢位

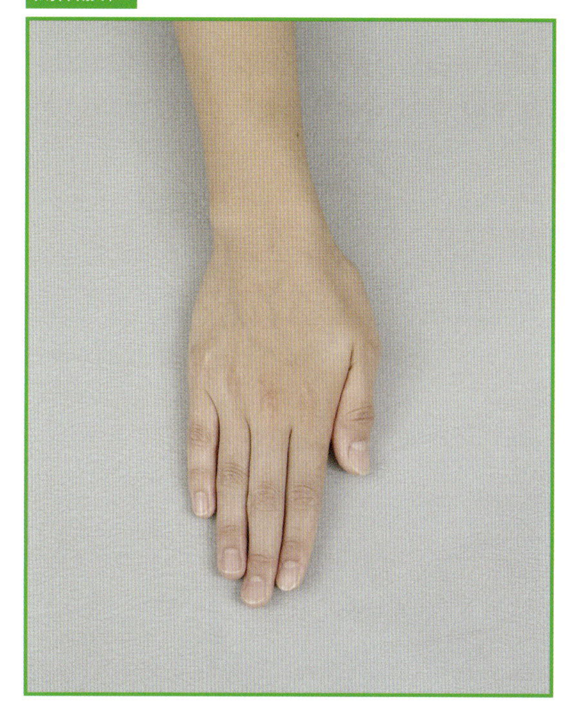

参考可動域　基本軸　移動軸

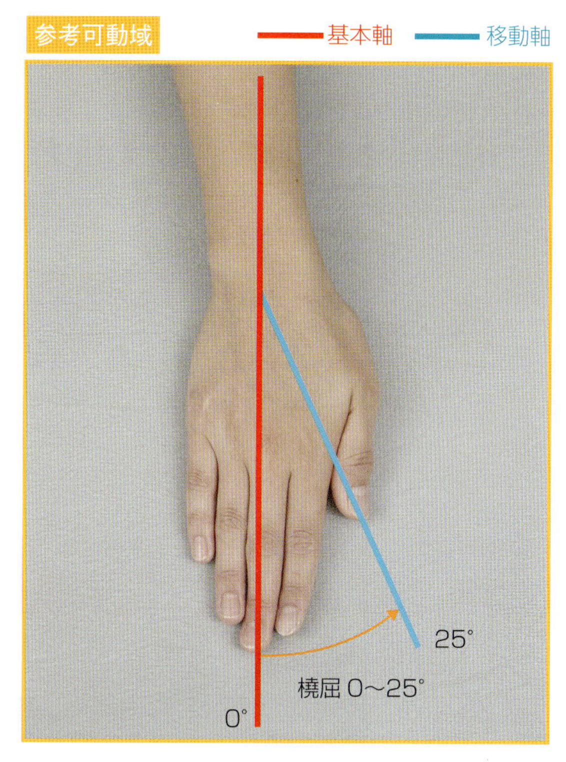

測定場面

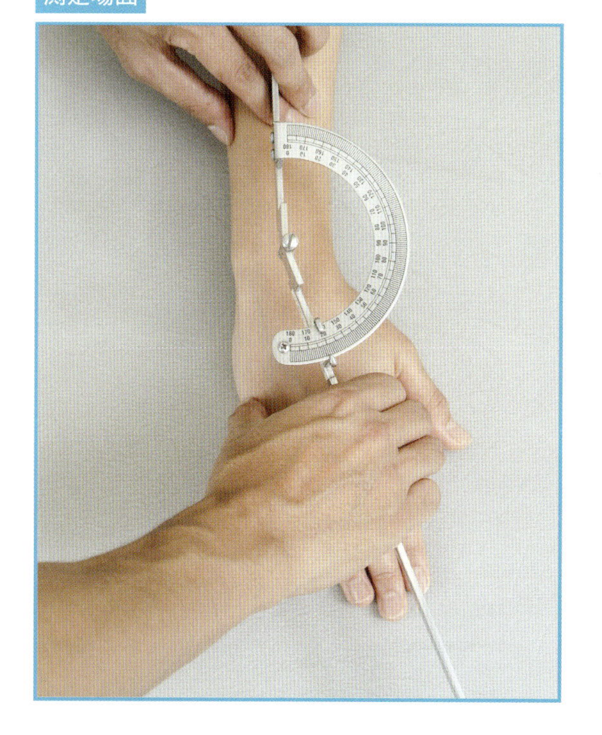

代償運動（手関節背屈）

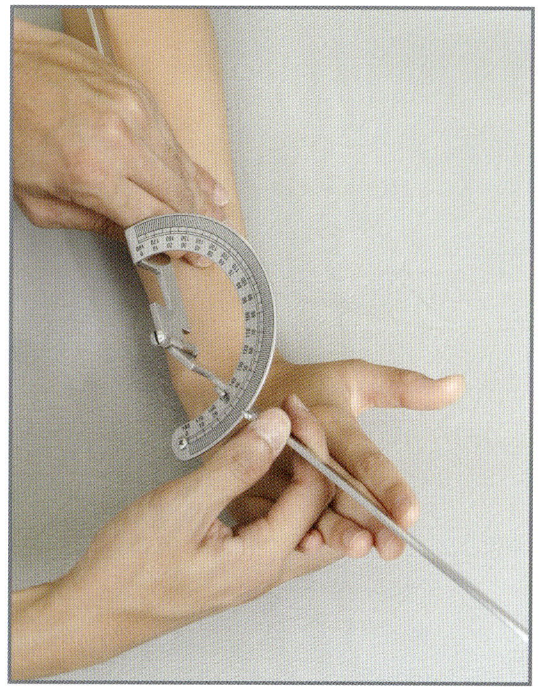

別　法

ランドマーク法 19-2

座位または背臥位にて，基本軸を上腕骨外側上顆と橈骨・尺骨茎状突起間の中点を結ぶ線，移動軸を両茎状突起間の中点と第3中手骨頭を結ぶ線，軸心を両茎状突起の中点とする．

測定場面

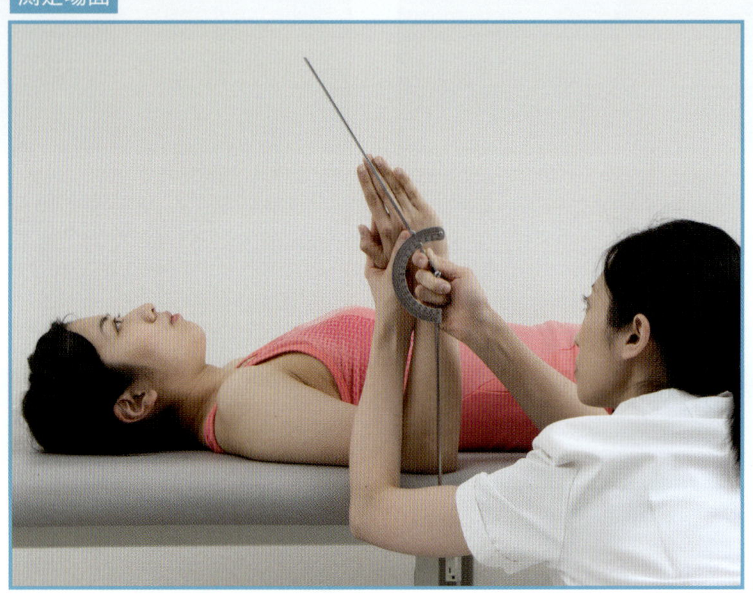

20 手関節尺屈

基本事項

- **測定肢位** 座位または背臥位にて前腕回内位
- **基本軸** 前腕の中央線
- **移動軸** 第３中手骨
- **参考可動域** 0～55°

測定の順序

❶検者は手関節尺屈の自動可動域を確認する．
❷他動的に手関節尺屈運動を行い，痛みおよび end feel を確認する．
❸手関節尺屈の最終可動域にて，ゴニオメーターで他動可動域を測定する．

測定における注意点

❶手関節掌屈による代償運動に注意する．
❷座位での測定時，前腕を肘の高さの机の上に置くと測定しやすく，前腕回外による代償運動を抑制しやすい．
❸浮腫が生じている場合，手関節尺屈の制限因子の一つとなる可能性があるため，浮腫の評価も行う．

最終可動域での制限因子

橈側側副靱帯，関節包橈側．

可動域に制限を有しやすい疾患

橈骨遠位端骨折，反射性交感神経性ジストロフィー，（de Quervain など）腱鞘炎など．

特異的な end feel

- 軟部組織性：橈骨遠位端骨折，反射性交感神経性ジストロフィーなどによる腫張．
- 結合組織性：橈骨遠位端骨折，（de Quervain など）腱鞘炎など．
- スパズム：橈骨遠位端骨折，反射性交感神経性ジストロフィー，（de Quervain など）腱鞘炎など．

標準法 20-1

開始肢位

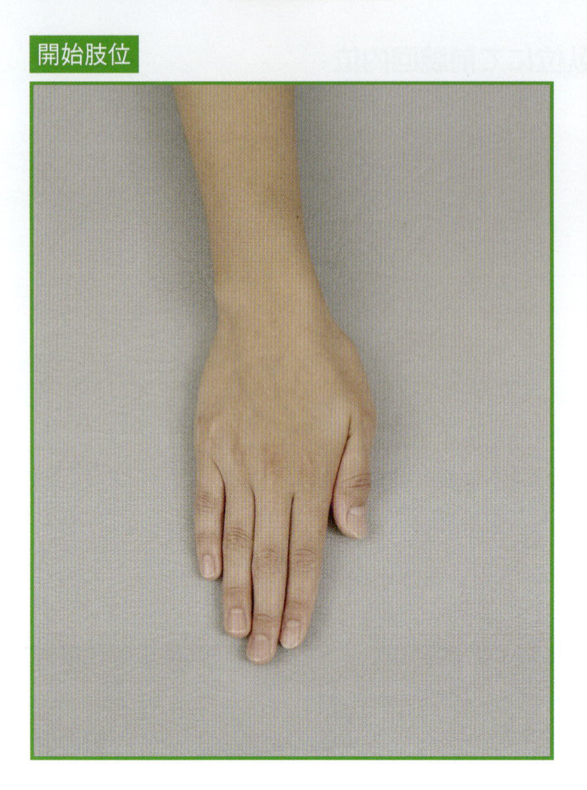

参考可動域

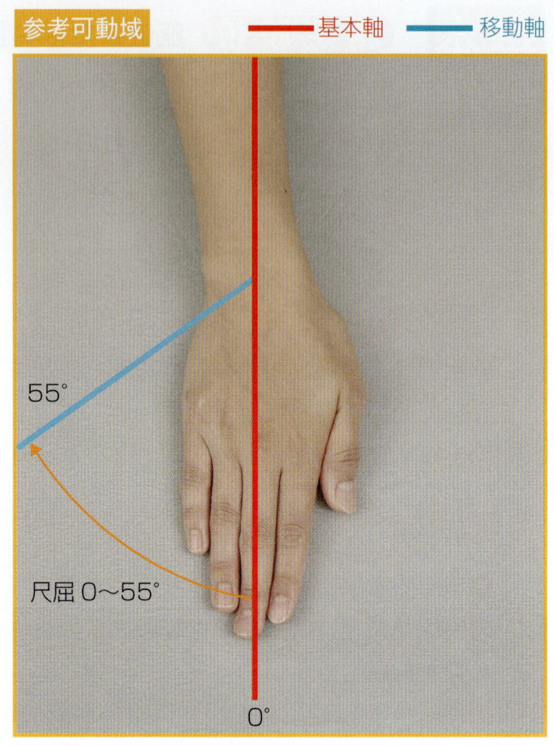

測定場面

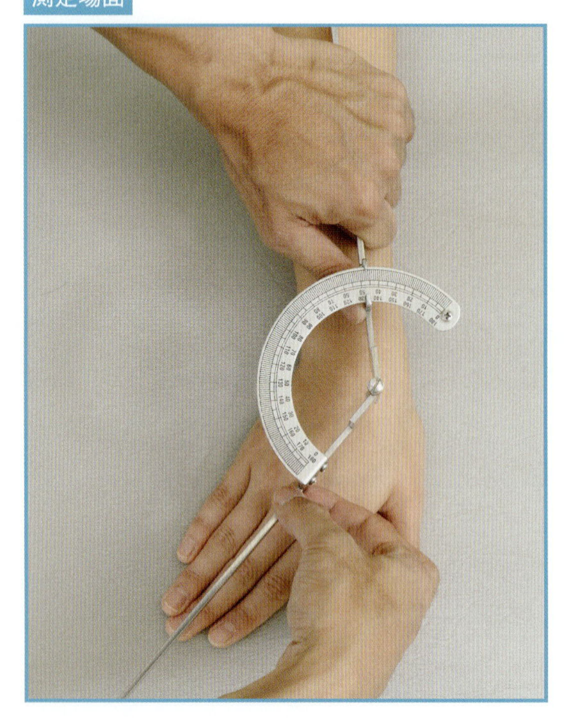

代償運動（手関節掌屈）

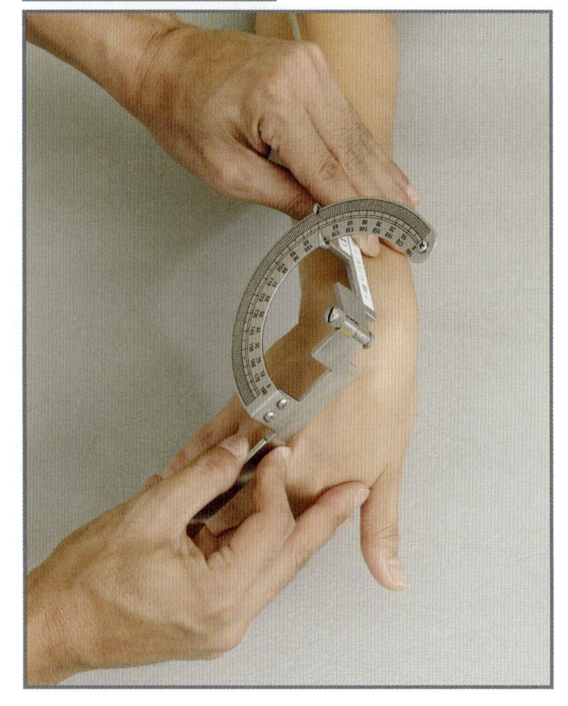

別　法

座位または背臥位にて，基本軸を上腕骨外側上顆と橈骨・尺骨茎状突起間の中点を結ぶ線，移動軸を両茎状突起間の中点と第3中手骨頭を結ぶ線，軸心を両茎状突起の中点とする．

測定場面

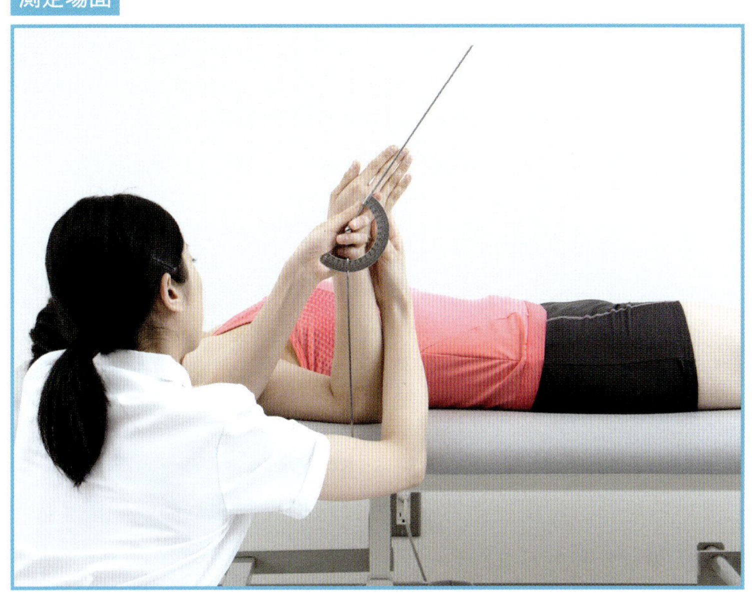

21 母指橈側外転・母指尺側内転

基本事項

測定肢位	座位または背臥位
基本軸	示指（橈骨の延長上）
移動軸	母指
参考可動域	母指橈側外転：0～60°，母指尺側内転：0°

測定の順序

❶検者は母指橈側外転または母指尺側内転の自動可動域を確認する.
❷他動的に母指橈側外転運動または母指尺側内転運動を行い，痛みおよび end feel を確認する.
❸母指橈側外転または母指尺側内転の最終可動域にて，ゴニオメーターで他動可動域を測定する.

測定における注意点

❶手関節橈屈・尺屈などの代償運動に注意する.
❷原則として手指の背側にゴニオメーターを当てる.
❸浮腫が生じている場合，母指橈側外転または母指尺側内転の制限因子の一つとなる可能性があるため，浮腫の評価も行う.

最終可動域での制限因子

- 母指橈側外転：短母指屈筋，母指内転筋，母指対立筋，第 1 背側骨間筋，関節包の前部.
- 母指尺側内転：短母指伸筋，母指外転筋，関節包の背部，母指球筋腹と手掌の接触.

可動域に制限を有しやすい疾患

反射性交感神経性ジストロフィー，関節リウマチなど.

特異的な end feel

- 軟部組織性：反射性交感神経性ジストロフィーなどによる腫張や浮腫.
- 結合組織性：関節リウマチなど.
- 骨性：関節リウマチなど.
- スパズム：反射性交感神経性ジストロフィーなど.

標準法 21

開始肢位

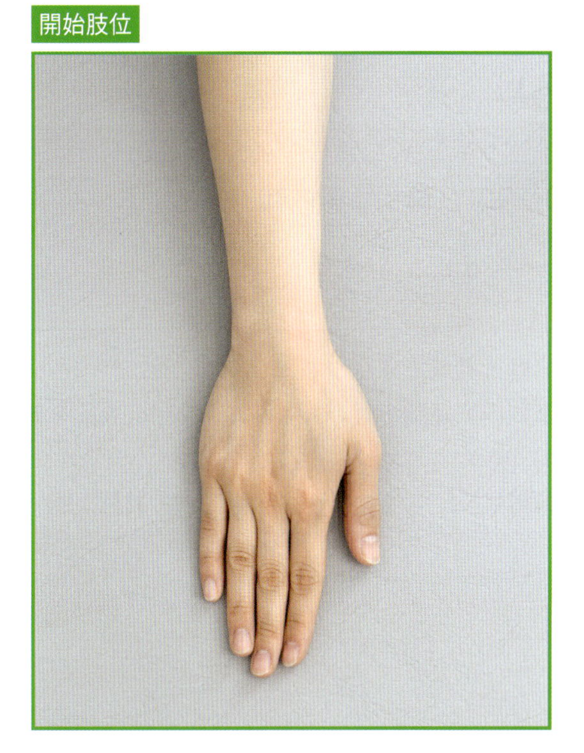

参考可動域

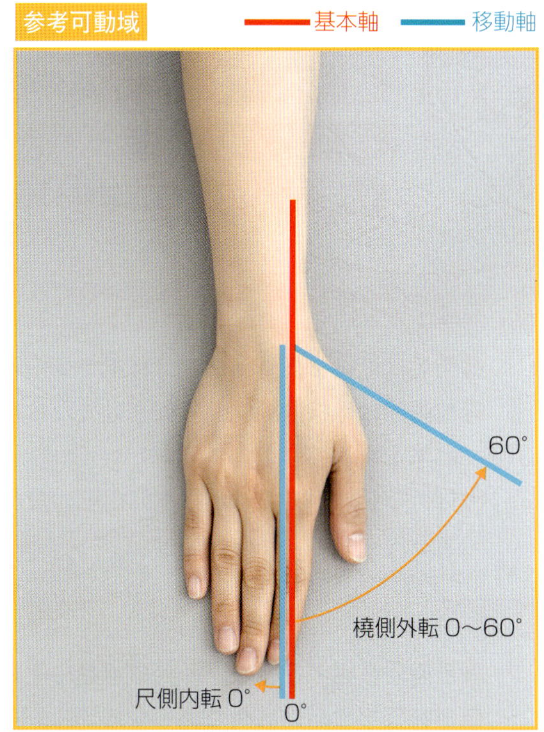

測定場面

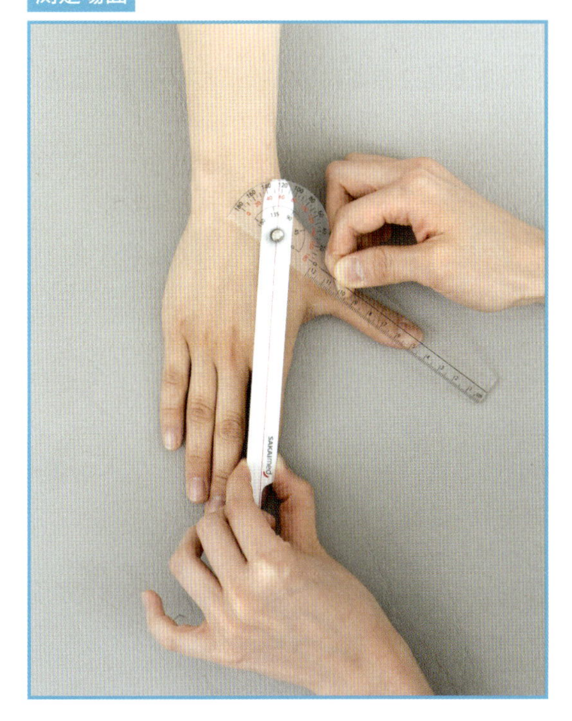

22 母指掌側外転・母指掌側内転

基本事項

測定肢位	座位または背臥位
基本軸	示指（橈骨の延長上）
移動軸	母指
参考可動域	母指掌側外転：0～90°，母指掌側内転：0°

測定の順序

❶検者は母指掌側外転または母指掌側内転の自動可動域を確認する．
❷他動的に母指関節掌側外転運動または母指掌側内転運動を行い，痛みおよび end feel を確認する．
❸母指掌側外転または母指掌側内転の最終可動域にて，ゴニオメーターで他動可動域を測定する．

測定における注意点

❶手関節掌屈・背屈などの代償運動に注意する．
❷運動は手掌面に直角な面とする
❸浮腫が生じている場合，母指掌側外転の制限因子の一つとなる可能性があるため，浮腫の評価も行う．

最終可動域での制限因子

- 母指掌側外転：母指内転筋，第 1 背側骨間筋，母指と第 2 指間にある指間腔の筋膜と皮膚．
- 母指掌側内転：母指対立筋，短母指外転筋，短母指屈筋，母指と手掌の接触．

可動域に制限を有しやすい疾患

母指 CM 関節変形性関節症，舟状骨骨折，第 1 中手骨骨折，ベネット骨折，反射性交感神経性ジストロフィー，正中神経麻痺，関節リウマチなど．

特異的な end feel

- 軟部組織性：手根骨の骨折，反射性交感神経性ジストロフィーなどによる腫張．
- 結合組織性：母指 CM 関節変形性関節症，舟状骨骨折，第 1 中手骨骨折，ベネット骨折，反射性交感神経性ジストロフィー，正中神経麻痺，関節リウマチなど．
- 骨性：母指 CM 関節変形性関節症，手根骨の骨折，関節リウマチなど．
- スパズム：母指 CM 関節変形性関節症，反射性交感神経性ジストロフィーなど．

標準法

開始肢位

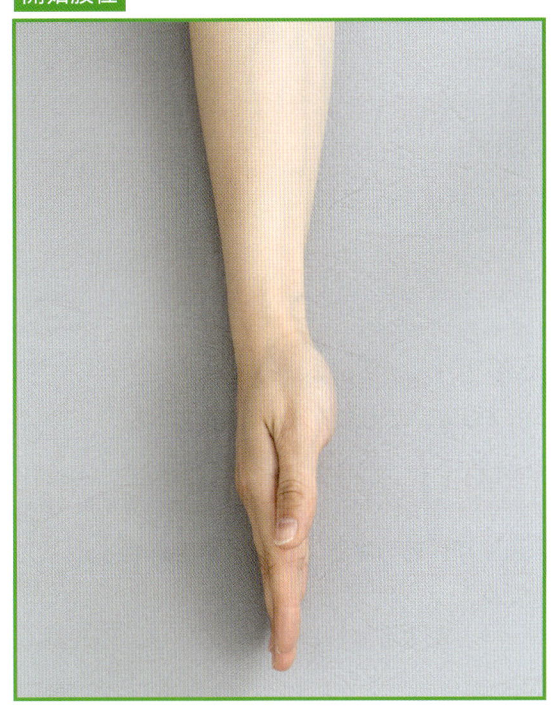

参考可動域

基本軸　移動軸

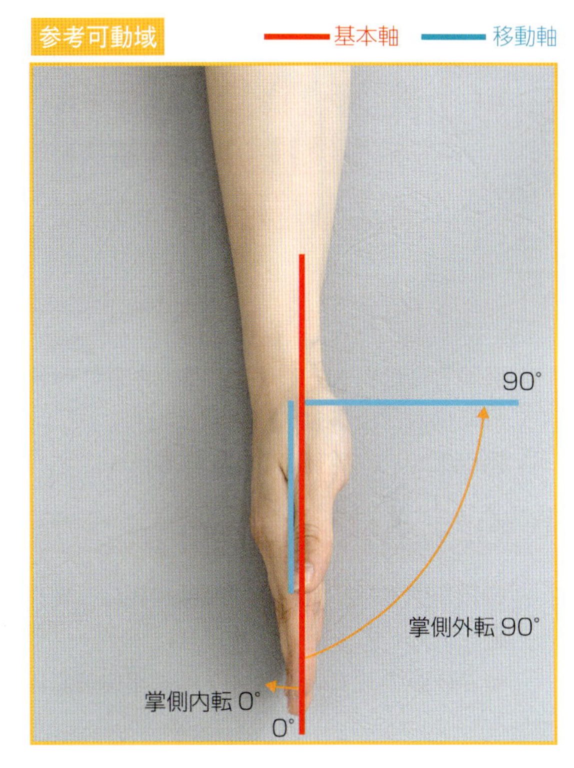

測定場面

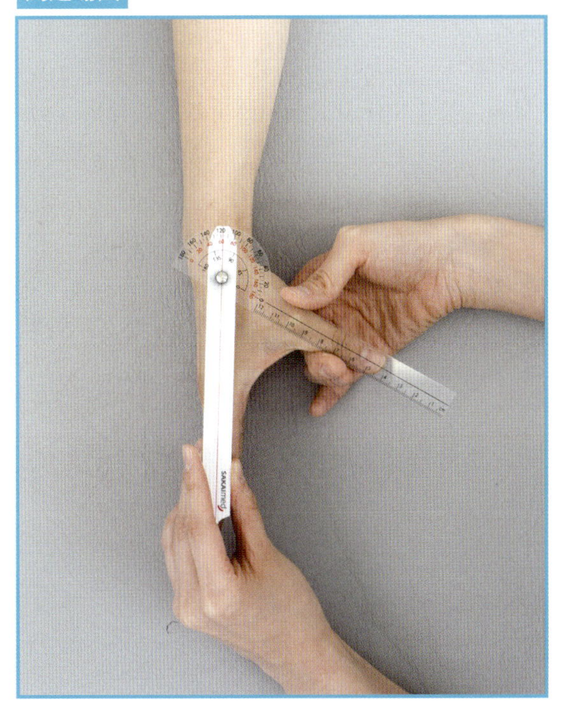

23 母指中手指節（MCP）関節屈曲

基本事項	
測定肢位	座位または背臥位
基本軸	第1中手骨
移動軸	第1基節骨
参考可動域	0〜60°

測定の順序

❶検者は母指 MCP 関節屈曲の自動可動域を確認する．
❷他動的に母指 MCP 関節屈曲運動を行い，痛みおよび end feel を確認する．
❸母指 MCP 関節屈曲の最終可動域にて，ゴニオメーターで他動可動域を測定する．

測定における注意点

❶母指中手指節（IP）関節は伸展位を保持し，長母指伸筋の緊張による制限を抑制する．
❷原則として手指の背側にゴニオメーターを当てる．
❸浮腫が生じている場合，母指屈曲制限因子の一つとなる可能性があるため，浮腫の評価も行う．

最終可動域での制限因子

長母指・短母指伸筋，基節骨と第1中手骨掌側面の接触による骨性のもの，関節包の背側．

可動域に制限を有しやすい疾患

関節リウマチ，反射性交感神経性ジストロフィー，第1中手骨骨折，第1基節骨骨折，（de Quervain など）腱鞘炎など．

特異的な end feel

- 軟部組織性：反射性交感神経性ジストロフィーなどによる腫脹．
- 結合組織性：第1中手骨骨折，第1基節骨骨折，関節リウマチ，（de Quervain など）腱鞘炎など．
- 骨性：関節リウマチなど．
- スパズム：第1中手骨骨折，第1基節骨骨折，反射性交感神経性ジストロフィー，（de Quervain など）腱鞘炎など．

標準法

開始肢位

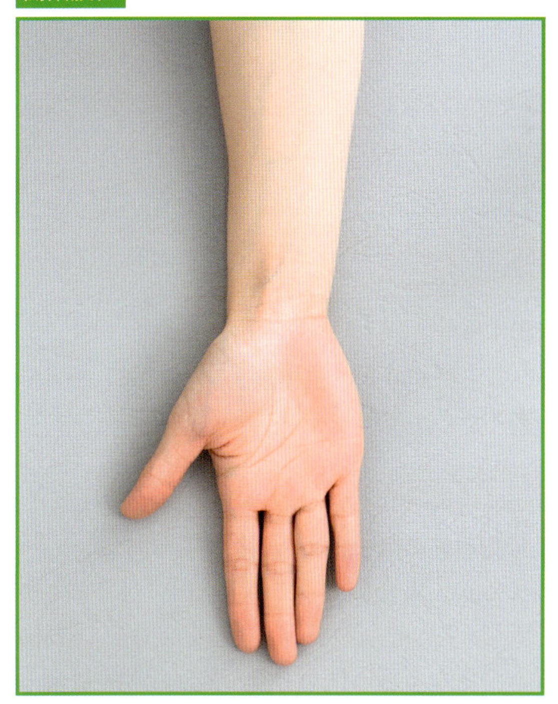

参考可動域

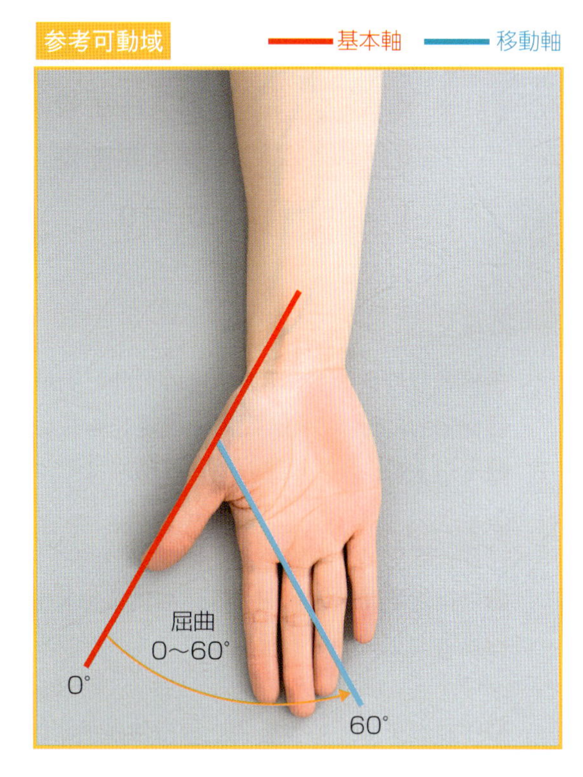

測定場面

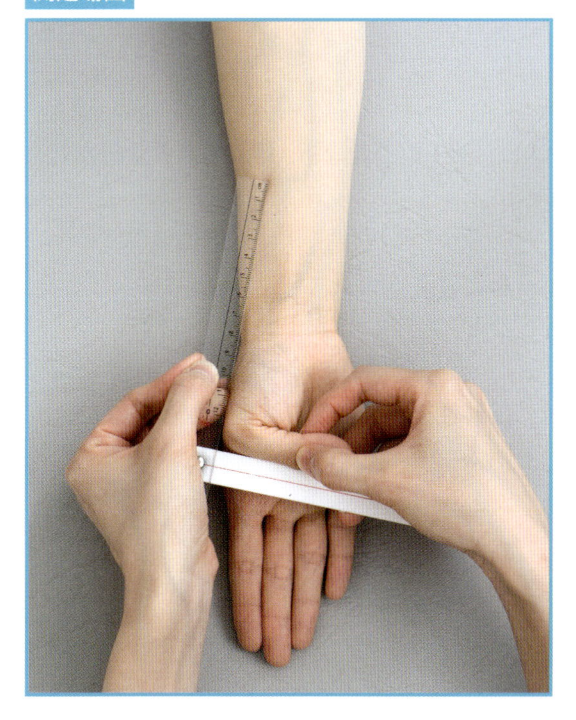

24 母指中手指節(MCP)関節伸展

基本事項

測定肢位	座位または背臥位
基本軸	第1中手骨
移動軸	第1基節骨
参考可動域	0〜10°

測定の順序

❶検者は母指 MCP 関節伸展の自動可動域を確認する．
❷他動的に母指 MCP 関節伸展運動を行い，痛みおよび end feel を確認する．
❸母指 MCP 関節伸展の最終可動域にて，ゴニオメーターで他動可動域を測定する．

測定における注意点

❶母指指節間（IP）関節は屈曲位を保持し，長母指屈筋の緊張による制限を抑制する．
❷原則として手指の背側にゴニオメーターを当てるが，場合によっては手掌面に当ててもよい．
❸浮腫が生じている場合，母指伸展制限因子の一つとなる可能性があるため，浮腫の評価も行う．

最終可動域での制限因子

長母指・短母指屈筋，関節包の掌側，掌側線維軟骨板．

可動域に制限を有しやすい疾患

関節リウマチ，反射性交感神経性ジストロフィー，第1中手骨骨折，第1基節骨骨折など．

特異的な end feel

- 軟部組織性：反射性交感神経性ジストロフィーなどによる腫張．
- 結合組織性：第1中手骨骨折，第1基節骨骨折など．
- 骨性：関節リウマチなど．
- スパズム：第1中手骨骨折，第1基節骨骨折，反射性交感神経性ジストロフィーなど．

標準法

開始肢位

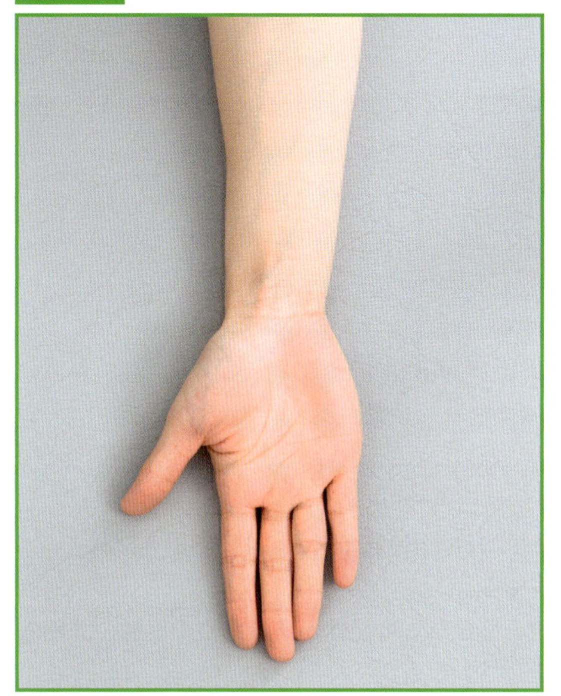

参考可動域

基本軸　移動軸

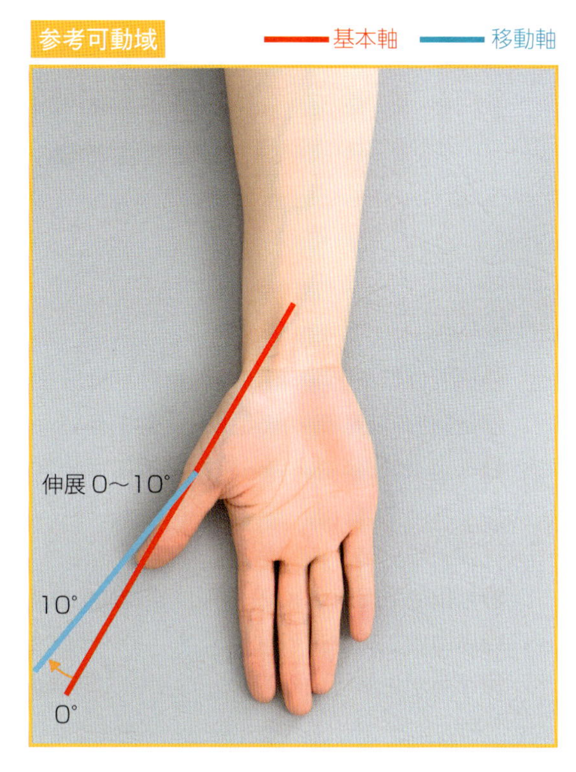

測定場面

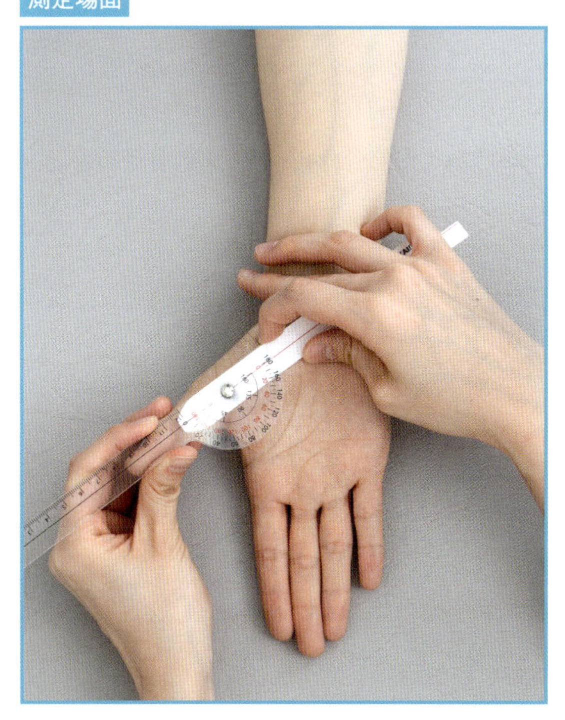

25 母指指節間（IP）関節屈曲

基本事項

測定肢位	座位または背臥位
基本軸	第 1 基節骨
移動軸	第 1 末節骨
参考可動域	0〜80°

測定の手順

❶検者は母指 IP 関節屈曲の自動可動域を確認する．
❷他動的に母指 IP 関節屈曲運動を行い，痛みおよび end feel を確認する．
❸母指 IP 関節屈曲の最終可動域にて，ゴニオメーターで他動可動域を測定する．

測定における注意点

❶母指中手指節（MCP）関節は軽度屈曲位を保持し，長母指伸筋の緊張による制限を抑制する．
❷原則として手指の背側にゴニオメーターを当てる．
❸浮腫が生じている場合，母指屈曲制限因子の一つとなる可能性があるため，浮腫の評価も行う．

最終可動域での制限因子

長母指伸筋，側副靱帯，関節包背側（個人差で，末節骨と掌側線維軟骨板および基節骨掌側面の接触による骨性）．

可動域に制限を有しやすい疾患

関節リウマチ，反射性交感神経性ジストロフィー，第 1 基節骨骨折，第 1 末節骨骨折など．

特異的な end feel

- 軟部組織性：反射性交感神経性ジストロフィーなどによる腫張．
- 結合組織性：第 1 基節骨骨折，第 1 末節骨骨折，関節リウマチなど．
- 骨性：関節リウマチなど．
- スパズム：第 1 基節骨骨折，第 1 末節骨骨折，反射性交感神経性ジストロフィーなど．

標準法

開始肢位

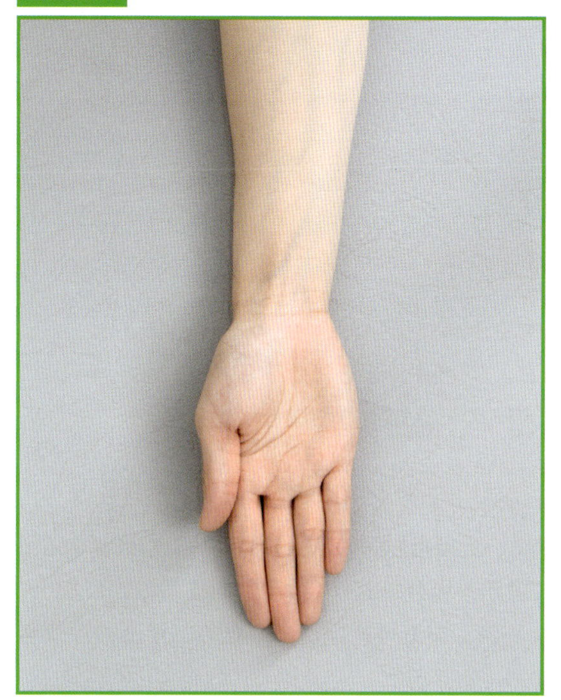

参考可動域

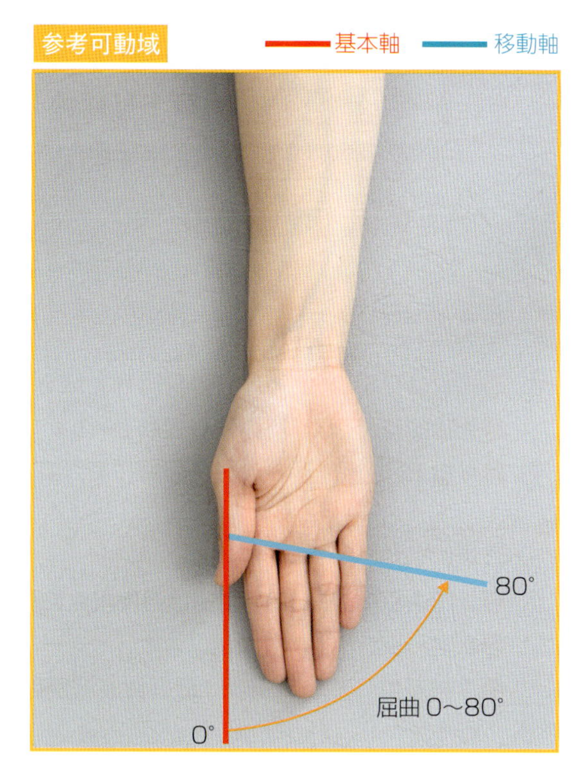

測定場面

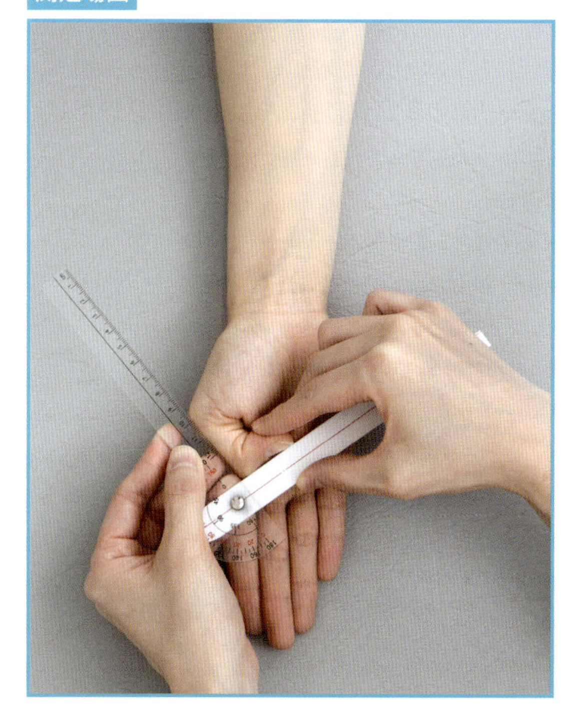

26 母指指節間 (IP) 関節伸展

基本事項

測定肢位	座位または背臥位
基本軸	第 1 基節骨
移動軸	第 1 末節骨
参考可動域	0〜10°

測定の順序

❶検者は母指 IP 関節伸展の自動可動域を確認する.
❷他動的に母指 IP 関節伸展運動を行い，痛みおよび end feel を確認する.
❸母指 IP 関節伸展の最終可動域にて，ゴニオメーターで他動可動域を測定する.

測定のおける注意点

❶母指中手指節 (MCP) 関節は軽度屈曲位を保持し，長母指屈筋の緊張による制限を抑制する.
❷原則として手指の背側にゴニオメーターを当てるが，場合によっては手掌面に当ててもよい.
❸浮腫が生じている場合，母指伸展制限因子の一つとなる可能性があるため，浮腫の評価も行う.

最終可動域での制限因子

長母指屈筋，関節包の掌側，掌側線維軟骨板.

可動域に制限を有しやすい疾患

関節リウマチ，反射性交感神経性ジストロフィー，第 1 基節骨骨折，第 1 末節骨骨折など.

特異的な end feel

- 軟部組織性：反射性交感神経性ジストロフィーなどによる腫張.
- 結合組織性：第 1 基節骨骨折，第 1 末節骨骨折，関節リウマチなど.
- 骨性：関節リウマチなど.
- スパズム：第 1 基節骨骨折，第 1 末節骨骨折，反射性交感神経性ジストロフィーなど.

標準法

開始肢位

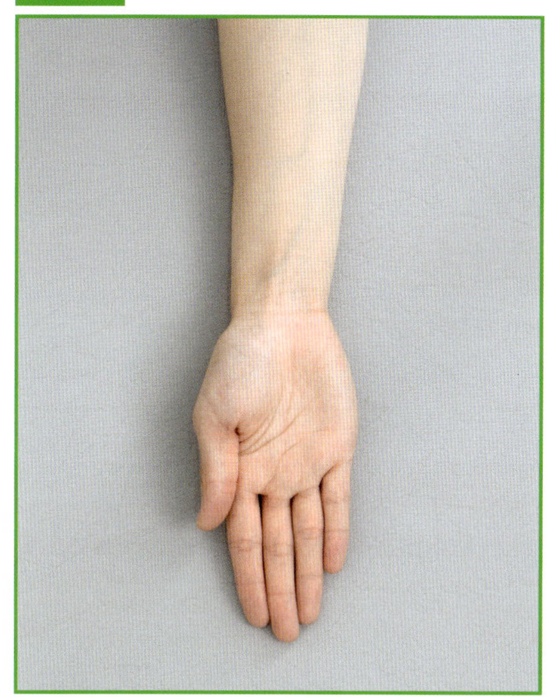

参考可動域

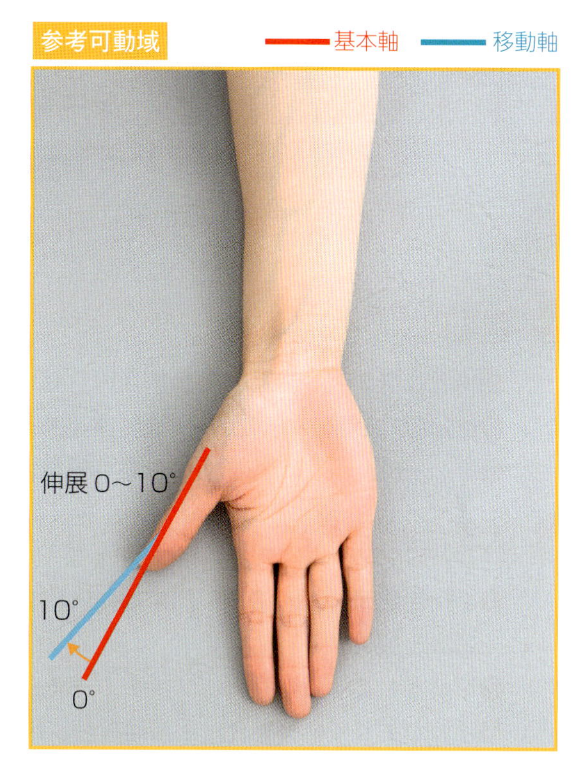

測定場面

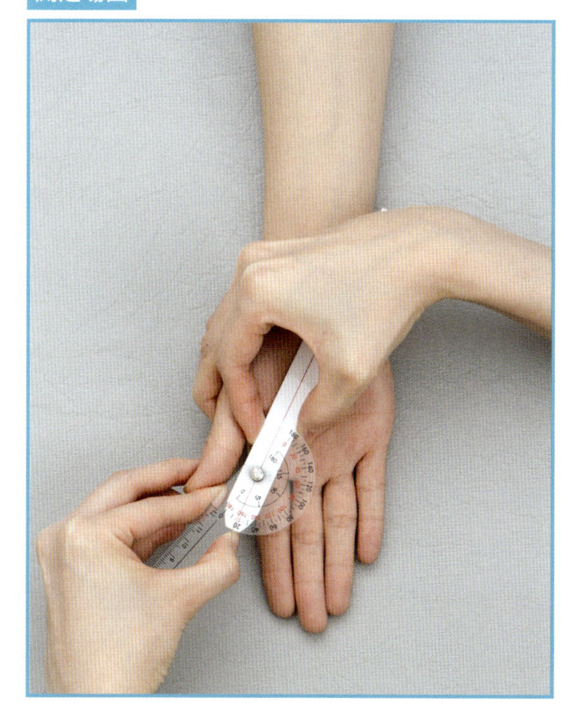

27 第2～5指中手指節(MCP)関節屈曲

基本事項	
測定肢位	座位または背臥位
基本軸	第2～5中手骨
移動軸	第2～5基節骨
参考可動域	0～90°

測定の順序

❶検者は第2～5指MCP関節屈曲の自動可動域を確認する．
❷他動的に第2～5指MCP関節屈曲運動を行い，痛みおよびend feelを確認する．
❸第2～5指MCP関節屈曲の最終可動域にて，ゴニオメーターで他動可動域を測定する．

測定における注意点

❶手指指節間（PIP・DIP）関節は伸展位を保持し，総指伸筋やその他固有伸筋の緊張による制限を抑制する．
❷原則として手指の背側にゴニオメーターを当てる．
❸浮腫が生じている場合，手指屈曲制限因子の一つとなる可能性があるため，浮腫の評価も行う．

最終可動域での制限因子

総指伸筋，示指・小指固有伸筋，基節骨と中手骨掌側面の接触による骨性のもの，関節包の背側，側副靱帯．

可動域に制限を有しやすい疾患

関節リウマチ，反射性交感神経性ジストロフィー，第2～5中手骨骨折，第2～5基節骨骨折，Dupuytren拘縮，尺骨神経麻痺低位型など．

特異的なend feel

- 軟部組織性：反射性交感神経性ジストロフィーなどによる腫張．
- 結合組織性：関節リウマチ，反射性交感神経性ジストロフィー，第2～5中手骨骨折，第2～5基節骨骨折，Dupuytren拘縮，尺骨神経麻痺低位型など．
- 骨性：関節リウマチなど．
- スパズム：反射性交感神経性ジストロフィー，第2～5中手骨骨折，第2～5基節骨骨折など．

標準法

開始肢位

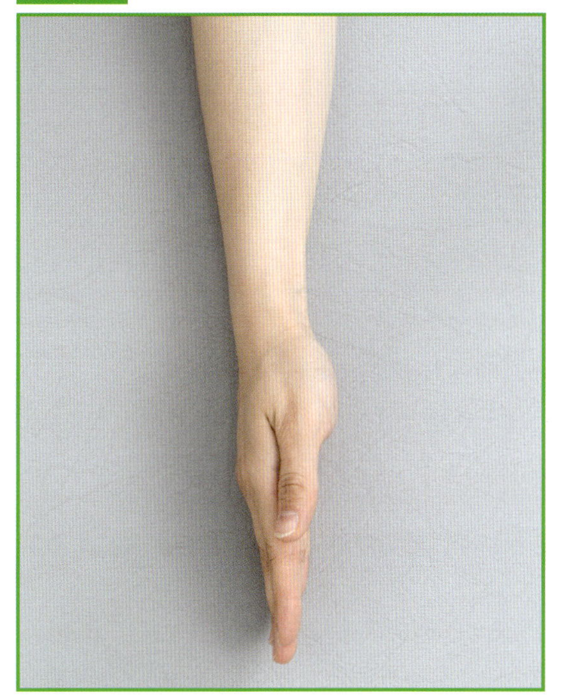

参考可動域

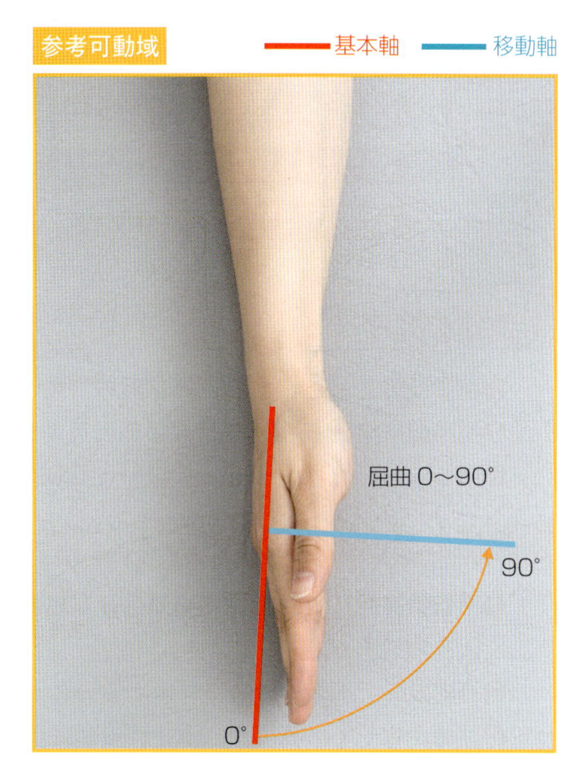

測定場面

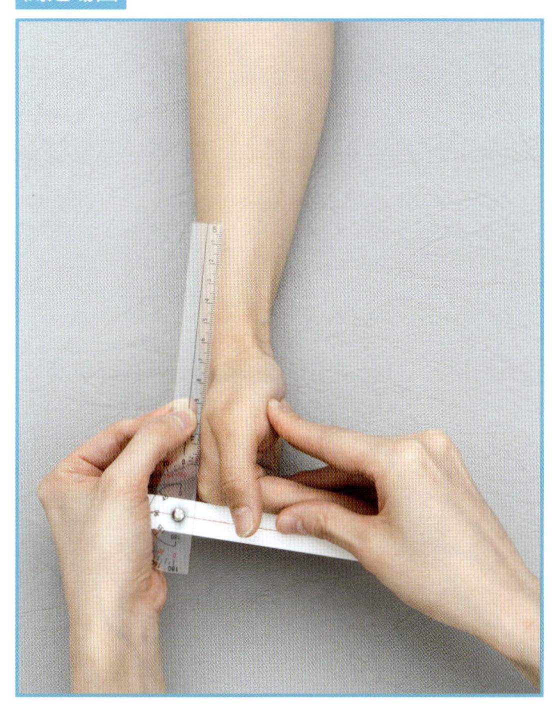

28 第2～5指中手指節(MCP)関節伸展

基本事項

測定肢位	座位または背臥位
基本軸	第2～5中手骨
移動軸	第2～5基節骨
参考可動域	0～45°

測定の順序

❶検者は第2～5指MCP関節伸展の自動可動域を確認する．
❷他動的に第2～5指MCP関節伸展運動を行い，痛みおよびend feelを確認する．
❸第2～5指MCP関節伸展の最終可動域にて，ゴニオメーターで他動可動域を測定する．

測定における注意点

❶手指指節間（PIP・DIP）関節は軽度屈曲位を保持し，深指屈筋や浅指屈筋の緊張による制限を抑制する．
❷原則として手指の背側にゴニオメーターを当てるが，場合によっては側面に当ててもよい．
❸浮腫が生じている場合，手指伸展制限因子の一つとなる可能性があるため，浮腫の評価も行う．

最終可動域での制限因子

深指屈筋，浅指屈筋，関節包の掌側，掌側線維軟骨板．

可動域に制限を有しやすい疾患

関節リウマチ，反射性交感神経性ジストロフィー，第2～5中手骨骨折，第2～5基節骨骨折，Dupuytren拘縮，橈骨神経麻痺など．

特異的なend feel

- 軟部組織性：反射性交感神経性ジストロフィーなどによる腫張．
- 結合組織性：第2～5中手骨骨折，第2～5基節骨骨折，Dupuytren拘縮，橈骨神経麻痺など．
- 骨性：関節リウマチなど．
- スパズム：反射性交感神経性ジストロフィー，第2～5中手骨骨折，第2～5基節骨骨折など．

標準法

開始肢位

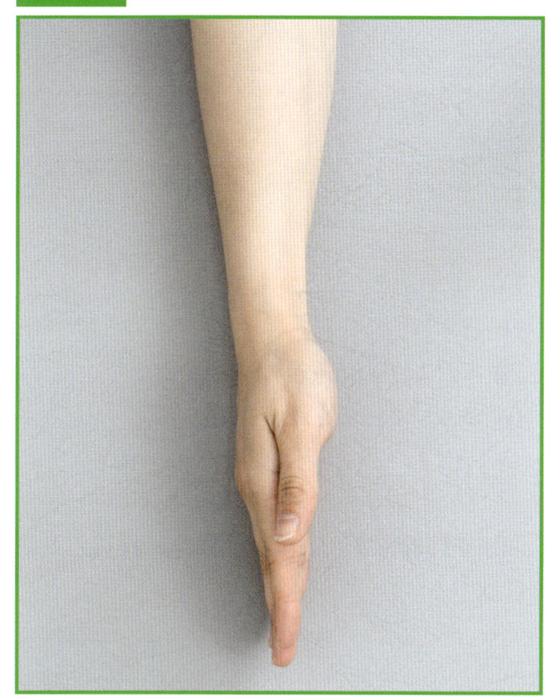

参考可動域

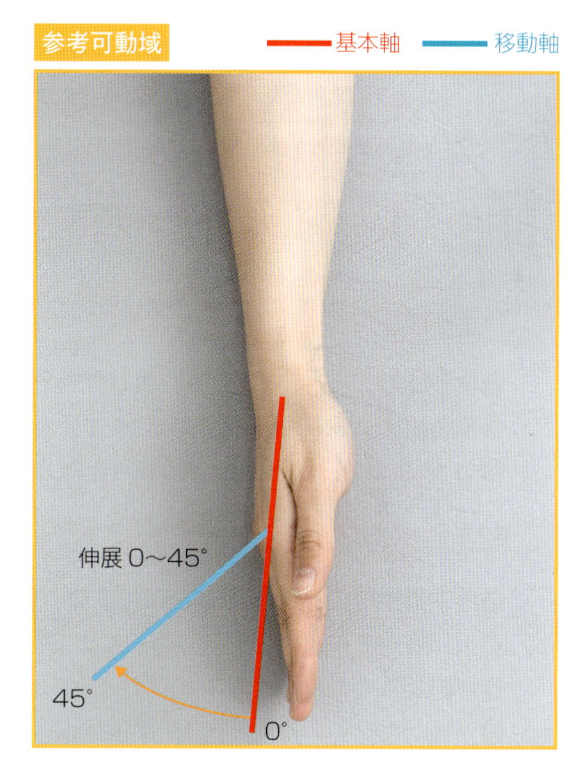

測定場面

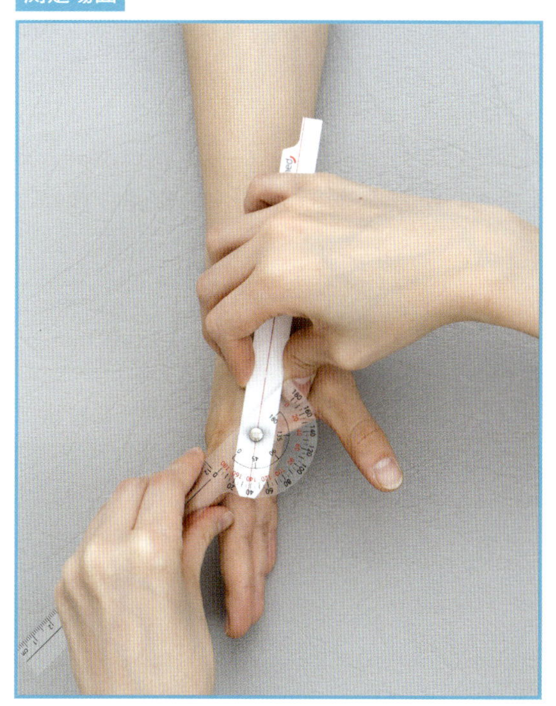

29 第2～5指指節間(PIP)関節屈曲

基本事項

測定肢位	座位または背臥位
基本軸	第2～5基節骨
移動軸	第2～5中節骨
参考可動域	0～100°

測定の順序

1. 検者は第2～5指PIP関節屈曲の自動可動域を確認する．
2. 他動的に第2～5指PIP関節屈曲運動を行い，痛みおよびend feelを確認する．
3. 第2～5指PIP関節屈曲の最終可動域にて，ゴニオメーターで他動可動域を測定する．

測定における注意点

1. 中手指節（MCP）関節，手指指節間（DIP）関節を伸展位または軽度屈曲位に保持し，総指伸筋やその他固有伸筋の緊張による制限を抑制する．
2. 原則として手指の背側にゴニオメーターを当てる．
3. 浮腫が生じている場合，手指屈曲制限因子の一つとなる可能性があるため，浮腫の評価も行う．

最終可動域での制限因子

総指伸筋，示指・小指固有伸筋，中節骨と基節骨掌側面の接触による骨性または軟部組織性のもの，関節包背側，側副靱帯．

可動域に制限を有しやすい疾患

関節リウマチ，反射性交感神経性ジストロフィー，第2～5基節骨骨折，第2～5中節骨骨折，Bouchard結節など．

特異的なend feel

- 軟部組織性：反射性交感神経性ジストロフィーなどによる腫張．
- 結合組織性：関節リウマチ，第2～5基節骨骨折，第2～5中節骨骨折，Bouchard結節など．
- 骨性：関節リウマチ，第2～5基節骨骨折，第2～5中節骨骨折，Bouchard結節など．
- スパズム：反射性交感神経性ジストロフィー，第2～5基節骨骨折，第2～5中節骨骨折など．

標準法

開始肢位

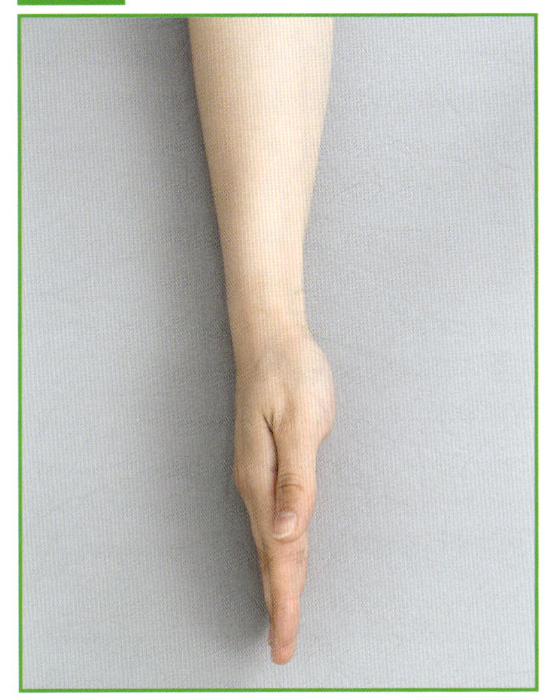

参考可動域

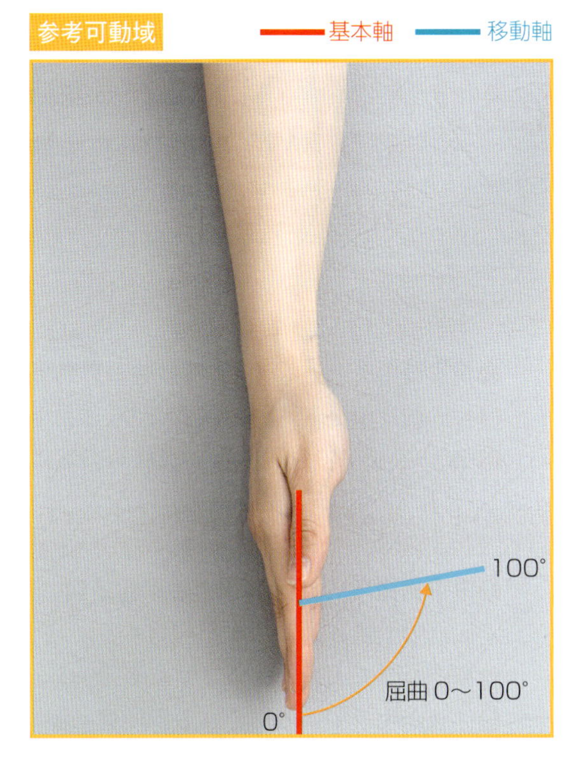

測定場面

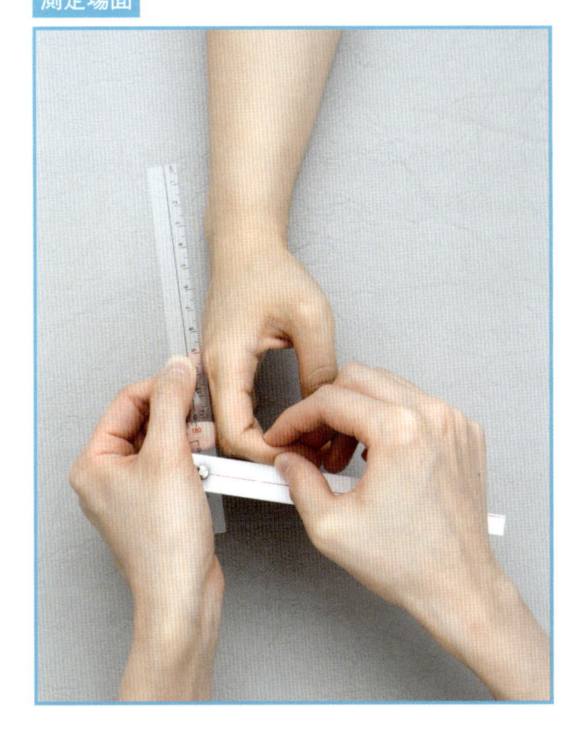

30 第2～5指指節間(PIP)関節伸展

基本事項

測定肢位	座位または背臥位
基本軸	第2～5基節骨
移動軸	第2～5中節骨
参考可動域	0°

測定の順序

❶検者は第2～5指PIP関節伸展の自動可動域を確認する.
❷他動的に第2～5指PIP関節伸展運動を行い，痛みおよびend feelを確認する.
❸第2～5指PIP関節伸展の最終可動域にて，ゴニオメーターで他動可動域を測定する.

測定における注意点

❶中手指節（MCP）関節，手指指節間（DIP）関節を軽度屈曲位に保持し，深指屈筋や浅指屈筋の緊張による制限を抑制する.
❷原則として手指の背側にゴニオメーターを当てるが，場合によっては側面に当ててもよい.
❸浮腫が生じている場合，手指伸展制限因子の一つとなる可能性があるため，浮腫の評価も行う.

最終可動域での制限因子

深指屈筋，浅指屈筋，関節包の掌側，掌側線維軟骨板.

可動域に制限を有しやすい疾患

関節リウマチ，反射性交感神経性ジストロフィー，第2～5基節骨骨折，第2～5中節骨骨折，Dupuytren拘縮，Bouchard結節，尺骨神経麻痺高位型，橈骨神経麻痺低位型など.

特異的なend feel

- 軟部組織性：反射性交感神経性ジストロフィーなどによる腫張.
- 結合組織性：関節リウマチ，反射性交感神経性ジストロフィー，第2～5基節骨骨折，第2～5中節骨骨折，Dupuytren拘縮，Bouchard結節，尺骨神経麻痺高位型，橈骨神経麻痺低位型など.
- 骨性：関節リウマチ，Bouchard結節など.
- スパズム：反射性交感神経性ジストロフィー，第2～5基節骨骨折，第2～5中節骨骨折など.

標準法

開始肢位

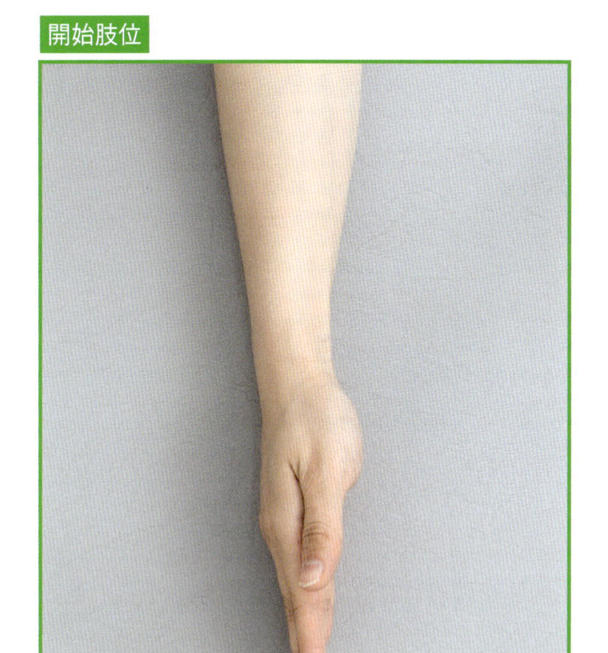

参考可動域

基本軸　移動軸

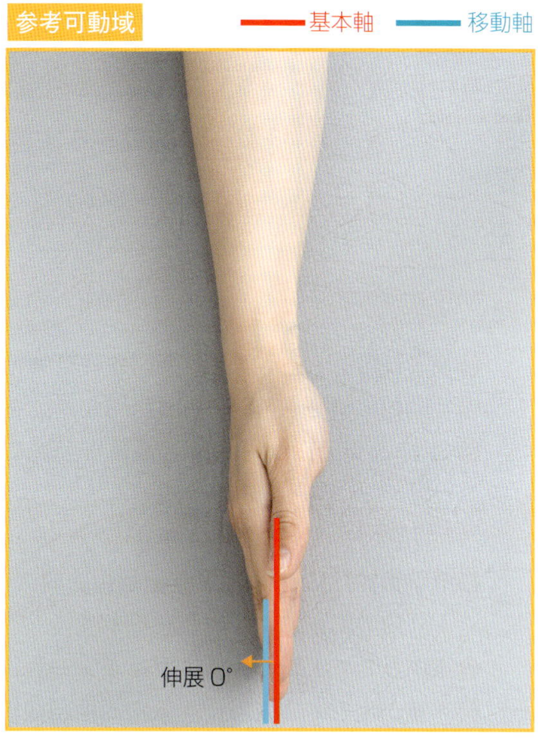

測定場面

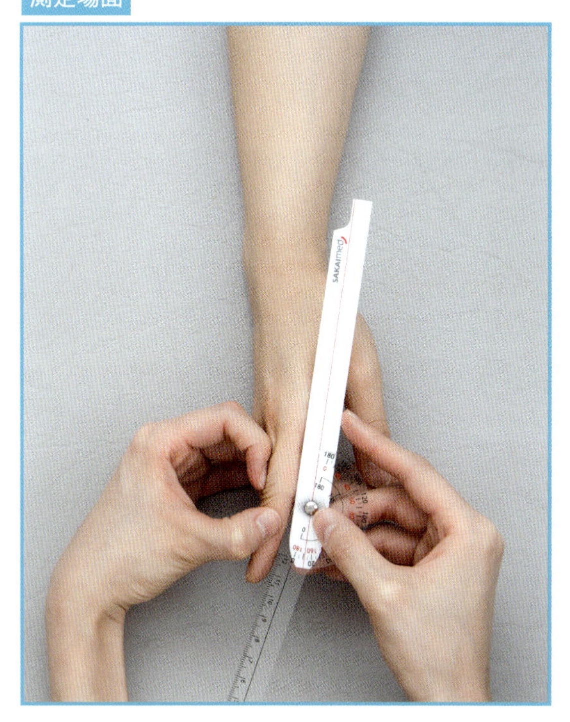

31 第2〜5指指節間(DIP)関節屈曲

基本事項

測定肢位	座位または背臥位
基本軸	第2〜5中節骨
移動軸	第2〜5末節骨
参考可動域	0〜80°

測定の順序

❶検者は第2〜5指DIP関節屈曲の自動可動域を確認する.
❷他動的に第2〜5指DIP関節屈曲運動を行い，痛みおよびend feelを確認する.
❸第2〜5指DIP関節屈曲の最終可動域にて，ゴニオメーターで他動可動域を測定する.

測定における注意点

❶中手指節（MCP）関節，手指指節間（PIP）関節を伸展位に保持し，総指伸筋やその他固有伸筋の緊張による制限を抑制する.
❷原則として手指の背側にゴニオメーターを当てる.
❸浮腫が生じている場合，手指屈曲制限因子の一つとなる可能性があるため，浮腫の評価も行う.

最終可動域での制限因子

総指伸筋，示指・小指固有伸筋，関節包背側と側副靱帯，斜支帯靱帯.

可動域に制限を有しやすい疾患

関節リウマチ，反射性交感神経性ジストロフィー，第2〜5中節骨骨折，第2〜5末節骨骨折，Heberden結節など.

特異的なend feel

- 軟部組織性：反射性交感神経性ジストロフィーなどによる腫張.
- 結合組織性：関節リウマチ，反射性交感神経性ジストロフィー，第2〜5中節骨骨折，第2〜5末節骨骨折，Heberden結節など.
- 骨性：関節リウマチ，Heberden結節など.
- スパズム：反射性交感神経性ジストロフィー，第2〜5中節骨骨折，第2〜5末節骨骨折など.

標準法

開始肢位

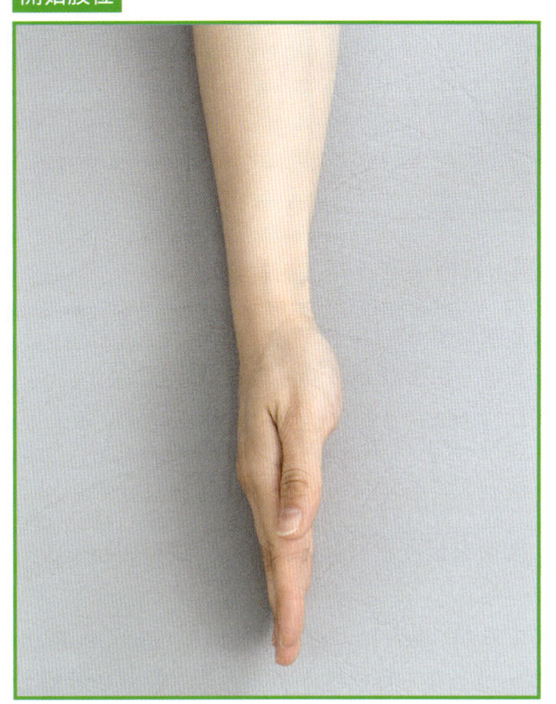

参考可動域

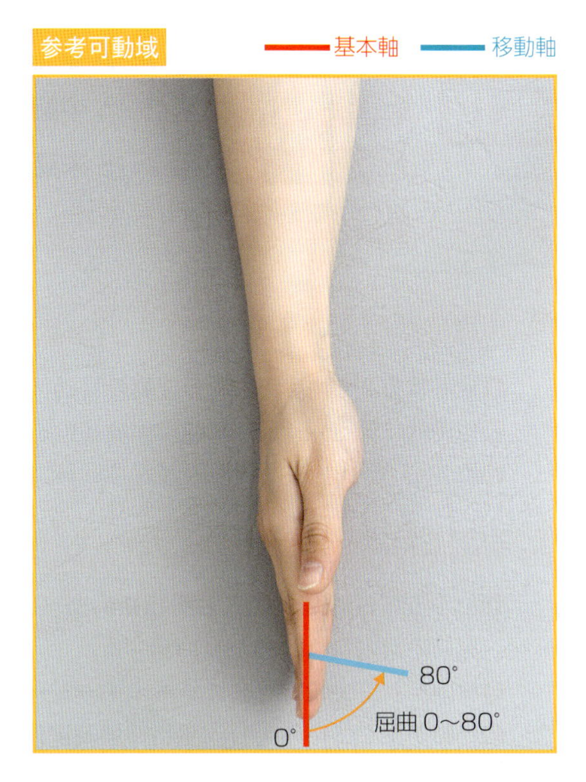

測定場面

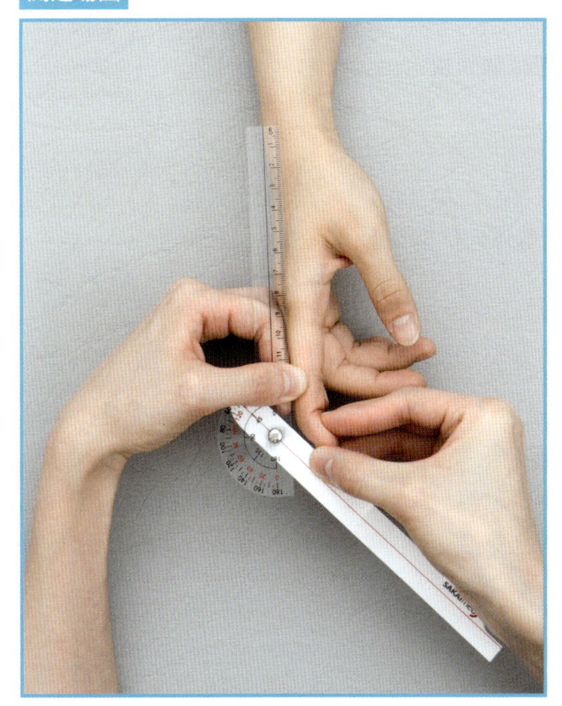

32 第2～5指指節間（DIP）関節伸展

基本事項	
測定肢位	座位または背臥位
基本軸	第2～5中節骨
移動軸	第2～5末節骨
参考可動域	0°

測定の順序

❶検者は第2～5指DIP関節伸展の自動可動域を確認する．
❷他動的に第2～5指DIP関節伸展運動を行い，痛みおよびend feelを確認する．
❸第2～5指DIP関節伸展の最終可動域にて，ゴニオメーターで他動可動域を測定する．

測定における注意点

❶中手指節（MCP）関節，手指指節間（PIP）関節を軽度屈曲位に保持し，深指屈筋や浅指屈筋の緊張による制限を抑制する．
❷原則として手指の背側にゴニオメーターを当てるが，場合によっては側面に当ててもよい．
❸浮腫が生じている場合，手指伸展制限因子の一つとなる可能性があるため，浮腫の評価も行う．
❹DIPは10°の過伸展をとりうる．

最終可動域での制限因子

深指屈筋，浅指屈筋，関節包の掌側，掌側線維軟骨板．

可動域に制限を有しやすい疾患

関節リウマチ，反射性交感神経性ジストロフィー，第2～5中節骨骨折，第2～5末節骨骨折，Heberden結節，尺骨神経麻痺，橈骨神経麻痺低位型など．

特異的なend feel

- 軟部組織性：反射性交感神経性ジストロフィーなどによる腫張．
- 結合組織性：関節リウマチ，反射性交感神経性ジストロフィー，第2～5中節骨骨折，第2～5末節骨骨折，Heberden結節，尺骨神経麻痺，橈骨神経麻痺低位型など．
- 骨性：関節リウマチ，Heberden結節など．
- スパズム：反射性交感神経性ジストロフィー，第2～5中節骨骨折，第2～5末節骨骨折など．

標準法

開始肢位

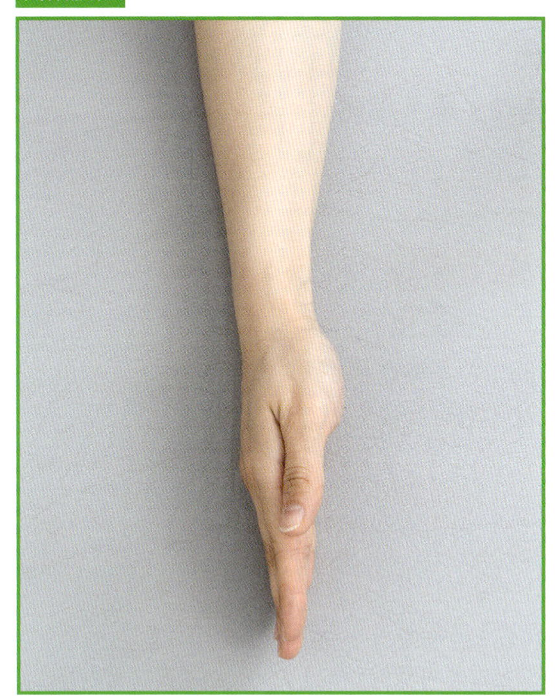

参考可動域

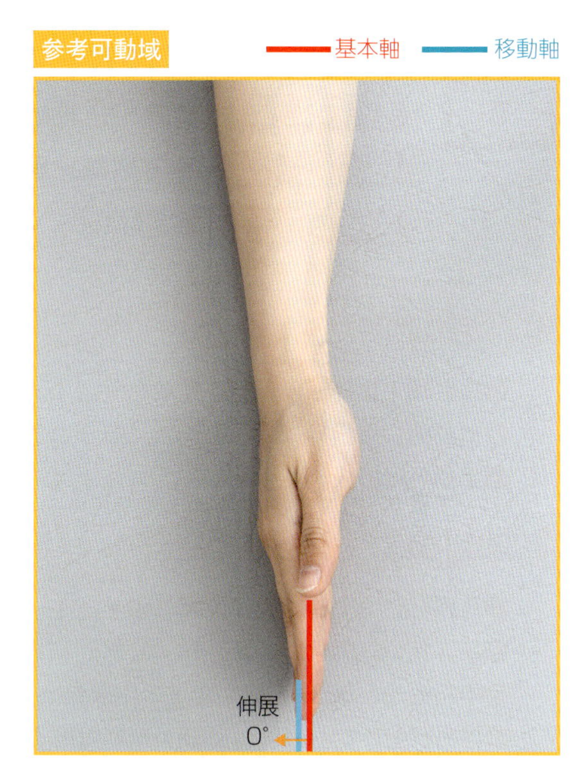

測定場面

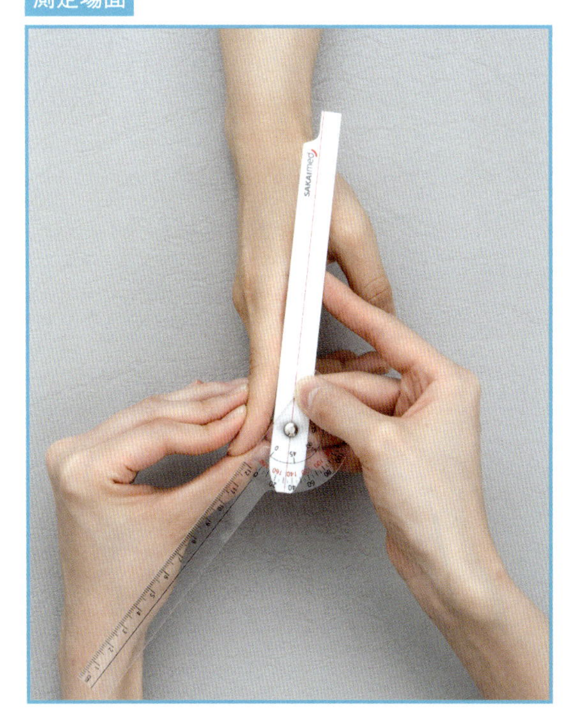

33 手指外転

基本事項

測定肢位	座位または背臥位
基本軸	第 3 中手骨延長線
移動軸	第 2 指軸，第 4 指軸，第 5 指軸
参考可動域	規定なし

測定の順序

❶検者は手指外転の自動可動域を確認する．
❷他動的に手指外転運動を行い，痛みおよび end feel を確認する．
❸手指外転の最終可動域にて，ゴニオメーターで他動可動域を測定する．

測定における注意点

❶原則として手指の背側にゴニオメーターを当てる．
❷第 3 指の運動は，橈側外転，尺側外転を行う．
❸中指先端と第 2~5 指先端との距離を cm で表示する場合もある．
❹浮腫が生じている場合，手指外転制限因子の一つとなる可能性があるため，浮腫の評価も行う．

標準法

開始肢位

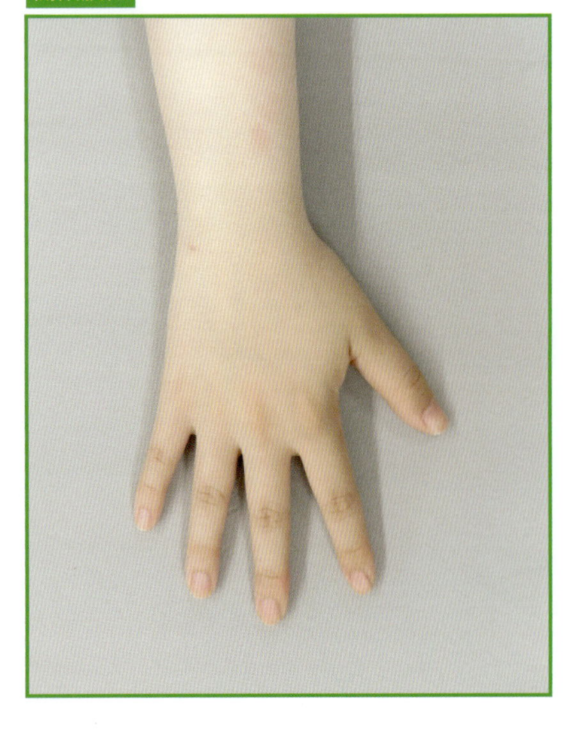

参考可動域

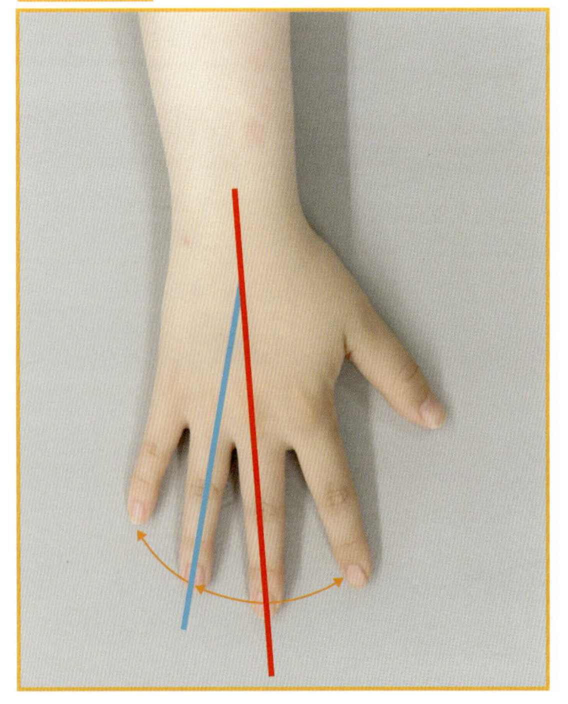

測定場面①（第４指）

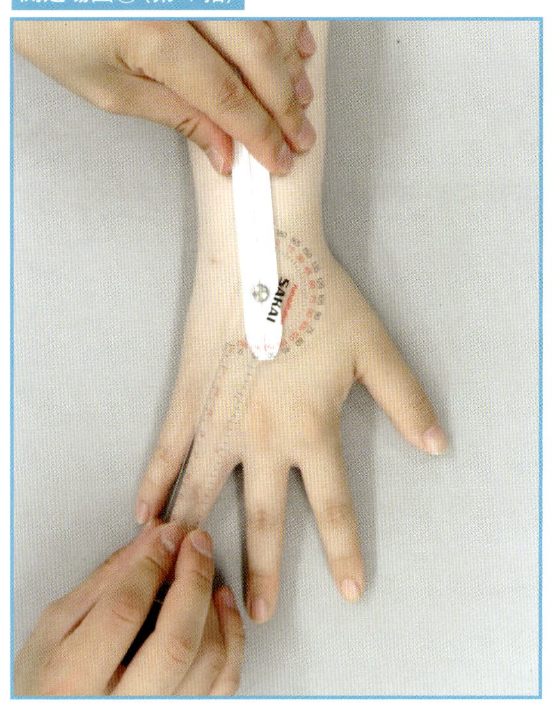

測定場面②（第３指の橈側外転）

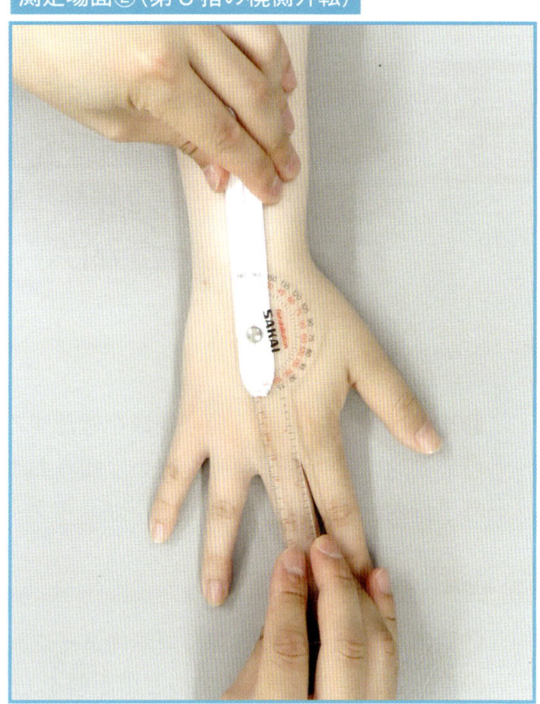

測定場面③（第３指の尺側外転）

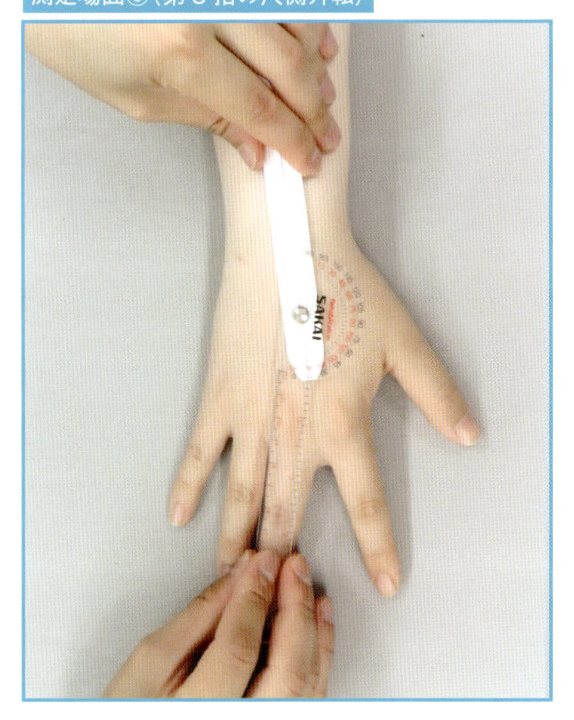

34 手指内転

基本事項

測定肢位	座位または背臥位
基本軸	第 3 中手骨延長線
移動軸	第 2 指軸，第 4 指軸，第 5 指軸
参考可動域	規定なし

測定の順序

❶検者は手指内転の自動可動域を確認する．
❷他動的に手指内転運動を行い，痛みおよび end feel を確認する．
❸手指内転の最終可動域にて，ゴニオメーターで他動可動域を測定する．

測定における注意点

❶原則として手指の背側にゴニオメーターを当てる．
❷中指先端と第 2～5 指先端との距離を cm で表示する場合もある．
❸浮腫が生じている場合，手指内転制限因子の一つとなる可能性があるため，浮腫の評価も行う．

標準法

開始肢位

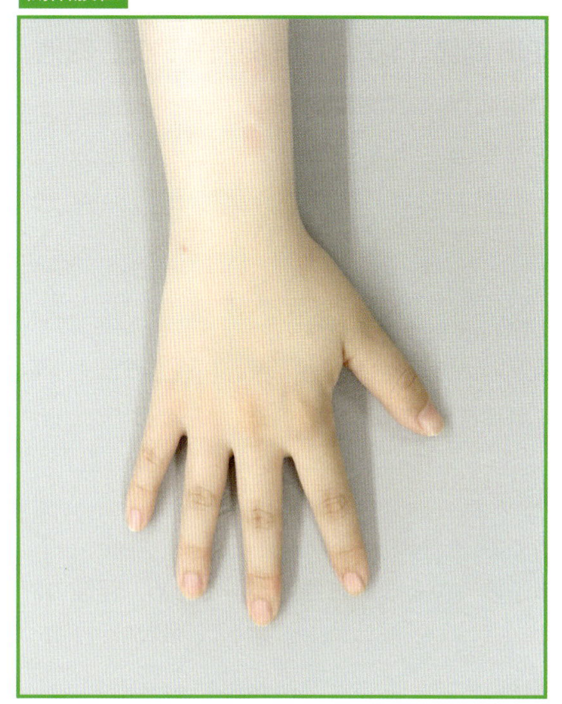

参考可動域

基本軸　移動軸

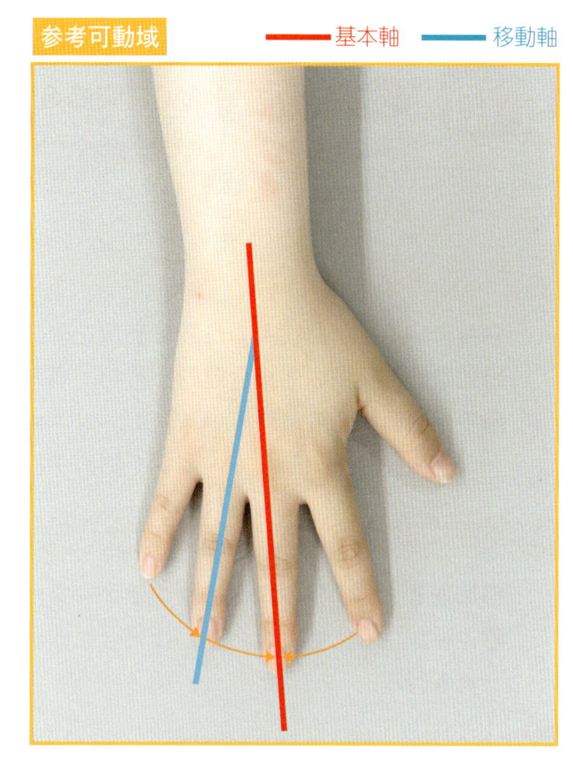

測定場面

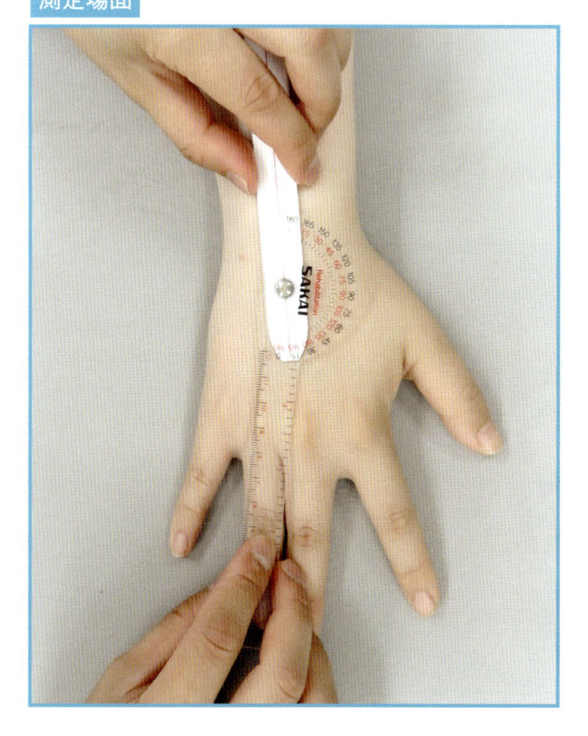

35 手指屈曲複合測定

基本事項

測定肢位	座位または背臥位
参考可動域	MCP 関節 85°，PIP 関節 110°，DIP 関節 65°で，総他動運動として 260°

測定の順序

❶検者は手指屈曲複合の自動可動域を確認する.
❷他動的に手指屈曲複合運動を行い，痛みおよび end feel を確認する.
❸手指屈曲複合の最終可動域にて，ゴニオメーターのネジをゆるめ，指の長さにゴニオメーターの長さを調節して，ネジを締めて他動可動域を測定する.

測定における注意点

❶原則として手指の背側にゴニオメーターを当てる.
❷浮腫が生じている場合，手指複合屈曲制限因子の一つとなる可能性があるため，浮腫の評価も行う.

最終可動域での制限因子

中節骨と基節骨掌側面の接触による軟部組織性または骨性によるもの，末節骨と手掌の接触によるもの，その他，DIP および PIP 屈曲の制限因子と同様.

標準法

測定場面

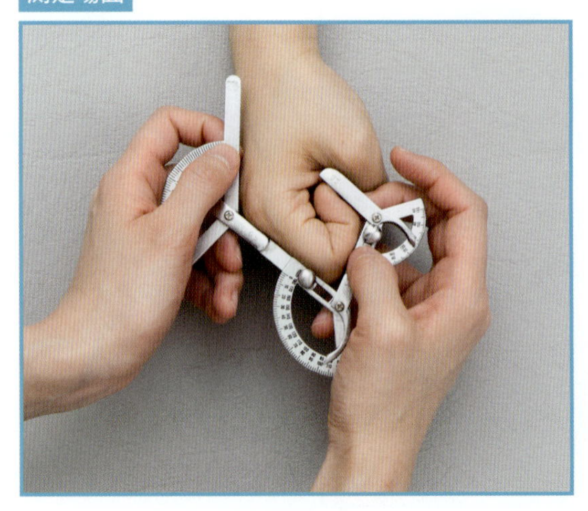

第Ⅳ章

下肢における関節可動域測定

1 股関節屈曲

基本事項	
測定肢位	背臥位
基本軸	体幹と平行な線
移動軸	大腿骨（大転子と大腿骨外顆の中心を結ぶ線）
参考可動域	0〜125°

測定の順序

❶検者は股関節屈曲の自動可動域を確認する．
❷他動的に対象者の股関節屈曲運動を行い，痛みおよびend feelを確認する．
❸股関節屈曲の最終可動域にて，ゴニオメーターで他動可動域を測定する．

測定における注意点

❶骨盤と脊柱を固定し，骨盤後傾などの代償運動に注意する．
❷骨盤後傾による対側大腿部の挙上を固定する際，痛みを与えないよう注意する．
❸股関節外転・外旋位をとりやすいが矢状面上での関節可動域測定であるため，股関節内転・外転・内旋・外旋0°で測定する．

最終可動域での制限因子

大殿筋，対側股関節の屈筋，大腿前面の筋と下腹部の接触．

可動域に制限を有しやすい疾患

大腿骨近位部骨折，大腿骨骨幹部骨折，変形性股関節症，骨接合術・形成術・人工股関節置換術後，関節リウマチなど．

特異的なend feel

- 結合組織性：大腿骨近位部骨折，大腿骨骨幹部骨折，変形性股関節症，骨接合術・形成術・人工股関節置換術後，関節リウマチなど．
- 骨性：変形性股関節症，関節リウマチなど．
- スパズム：大腿骨近位部骨折，大腿骨骨幹部骨折，変形性股関節症，骨接合術・形成術・人工股関節置換術後など．

臨床における留意点

- 変形性股関節症，大腿骨近位部骨折など：人工股関節全置換術を施行した場合，侵入アプローチによる脱臼肢位に留意して測定する（脱臼肢位：後方アプローチ：股関節屈曲・内転・内旋位，前方アプローチ：股関節伸展・内転・外旋位）．

- 大腿骨近位部骨折，大腿骨骨幹部骨折など：エンダーネイル固定術を施行した場合など，侵入アプローチによっては膝関節にも関節可動域制限を生じる場合がある．
- ハムストリングスの短縮がある場合は膝伸展位での股関節屈曲時の関節可動域が制限される．
- 基本軸の体幹と平行な線があいまいとなりやすいため，基本軸を大転子と肩峰を結ぶ線，移動軸を大転子と大腿骨外側上顆を結ぶ線，軸心を大転子とするランドマーク法での測定を用いることもある．

標準法 1-1

開始肢位

参考可動域

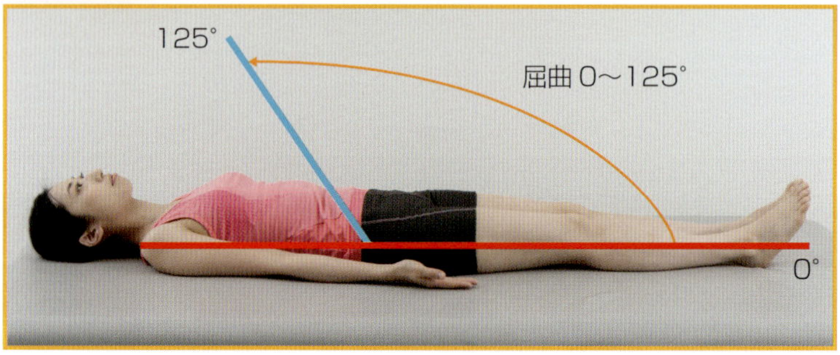

基本軸　移動軸

125°

屈曲 0〜125°

0°

測定場面

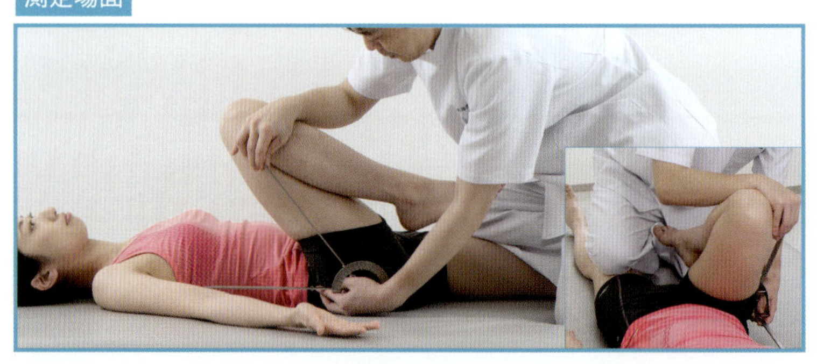

代償運動（骨盤後傾）

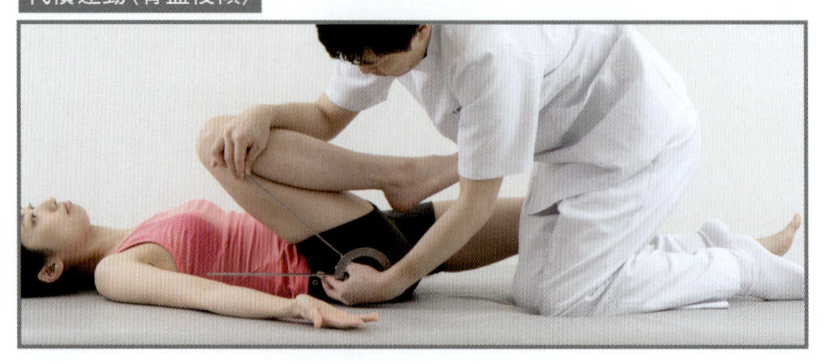

別　法

脊柱変形(後弯など)により基本軸または背臥位をとれない場合の測定法 1-2

測定肢位	側臥位
基本軸	上前腸骨棘と上後腸骨棘を結ぶ線への垂直線
移動軸	大腿骨（大転子と大腿骨外顆の中心を結ぶ線）
臨床ポイント	体幹と平行な線という基本軸設定のあいまいさを最小限にすることができる．骨盤回旋の代償運動に注意する

開始肢位

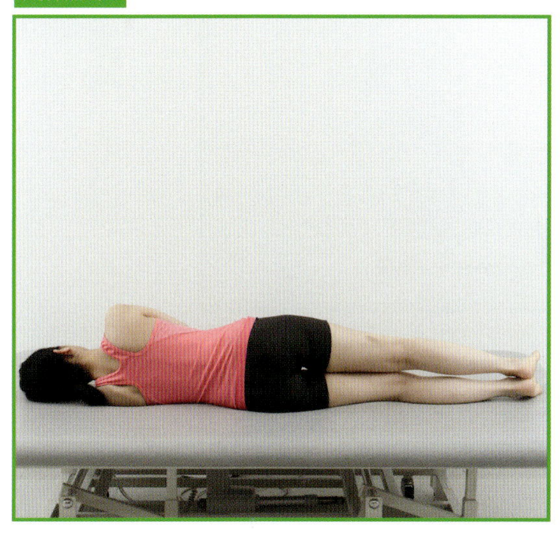

測定場面①

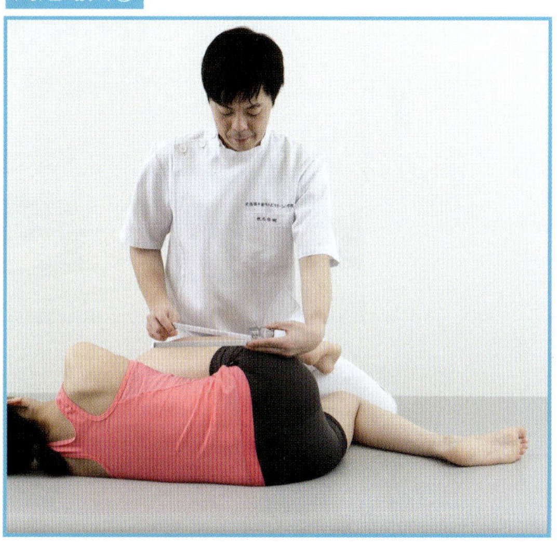

測定場面②

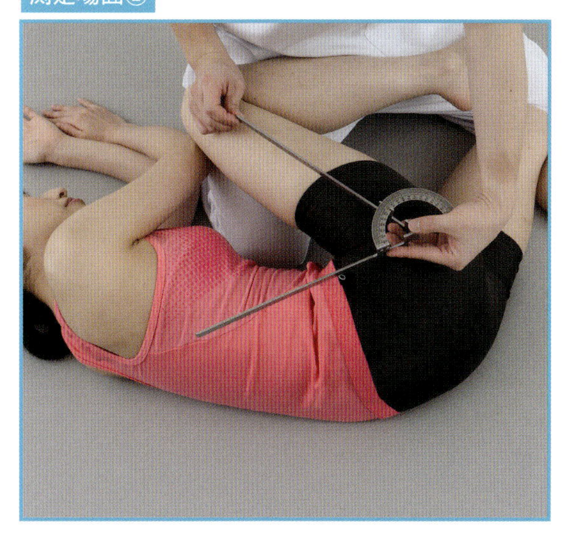

代償運動(骨盤回旋)

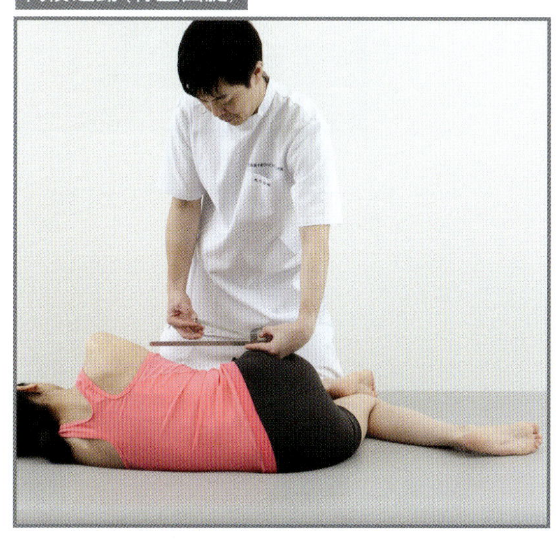

別 法

タオルを使用した対側下肢の大腿部固定法

臨床ポイント	タオルで対側大腿部を覆い，タオルの端を検者の下腿で押さえることにより，痛みを与えずに大腿部を固定することが可能となり，骨盤を固定しやすくなる

測定場面①

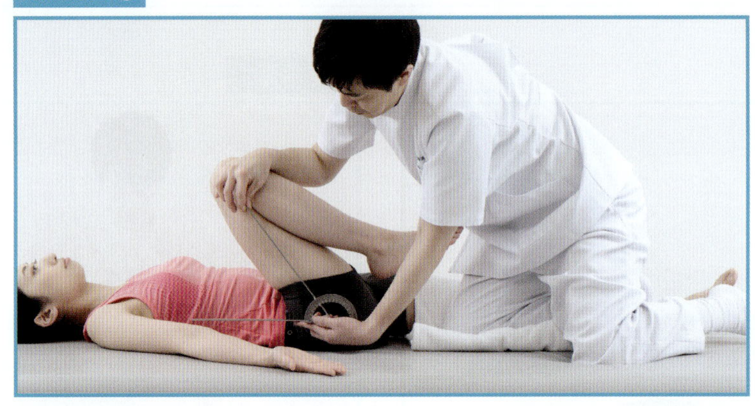

測定場面②

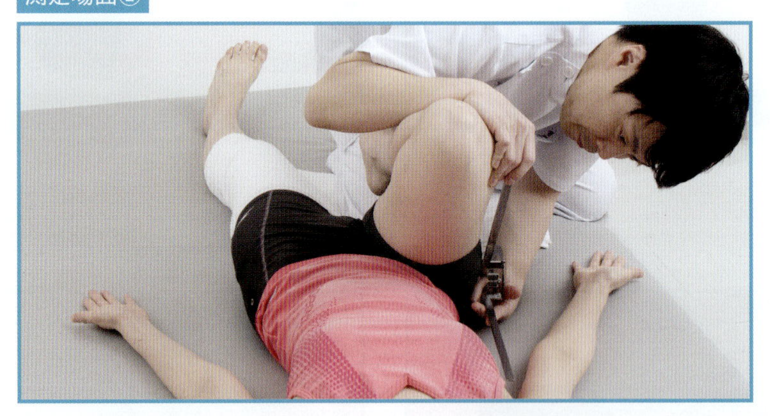

2 膝関節伸展での股関節屈曲（SLR）

基本事項

測定肢位	背臥位
基本軸	体幹と平行な線
移動軸	大腿骨（大転子と大腿骨外顆の中心を結ぶ線）
参考可動域	0～90°

測定の順序

❶検者は膝関節伸展での股関節屈曲の自動可動域を確認する.
❷膝関節伸展位にて他動的に股関節屈曲運動を行い，痛みおよび end feel を確認する.
❸股関節屈曲の最終可動域にて，ゴニオメーターで他動可動域を測定する.

測定における注意点

❶骨盤と脊柱を固定し，骨盤後傾などの代償運動に注意する.
❷膝関節伸展位で固定し，膝関節屈曲の代償運動に注意する.
❸骨盤後傾による対側大腿部の挙上を固定する際，痛みを与えないよう注意する.
❹測定中に痛みを訴えた場合は，ハムストリングスの伸張痛なのか，坐骨神経に沿う痛みなのかを確認する.

最終可動域での制限因子

ハムストリングス，大殿筋，対側股関節の屈筋.

可動域に制限を有しやすい疾患

大腿骨近位部骨折，大腿骨骨幹部骨折，変形性股関節症，骨接合術・形成術・人工股関節置換術後，腰椎椎間板ヘルニア（下位：L4～S1），関節リウマチ，脳性麻痺，パーキンソン病など.

特異的な end feel

- 結合組織性：大腿骨近位部骨折，大腿骨骨幹部骨折，変形性股関節症，骨接合術・形成術・人工股関節置換術後，関節リウマチ，脳性麻痺，パーキンソン病など.
- 骨性：変形性股関節症，関節リウマチなど.
- スパズム：大腿骨近位部骨折，大腿骨骨幹部骨折，変形性股関節症，骨接合術・形成術・人工股関節置換術後，腰椎椎間板ヘルニア（下位：L4～S1）など.

臨床における留意点

- 変形性股関節症，大腿骨近位部骨折など：人工股関節全置換術を施行した場合，侵入アプローチによる脱臼肢位に留意して測定する（脱臼肢位：後方アプローチ；股関節屈曲・内転・内旋位，前方アプローチ；股関節伸展・内転・外旋位）.

- 大腿骨近位部骨折，大腿骨骨幹部骨折など：エンダーネイル固定術を施行した場合など，侵入アプローチによっては膝関節にも関節可動域制限を生じる場合がある.
- 基本軸の体幹と平行な線があいまいとなりやすいため，基本軸を大転子と肩峰を結ぶ線，移動軸を大転子と大腿骨外側上顆を結ぶ線，軸心を大転子とするランドマーク法での測定を用いることもある.

標準法 2-1

開始肢位

参考可動域

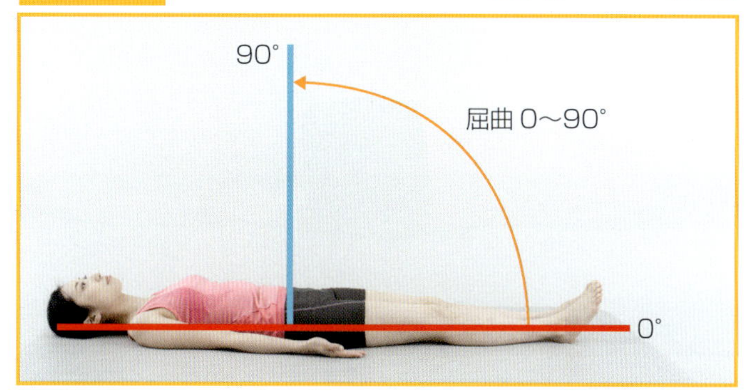

測定場面

代償運動(骨盤後傾, 膝関節屈曲)

別　法

脊柱変形（後弯など）により基本軸または背臥位をとれない場合の測定法（SLR別法） 2-2

測定肢位	側臥位
基本軸	上前腸骨棘と上後腸骨棘を結ぶ線への垂直線
移動軸	大腿骨（大転子と大腿骨外顆の中心を結ぶ線）
臨床ポイント	体幹と平行な線という基本軸設定のあいまいさを最小限にすることができる．骨盤回旋，膝関節屈曲の代償運動に注意する

開始肢位

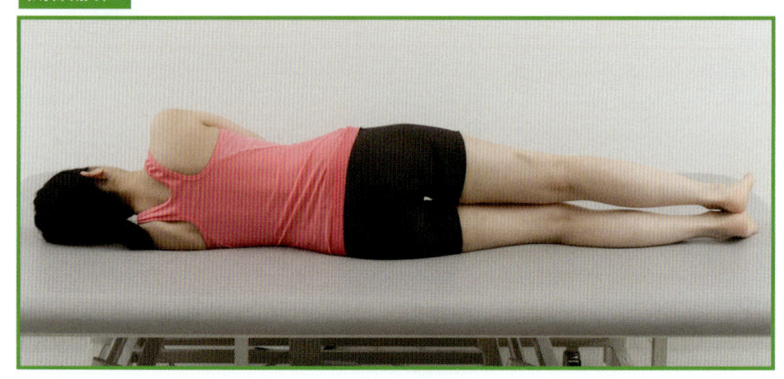

測定場面

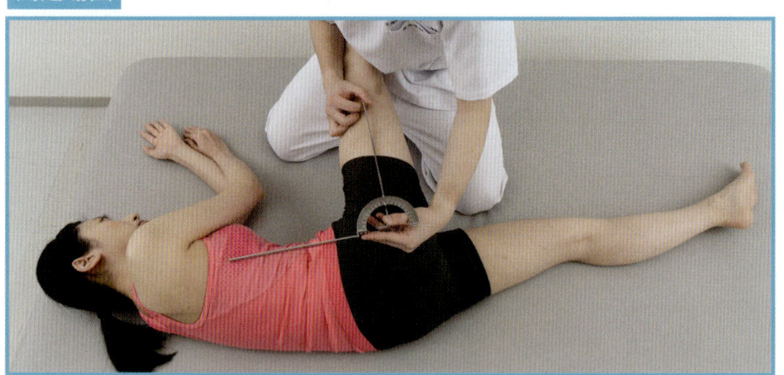

代償運動（骨盤回旋，膝関節屈曲）

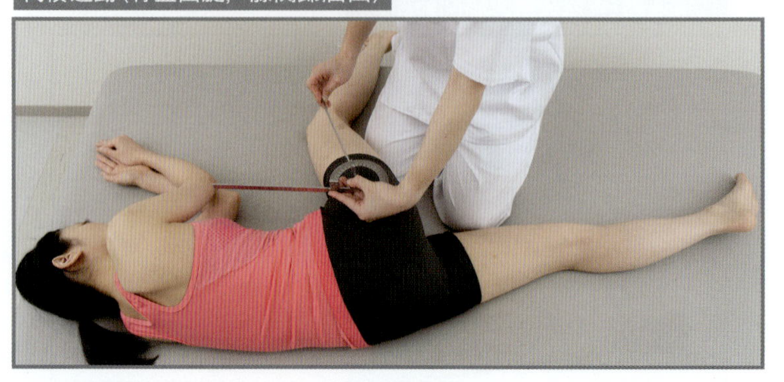

別　法

タオルを使用した対側下肢の大腿部固定法

臨床ポイント	タオルで対側大腿部を覆い，タオルの端を検者の下腿で抑えることにより，痛みを与えずに大腿部を固定することが可能となり，骨盤を固定しやすくなる

測定場面

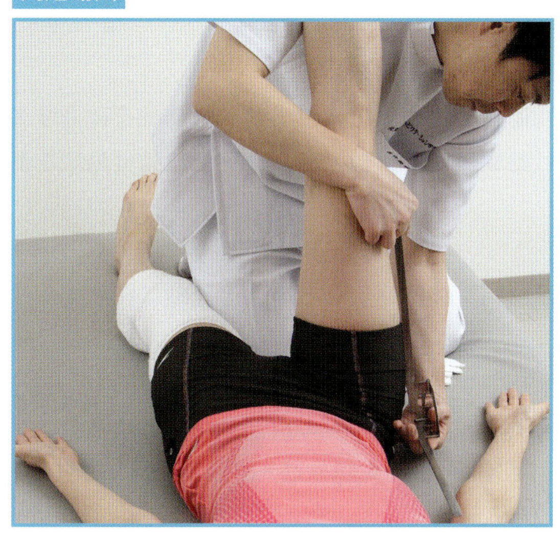

3 股関節伸展

基本事項

測定肢位	腹臥位
基本軸	体幹と平行な線
移動軸	大腿骨（大転子と大腿骨外顆の中心を結ぶ線）
参考可動域	0〜15°

測定の順序

❶検者は股関節伸展の自動可動域を確認する．
❷他動的に股関節伸展運動を行い，痛みおよび end feel を確認する．
❸股関節伸展の最終可動域にて，ゴニオメーターで他動可動域を測定する．

測定における注意点

❶骨盤を固定し，骨盤前傾，体幹回旋などの代償運動に注意する．

最終可動域での制限因子

膝関節伸展位では股関節屈筋，関節包の前部，腸骨大腿靱帯，坐骨大腿靱帯，恥骨大腿靱帯，膝関節屈曲位では股関節屈筋，大腿直筋，関節包の前部，腸骨大腿靱帯，坐骨大腿靱帯，恥骨大腿靱帯．

可動域に制限を有しやすい疾患

大腿骨近位部骨折，大腿骨骨幹部骨折，変形性股関節症，骨接合術・形成術・人工股関節置換術後，腰椎椎間板ヘルニア（上位；膝関節屈曲位にて），関節リウマチ，脳性麻痺，片麻痺，パーキンソン病など．

特異的な end feel

- 結合組織性：大腿骨近位部骨折，大腿骨骨幹部骨折，変形性股関節症，腰椎椎間板ヘルニア（上位），関節リウマチ，脳性麻痺，片麻痺，パーキンソン病など．
- 骨性：変形性股関節症，関節リウマチなど．
- スパズム：大腿骨近位部骨折，大腿骨骨幹部骨折，変形性股関節症，骨接合術・形成術・人工股関節置換術後，腰椎椎間板ヘルニア（上位）など．

臨床における留意点

- 測定は基本的に膝関節伸展位で行うが，大腿直筋に短縮があると二関節筋の影響によって膝関節屈曲位での股関節伸展関節可動域により制限がみられるため，両者を比較することがある．

- 変形性股関節症，大腿骨近位部骨折など：人工股関節全置換術を施行した場合，侵入アプローチによる脱臼肢位に留意して測定する（脱臼肢位：後方アプローチ；股関節屈曲・内転・内旋位，前方アプローチ；股関節伸展・内転・外旋位）．
- 大腿骨近位部骨折，大腿骨骨幹部骨折など：エンダーネイル固定術を施行した場合など，侵入アプローチによっては膝関節伸展制限があるため，股関節伸展にも関節可動域制限を生じる場合がある．
- 基本軸の体幹と平行な線があいまいとなりやすいため，基本軸を大転子と肩峰を結ぶ線，移動軸を大転子と大腿骨外側上顆を結ぶ線，軸心を大転子とするランドマーク法での測定を用いることもある．

標準法 3-1

開始肢位

参考可動域

基本軸　移動軸

15°

伸展 0〜15°

0°

測定場面

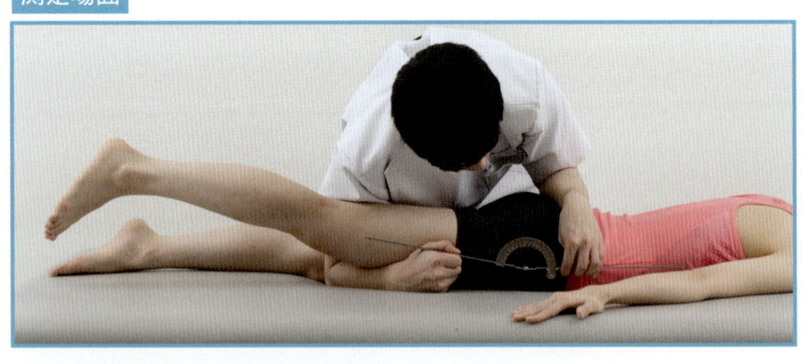

代償運動（骨盤前傾，体幹回旋）

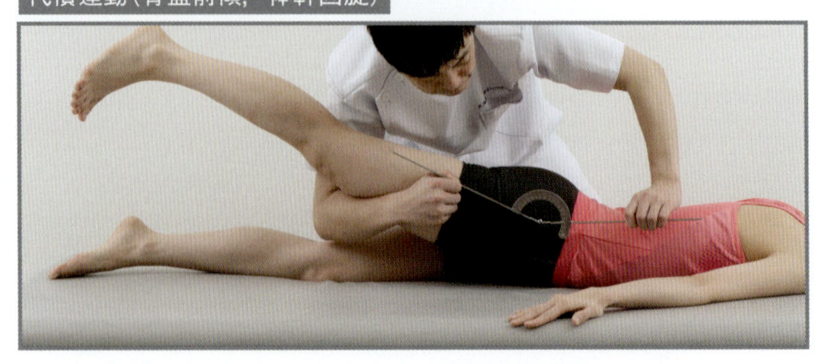

別　法

脊柱変形(後弯など)，股関節屈曲拘縮，腹臥位をとれない場合の測定法①―側臥位 3-2

測定肢位	側臥位
基本軸	上前腸骨棘と上後腸骨棘を結ぶ線への垂直線
移動軸	大腿骨（大転子と大腿骨外顆の中心を結ぶ線）
臨床ポイント	体幹と平行な線という基本軸設定のあいまいさを最小限にすることができる．体幹回旋の代償運動に注意する

開始肢位

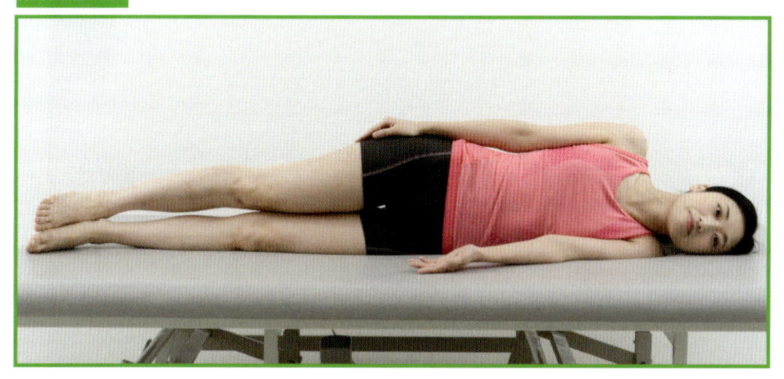

測定場面

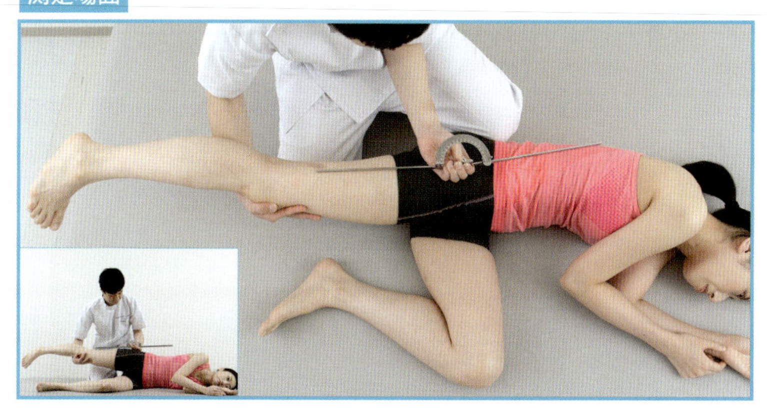

代償運動(体幹回旋)

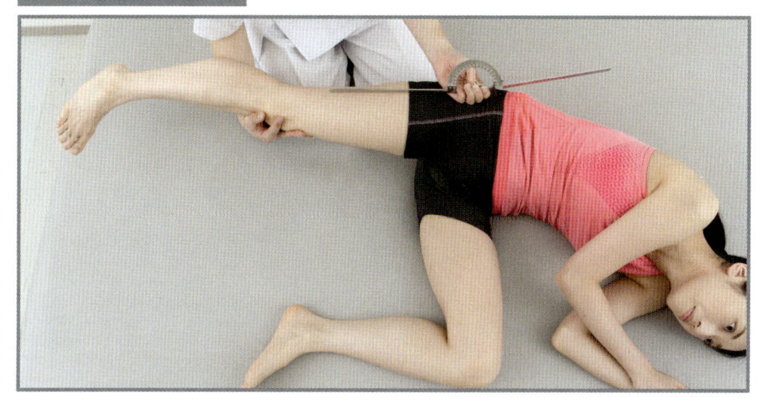

◯別　法

脊柱変形(後弯など)，股関節屈曲拘縮，腹臥位，側臥位をとれない場合の測定法②一背臥位 3-3

測定肢位	背臥位
基本軸	体幹と平行な線
移動軸	大腿骨（大転子と大腿骨外顆の中心を結ぶ線）
臨床ポイント	骨盤前傾や体幹回旋の代償運動に注意する．腰椎の前弯や腰痛の出現を抑制するために対側下肢は屈曲した膝立て位としてもよい

開始肢位

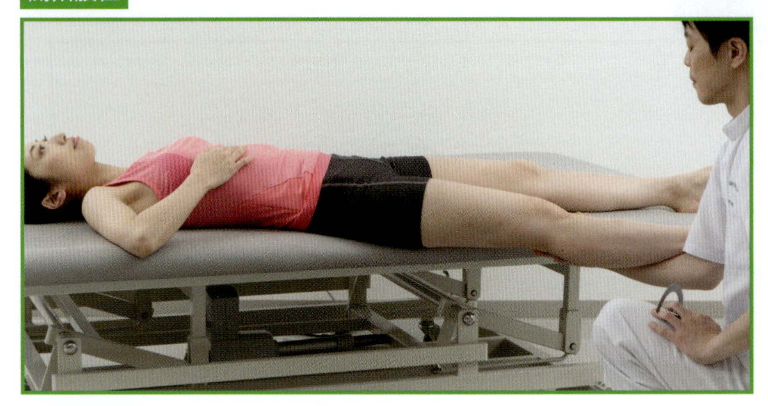

測定場面

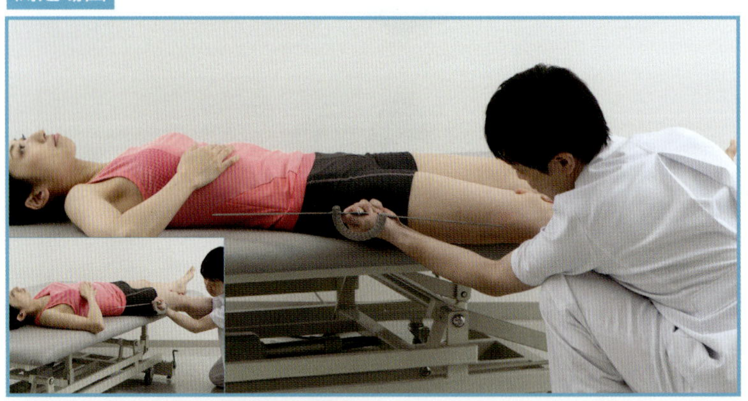

代償運動(骨盤前傾，体幹回旋)

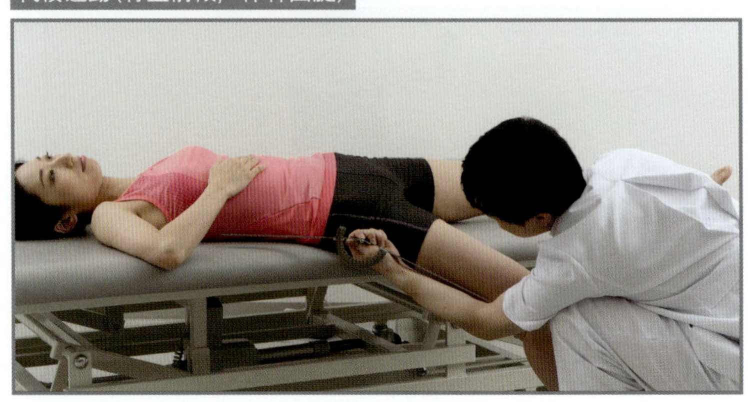

筋長検査

Thomas テスト（腸腰筋の筋長検査）3-4

検　　査　　筋	腸腰筋
検　査　肢　位	背臥位
検　　査　　法	非検査側の股関節を屈曲し，膝を胸部に引き寄せる．検査側の腸腰筋が短縮していれば，検査側の大腿部が検査台から浮き上がる．また，検査側の大腿部が検査台から浮き上がらないまで非検査側の股関節屈曲角度を測定し，検査側腸腰筋の筋長を把握することがある．または，非検査側の股関節を最大屈曲して検査側の大腿部が浮き上がった状態で検査側の股関節屈曲角度を測定し，検査側腸腰筋の筋長を把握することもある．なお，股関節伸展制限があり，Thomas test が陽性とならない時は，検査側の下腿をベッド端から下垂させ，非検査側の股関節を屈曲し，膝を胸部に引き寄せた際に，検査側の膝関節が伸展する大腿直筋短縮テストで陽性となることがある

開始肢位

検査場面

測定場面

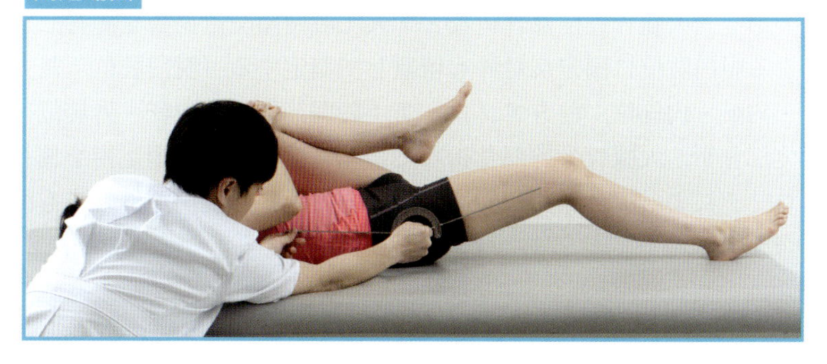

4 股関節外転

基本事項

測定肢位	背臥位
基本軸	両側の上前腸骨棘を結ぶ線への垂直線
移動軸	大腿中央線（上前腸骨棘より膝蓋骨中心を結ぶ線）
参考可動域	0～45°

測定の順序

❶検者は股関節外転の自動可動域を確認する．
❷他動的に股関節外転運動を行い，痛みおよびend feelを確認する．
❸股関節外転の最終可動域にて，ゴニオメーターで他動可動域を測定する．

測定における注意点

❶股関節を固定し，骨盤挙上，股関節外旋などの代償運動に注意する．
❷股関節内旋・外旋が生じやすいため注意する．
❸基本軸である上前腸骨棘を結ぶ線への垂直線は，あいまいになりやすいので注意する．

最終可動域での制限因子

大内転筋，長内転筋，短内転筋，恥骨筋，薄筋，関節包の下部，恥骨大腿靱帯・坐骨大腿靱帯・腸骨大腿靱帯の下部束．

可動域に制限を有しやすい疾患

大腿骨近位部骨折，大腿骨骨幹部骨折，変形性股関節症，骨接合術・形成術・人工股関節置換術後，関節リウマチ，脳性麻痺，痙性対麻痺，脊髄損傷，片麻痺など．

特異的なend feel

- 結合組織性：大腿骨近位部骨折，大腿骨骨幹部骨折，変形性股関節症，骨接合術・形成術・人工股関節置換術後，関節リウマチ，脳性麻痺，痙性対麻痺，脊髄損傷，片麻痺など．
- 骨性：変形性股関節症，関節リウマチなど．
- スパズム：大腿骨近位部骨折，大腿骨骨幹部骨折，変形性股関節症，骨接合術・形成術・人工股関節置換術後など．

臨床における留意点

- 変形性股関節症，大腿骨近位部骨折など：人工股関節全置換術を施行した場合，侵入アプローチによる脱臼肢位に測定反対側も留意して測定する（脱臼肢位：後方アプローチ：股関節屈曲・内転・内旋位，前方アプローチ：股関節伸展・内転・外旋位）．
- 大腿骨近位部骨折，大腿骨骨幹部骨折など：エンダーネイル固定術を施行した場合など，侵入アプローチによっては膝関節伸展制限があるため，股関節外転にも関節可動域制限を生じる場合がある．

標準法    4-1

開始肢位

参考可動域

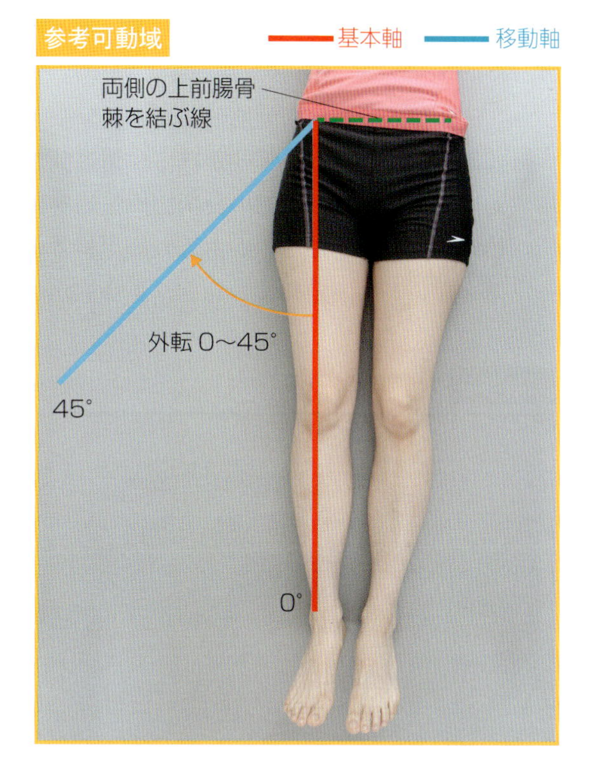

測定場面

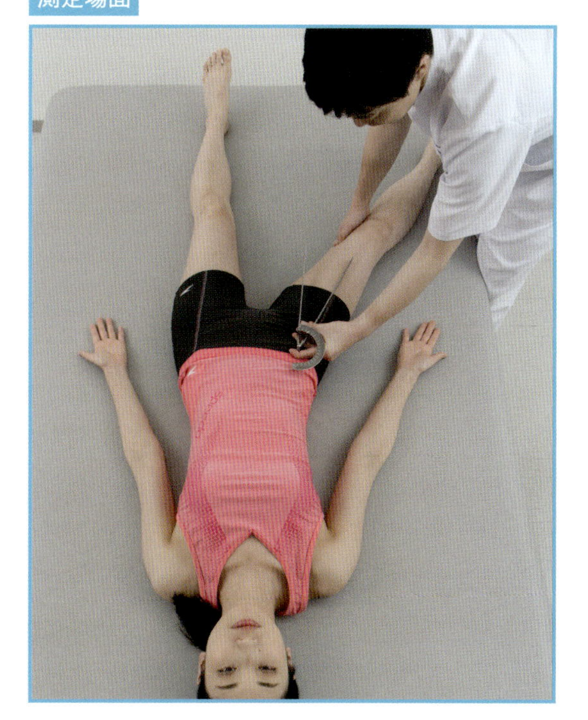

代償運動（骨盤挙上，股関節外旋）

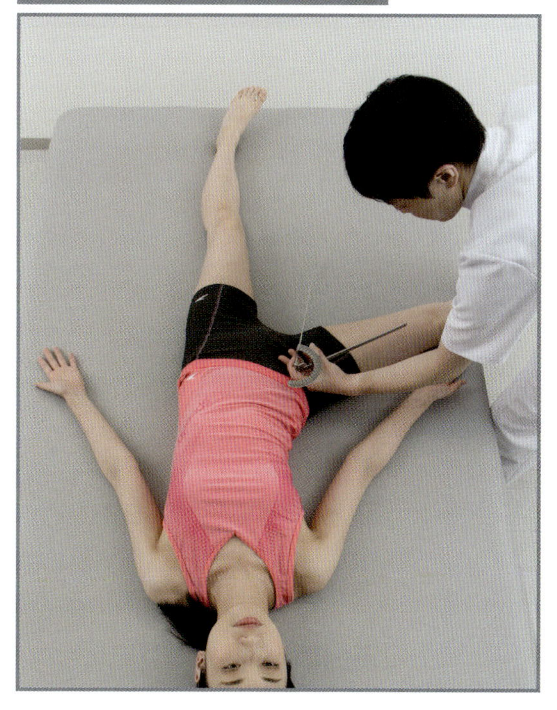

別　法

脳卒中片麻痺患者など，股関節内転筋群に痙縮や固縮の異常筋緊張がある場合の測定法

測定側の股関節内転筋群に異常筋緊張がある場合は，測定側の骨盤を挙上して相対的に股関節外転したようにみせかける代償運動が生じやすいため，骨盤をしっかりと固定する．また，測定反対側や両側の股関節内転筋群に異常筋緊張がある場合は，測定側と反対側の股関節が内転してくることがあるため，検者が被検者の下肢の間に入って反対側の下肢を固定するとよいが，固定部位の痛み，不快感がないことを必ず確認する．

開始肢位

測定場面①

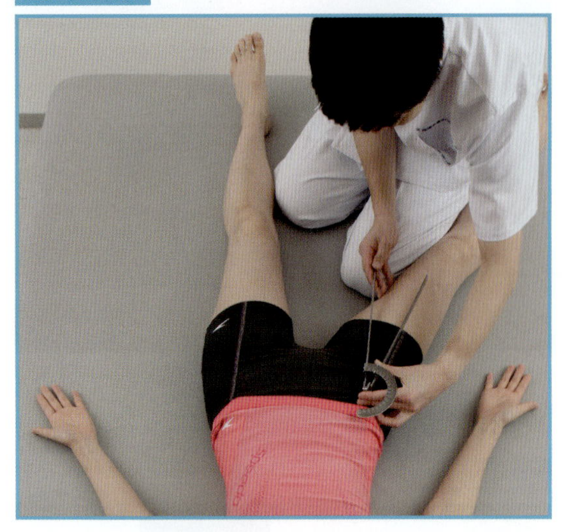

測定場面②

別　法

移動軸を上前腸骨棘上ではなく，大腿中央として測定する方法

移動軸を上前腸骨棘上（上前腸骨棘と膝蓋骨中心を結ぶ線）ではなく，膝蓋骨中心と大腿中央線を結んだ線として測定する手法がある．この場合，あらかじめ開始肢位で両上前腸骨棘を結ぶ線上に基本軸となるゴニオメーターを設定し，膝蓋骨と大腿中央を結ぶ線上に移動軸となるゴニオメーターを設定する．基本軸と移動軸の交点を軸心として，そのまま軸心を移動させずに股関節外転した際の関節可動域を測定する．測定値はあらかじめ開始肢位で設定した基本軸と移動軸でなす角度分を加減して外転の関節可動域とする．骨盤挙上，股関節外旋の代償運動に注意する．

開始肢位

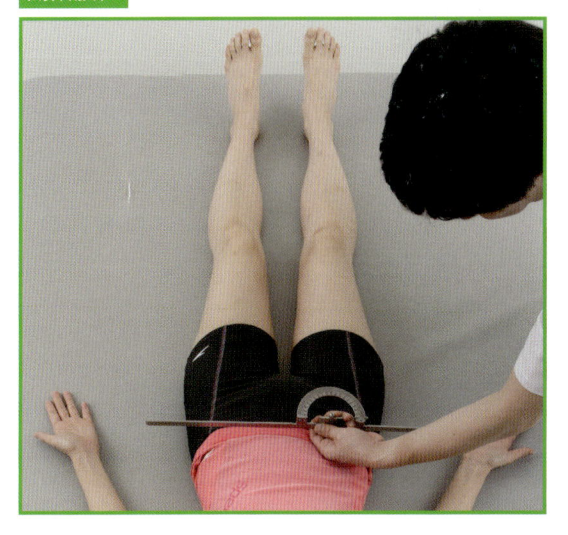

測定場面①（移動軸を大腿中央に移動）

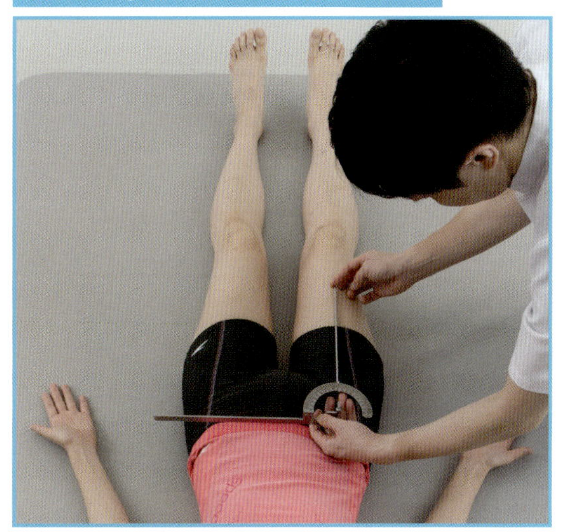

測定場面②

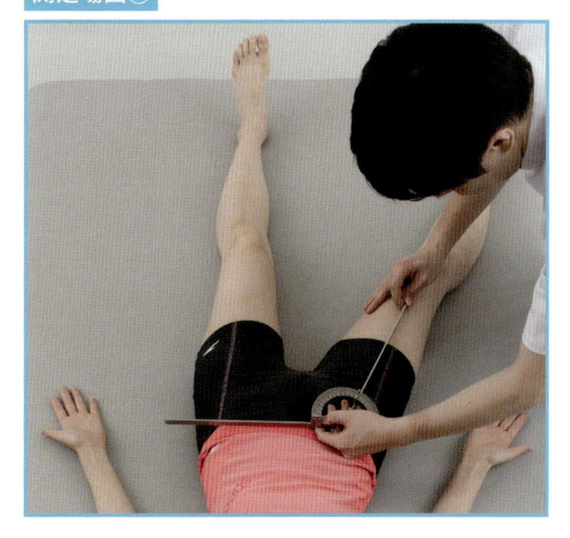

別　法

ランドマーク法 4-2

背臥位にて，基本軸を両側の上前腸骨棘を結ぶ線，移動軸を測定側の上前腸骨棘と膝蓋骨中央を結ぶ線，軸心を測定側の上前腸骨棘とする．骨盤挙上の代償運動の影響を受けないが，開始肢位で設定した角度分を加減した値が外転の関節可動域となることに留意する（例えば，開始肢位が 90°，外転時の測定値が 130° であったならば 130－90＝40 のため，外転の関節可動域は 40° となる）．

測定場面

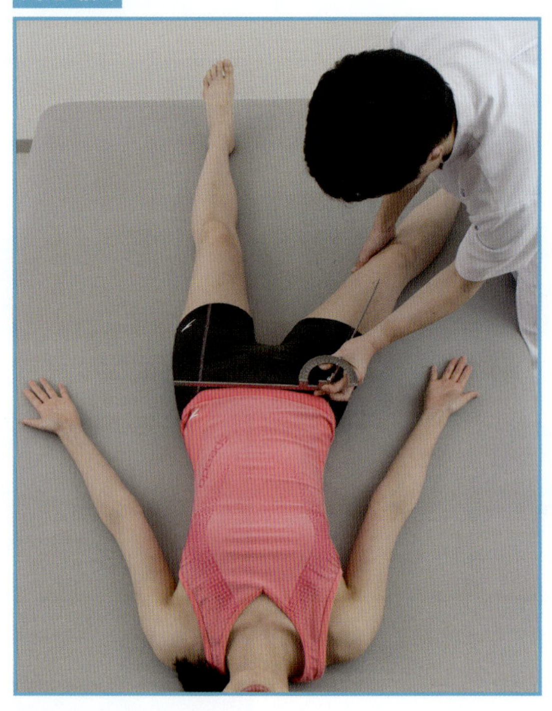

5 股関節内転

基本事項

測定肢位	背臥位
基本軸	両側の上前腸骨棘を結ぶ線への垂直線
移動軸	大腿中央線（上前腸骨棘より膝蓋骨中心を結ぶ線）
参考可動域	0～20°

測定の順序

❶検者は股関節内転の自動可動域を確認する．
❷他動的に股関節内転運動を行い，痛みおよび end feel を確認する．
❸股関節内転の最終可動域にて，ゴニオメーターで他動可動域を測定する．

測定における注意点

❶骨盤下制，股関節外旋・伸展などの代償運動に注意する．
❷反対側の下肢を屈曲挙上して，その下を通して内転させる．
❸股関節内旋・外旋が生じやすいため注意する．
❹基本軸である両側上前腸骨棘を結ぶ線への垂直線は，あいまいになりやすいので注意する．

最終可動域での制限因子

中殿筋，小殿筋，大腿筋膜張筋，関節包の上部，腸骨大腿靱帯の上部束．

可動域に制限を有しやすい疾患

大腿骨近位部骨折，大腿骨骨幹部骨折，変形性股関節症，骨接合術・形成術・人工股関節置換術後，腸脛靱帯炎，関節リウマチなど．

特異的な end feel

- 結合組織性：大腿骨近位部骨折，大腿骨骨幹部骨折，変形性股関節症，骨接合術・形成術・人工股関節置換術後，腸脛靱帯炎，関節リウマチなど．
- 骨性：変形性股関節症，関節リウマチなど．
- スパズム：大腿骨近位部骨折，大腿骨骨幹部骨折，変形性股関節症，骨接合術・形成術・人工股関節置換術後，腸脛靱帯炎など．

臨床における留意点

- 変形性股関節症，大腿骨近位部骨折など：人工股関節全置換術を施行した場合，侵入アプローチによる脱臼肢位に測定反対側も留意して測定する（脱臼肢位：後方アプローチ；股関節屈曲・内転・内旋位，前方アプローチ；股関節伸展・内転・外旋位）．
- 大腿骨近位部骨折，大腿骨骨幹部骨折など：エンダーネイル固定術を施行した場合など，侵入アプローチによっては膝関節伸展制限があるため，股関節内転にも関節可動域制限を生じる場合がある．

標準法  5-1

開始肢位

参考可動域

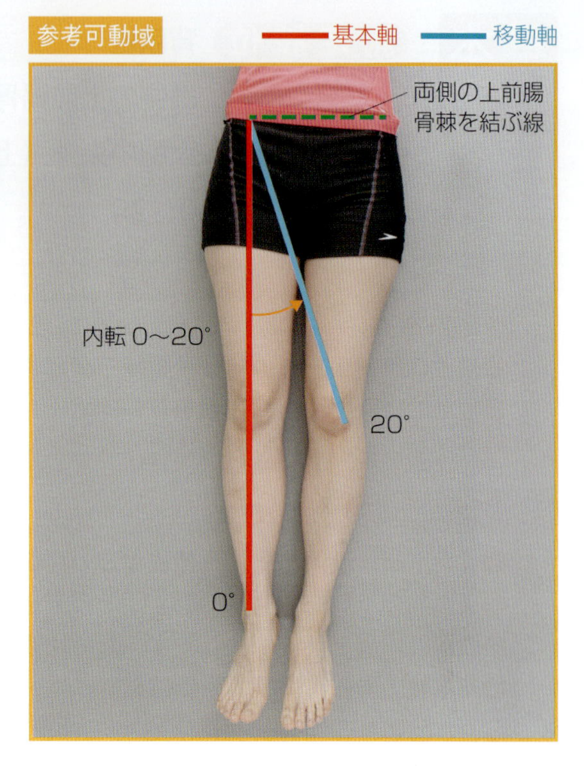

測定場面

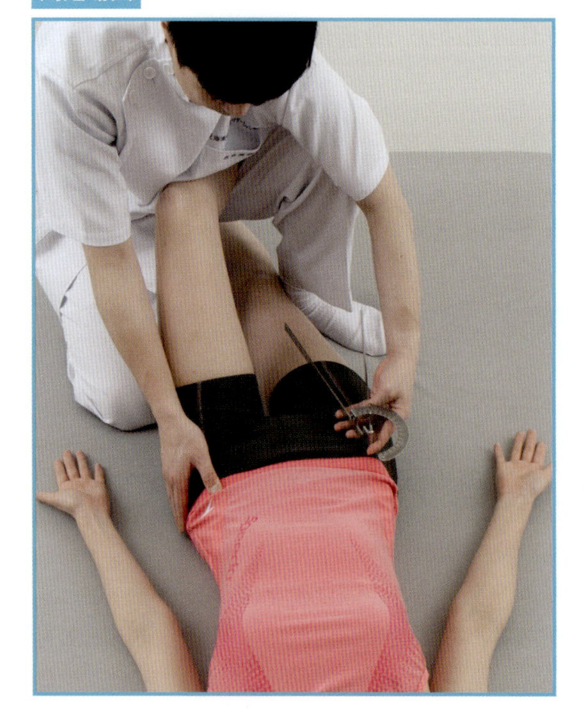

代償運動（骨盤下制）

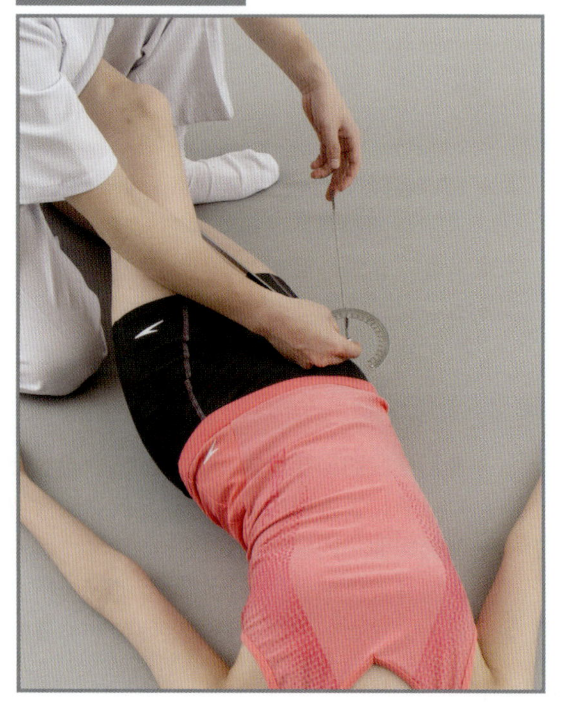

別　法

移動軸を上前腸骨棘上ではなく，大腿中央として測定する方法

移動軸を上前腸骨棘上（上前腸骨棘と膝蓋骨中心を結ぶ線）ではなく，膝蓋骨中心と大腿中央線を結んだ線として測定する手法がある．この場合，あらかじめ開始肢位で両上前腸骨棘を結ぶ線上に基本軸となるゴニオメーターを設定し，膝蓋骨と大腿中央を結ぶ線上に移動軸となるゴニオメーターを設定する．基本軸と移動軸の交点を軸心として，そのまま軸心を移動させずに股関節内転した際の関節可動域を測定する．測定値はあらかじめ開始肢位で設定した基本軸と移動軸でなす角度分を加減して内転の関節可動域とする．なお，骨盤下制，股関節外旋・伸展の代償運動には注意する．

開始肢位

測定場面①（移動軸を大腿中央に移動）

測定場面②

別　法

ランドマーク法 5-2

背臥位にて，基本軸を両側の上前腸骨棘を結ぶ線，移動軸を測定側の上前腸骨棘と膝蓋骨中央を結ぶ線，軸心を測定側の上前腸骨棘とする．骨盤下制の代償運動の影響を受けないが，開始肢位で設定した角度分を加減した値が内転の関節可動域となることに留意する（例えば，開始肢位が 90°，内転時の測定値が 110° であったならば 110－90＝20 のため，内転の関節可動域は 20° となる）．

測定場面

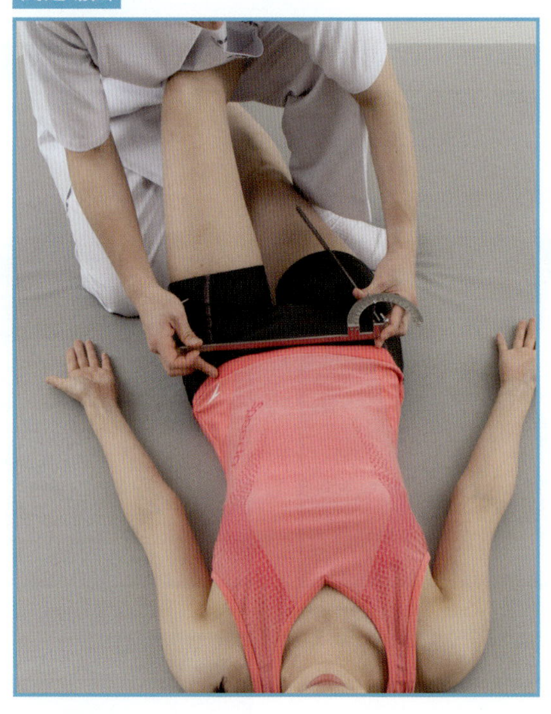

筋長検査

Ober test

検査筋	大腿筋膜張筋（腸脛靱帯）
検査肢位	側臥位（検査側を上側とする）
検査法	検査側の膝関節 90° 屈曲位，股関節外転位から，ゆっくりと股関節内転方向へ下ろす．大腿筋膜張筋（腸脛靱帯）が短縮していれば，股関節内転方向に下降せずに股関節外転位でとどまる．検査側の膝関節伸展位で行う場合もある

開始肢位

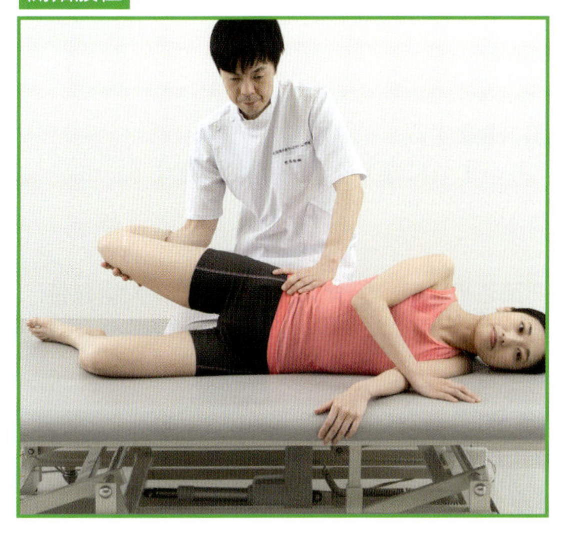

検査場面

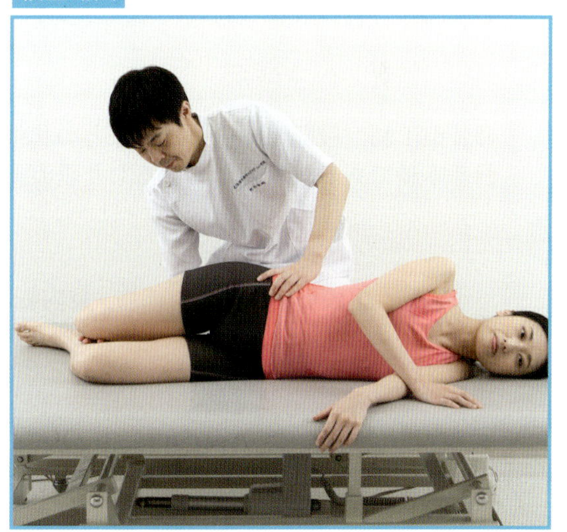

6 股関節外旋

基本事項

測定肢位	背臥位にて股関節 90° 屈曲位，膝関節 90° 屈曲位
基本軸	膝蓋骨より下ろした垂直線
移動軸	下腿中央線（膝蓋骨中心より足関節内果・外果中央を結ぶ線）
参考可動域	0～45°

測定の順序

❶検者は股関節外旋の自動可動域を確認する．
❷他動的に股関節外旋運動を行い，痛みおよび end feel を確認する．
❸股関節外旋の最終可動域にて，ゴニオメーターで他動可動域を測定する．

測定における注意点

❶骨盤下制，股関節屈曲・外転などの代償運動に注意する．
❷基本軸である膝蓋骨より下ろした垂直線は，あいまいになりやすいので注意する．

最終可動域での制限因子

小殿筋，中殿筋前部，大内転筋，長内転筋，関節包の前部，腸骨大腿靱帯，恥骨大腿靱帯，恥骨筋．

可動域に制限を有しやすい疾患

大腿骨近位部骨折，大腿骨骨幹部骨折，変形性股関節症，骨接合術・形成術・人工股関節置換術後，関節リウマチ，脳性麻痺など．

特異的な end feel

- 結合組織性：大腿骨近位部骨折，大腿骨骨幹部骨折，変形性股関節症，骨接合術・形成術・人工股関節置換術後，関節リウマチ，脳性麻痺など．
- 骨性：変形性股関節症，関節リウマチなど．
- スパズム：大腿骨近位部骨折，大腿骨骨幹部骨折，変形性股関節症，骨接合術・形成術・人工股関節置換術後など．

臨床における留意点

- 変形性股関節症，大腿骨近位部骨折など：人工股関節全置換術を施行した場合，侵入アプローチによる脱臼肢位に測定側は勿論であるが，測定反対側にも留意して測定する（脱臼肢位：後方アプローチ；股関節屈曲・内転・内旋位，前方アプローチ；股関節伸展・内転・外旋位）．
- 大腿骨近位部骨折，大腿骨骨幹部骨折など：エンダーネイル固定術を施行した場合など，侵入アプローチによっては膝関節に痛みを有する場合や，股関節回旋運動が禁忌とされている時期もあるため注意する．

標準法

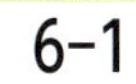

開始肢位

参考可動域　基本軸　移動軸

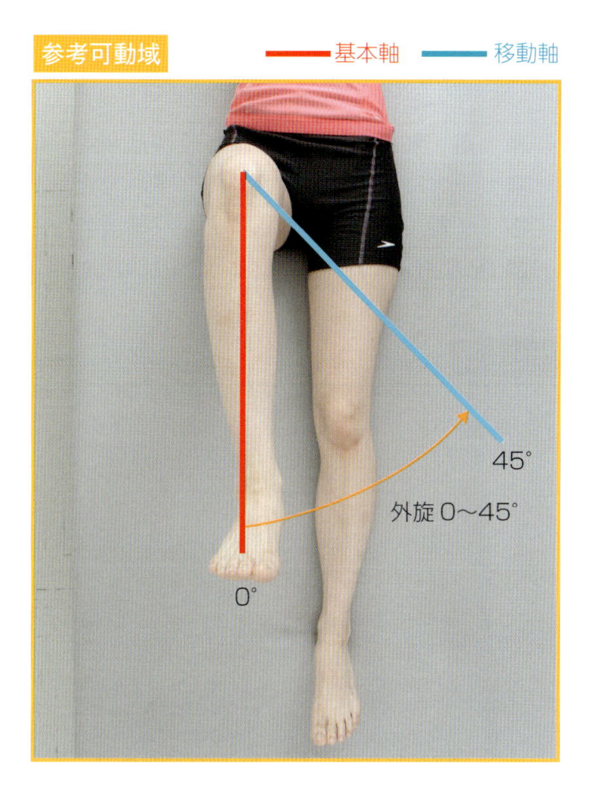

測定場面

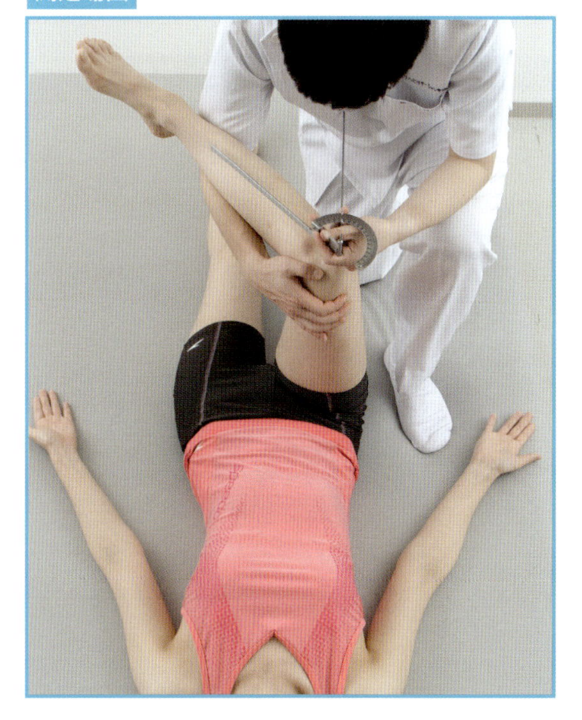

代償運動（骨盤下制，股関節屈曲・外転）

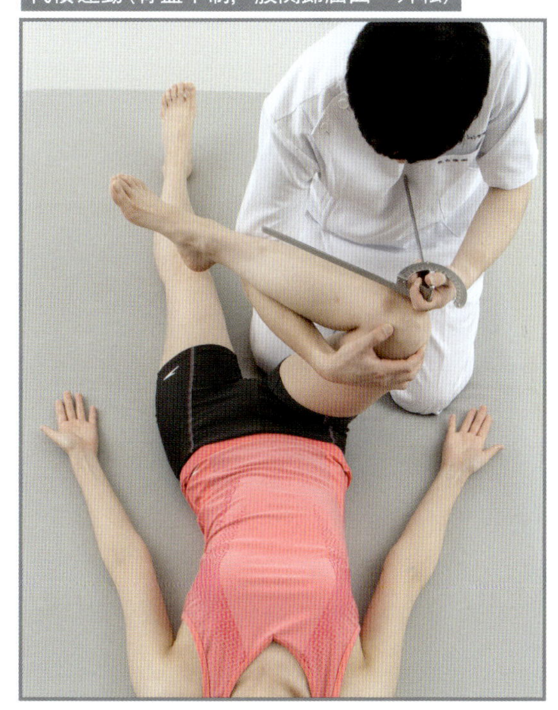

別　法

あらかじめ座位をとっている対象者への簡便な測定法

測定肢位	座位にて股関節 90° 屈曲位，膝関節 90° 屈曲位
基本軸	膝蓋骨より下ろした垂直線
移動軸	下腿中央線（膝蓋骨中心より足関節内果・外果中央を結ぶ線）
臨床ポイント	骨盤下制，股関節屈曲・外転などの代償運動に注意する

開始肢位

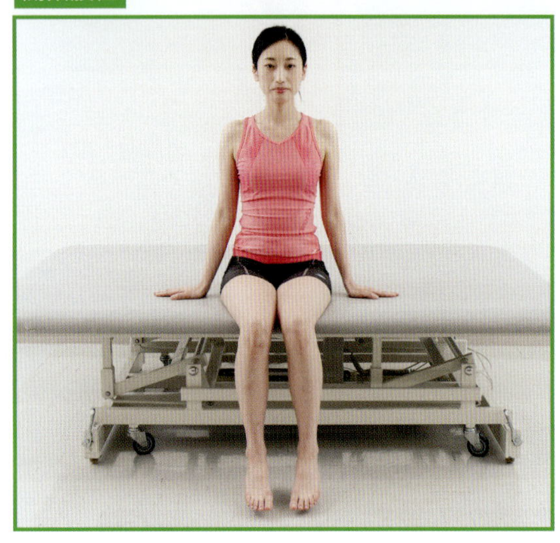

測定場面

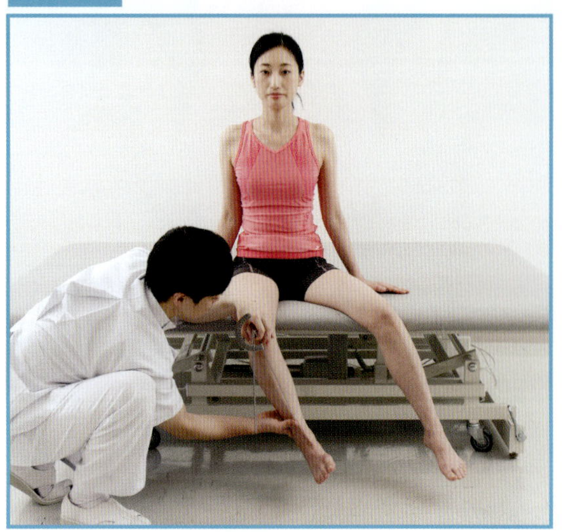

代償運動（骨盤下制，股関節屈曲・外転）

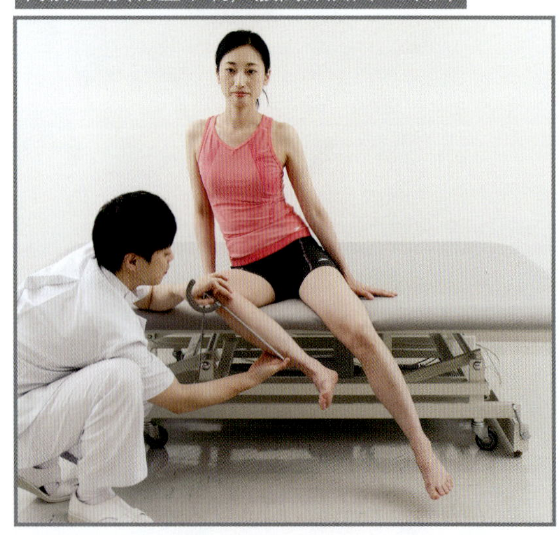

別　法

股関節屈曲可動域制限がある場合の測定法

測定肢位	腹臥位にて股関節中間位，膝関節 90° 屈曲位
基本軸	下腿中央線（膝蓋骨中心より足関節内果・外果中央を結ぶ線）
移動軸	下腿中央線（膝蓋骨中心より足関節内果・外果中央を結ぶ線）
臨床ポイント	体幹回旋などの代償運動に注意する．臨床では腹臥位をとれない場合，背臥位で両下腿を検査台から下垂させた肢位で測定する方法もある

開始肢位

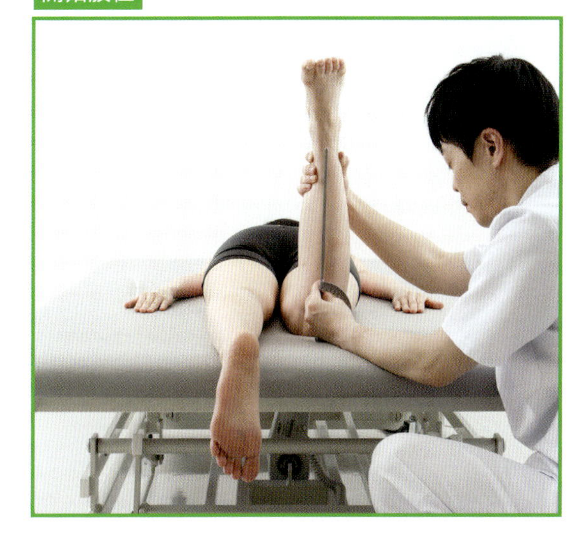

測定場面

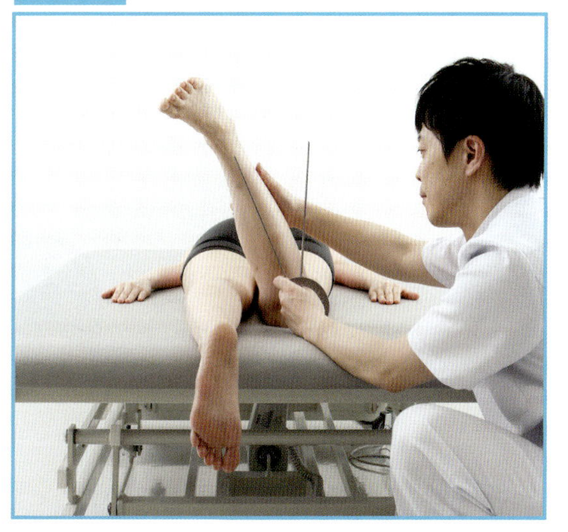

代償運動（体幹回旋）

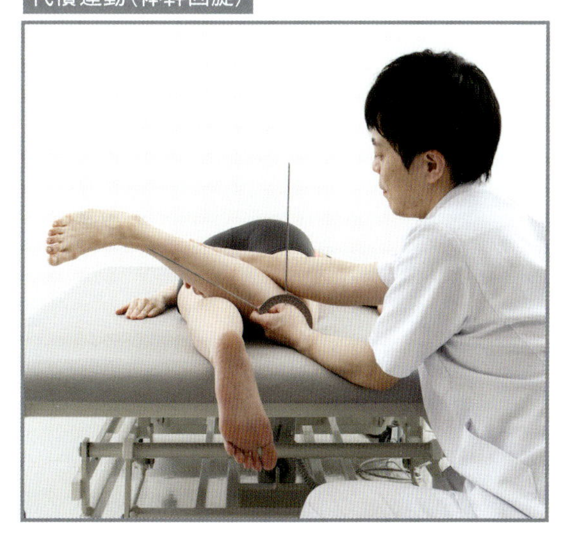

別　法

ランドマーク法 6-2

背臥位にて，基本軸を両側の上前腸骨棘を結ぶ線，移動軸を下腿中央線（膝蓋骨中心と足関節外果・内果の中央を結ぶ線），軸心を膝蓋骨中心とする．膝蓋骨中心が測定側の上前腸骨棘上に位置していれば，骨盤下制の代償運動の影響を受けない．

測定場面

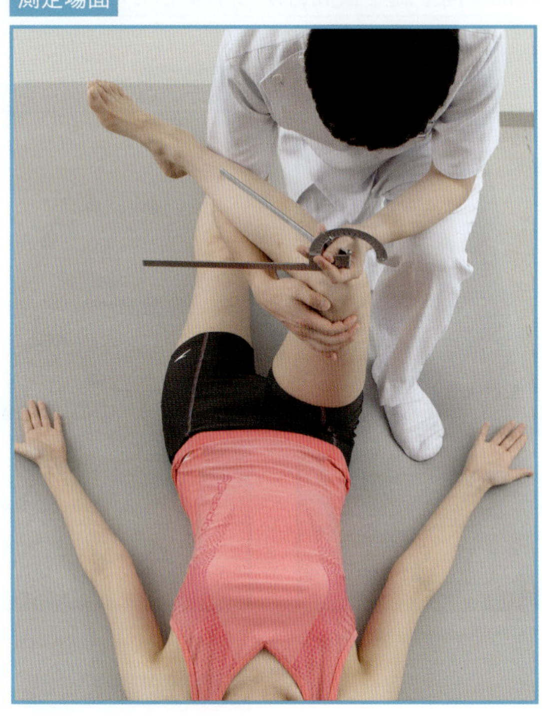

7 股関節内旋

基本事項

測定肢位	背臥位にて股関節 90°屈曲位，膝関節 90°屈曲位
基本軸	膝蓋骨より下ろした垂直線
移動軸	下腿中央線（膝蓋骨中心より足関節内果・外果中央を結ぶ線）
参考可動域	0〜45°

測定の順序

❶検者は股関節内旋の自動可動域を確認する．
❷他動的に対象者の股関節内旋運動を行い，痛みおよび end feel を確認する．
❸股関節内旋の最終可動域にて，ゴニオメーターで他動可動域を測定する．

測定における注意点

❶骨盤挙上，股関節伸展・内転などの代償運動に注意する．
❷基本軸である膝蓋骨より下ろした垂直線は，あいまいになりやすいので注意する．

最終可動域での制限因子

内閉鎖筋，外閉鎖筋，梨状筋，上双子筋，下双子筋，大腿方形筋，大殿筋，中殿筋後部線維，関節包の後部，坐骨大腿靱帯．

可動域に制限を有しやすい疾患

大腿骨近位部骨折，大腿骨骨幹部骨折，変形性股関節症，骨接合術・形成術・人工股関節置換術後，関節リウマチなど．

特異的な end feel

- 結合組織性：大腿骨近位部骨折，大腿骨骨幹部骨折，変形性股関節症，骨接合術・形成術・人工股関節置換術後，関節リウマチなど．
- 骨性：変形性股関節症，関節リウマチなど．
- スパズム：大腿骨近位部骨折，大腿骨骨幹部骨折，変形性股関節症，骨接合術・形成術・人工股関節置換術後など．

臨床における留意点

- 変形性股関節症，大腿骨近位部骨折など：人工股関節全置換術を施行した場合，侵入アプローチによる脱臼肢位に測定側は勿論であるが，測定反対側にも留意して測定する（脱臼肢位：後方アプローチ；股関節屈曲・内転・内旋位，前方アプローチ；股関節伸展・内転・外旋位）．
- 大腿骨近位部骨折，大腿骨骨幹部骨折など：エンダーネイル固定術を施行した場合など，侵入アプローチによっては膝関節に痛みを有する場合や，股関節回旋運動が禁忌とされている時期もあるため注意する．

標準法 7-1

開始肢位

参考可動域

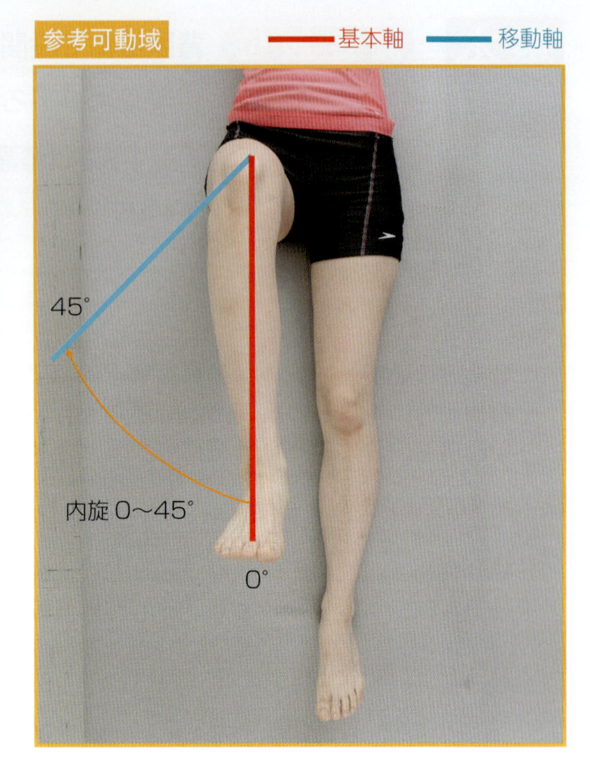

測定場面

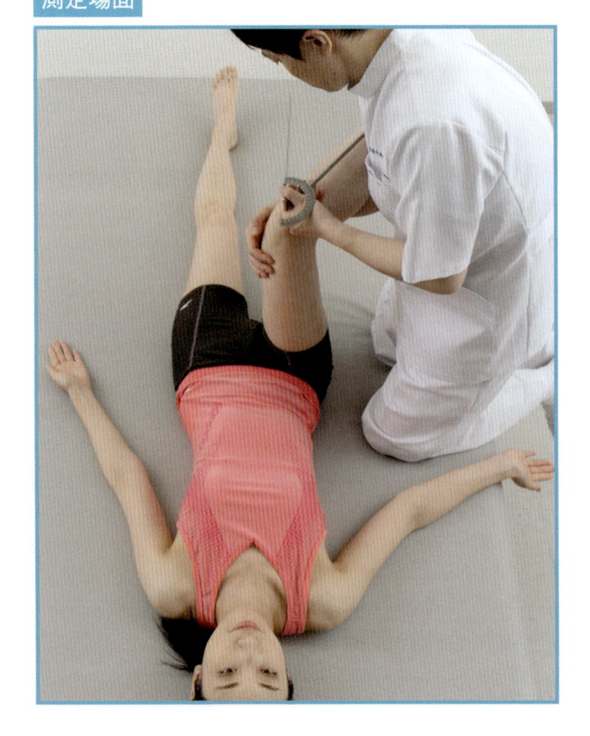

代償運動（骨盤挙上，股関節内転）

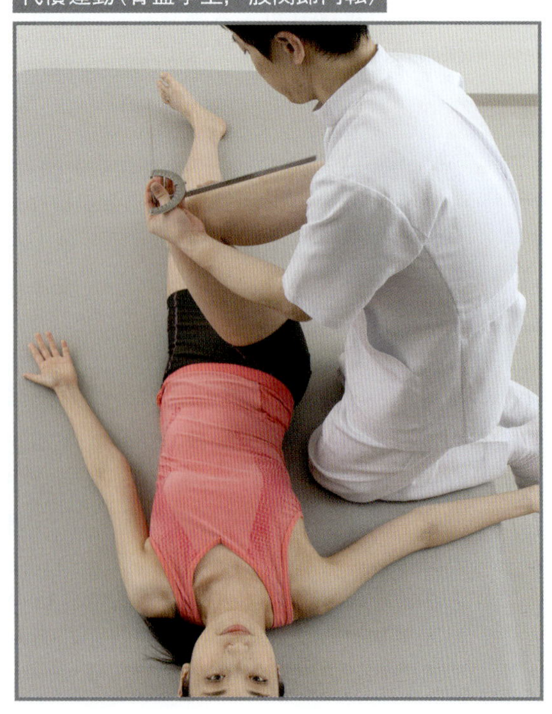

別　法

あらかじめ座位をとっている対象者への簡便な測定法

測定肢位	座位にて股関節 90° 屈曲位，膝関節 90° 屈曲位
基本軸	膝蓋骨より下ろした垂直線
移動軸	下腿中央線（膝蓋骨中心より足関節内果・外果中央を結ぶ線）
臨床ポイント	骨盤挙上，股関節伸展・内転の代償運動に注意する

開始肢位

測定場面

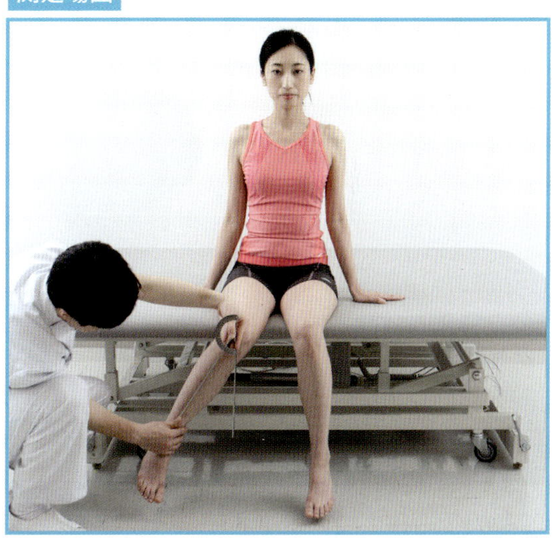

代償運動（骨盤挙上，股関節伸展・内転）

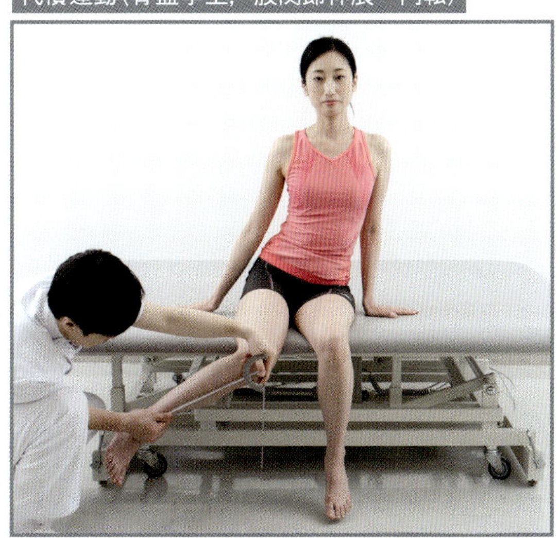

別 法

股関節屈曲可動域制限がある場合の測定法

測定肢位	腹臥位にて股関節中間位，膝関節 90° 屈曲位
基本軸	下腿中央線（膝蓋骨中心より足関節内果・外果中央を結ぶ線）
移動軸	下腿中央線（膝蓋骨中心より足関節内果・外果中央を結ぶ線）
臨床ポイント	体幹回旋の代償運動に注意する．腹臥位をとれない場合，背臥位で両下腿を検査台から下垂させた肢位で測定する方法もある

開始肢位

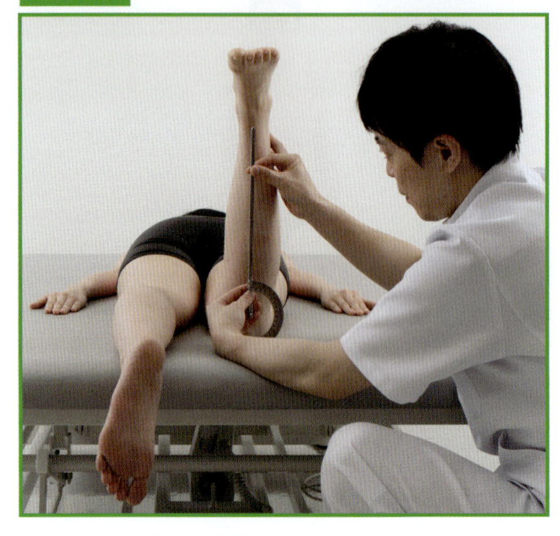

測定場面

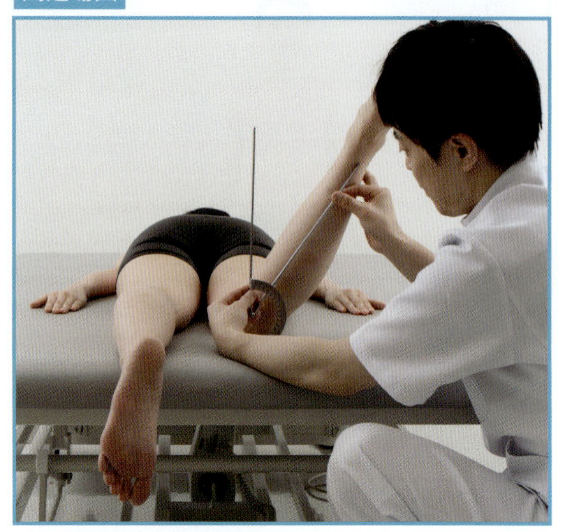

代償運動（体幹回旋）

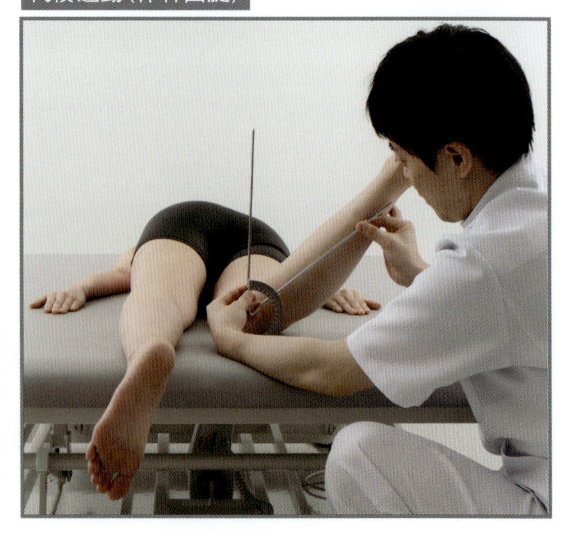

別　法

ランドマーク法 7-2

背臥位にて，基本軸を両側の上前腸骨棘を結ぶ線，移動軸を下腿中央線（膝蓋骨中心と足関節外果・内果の中点を結ぶ線），軸心を膝蓋骨中心とする．膝蓋骨中心が測定側の上前腸骨棘上に位置していれば，骨盤挙上の代償運動の影響を受けない．

測定場面

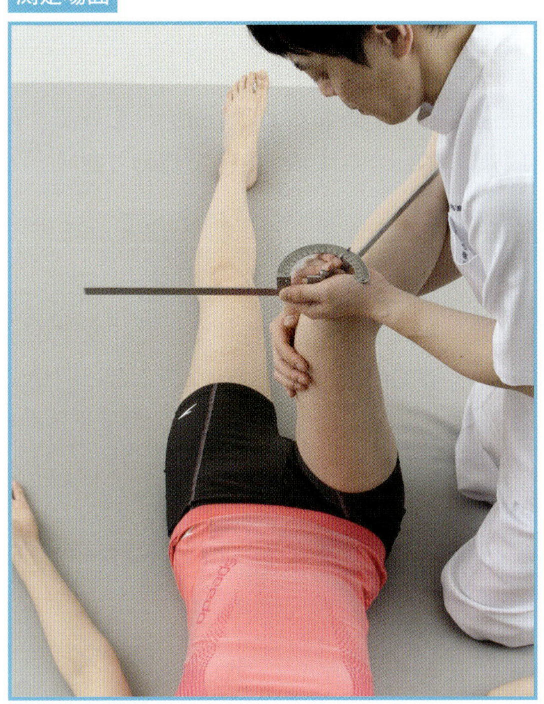

8 膝関節屈曲

基本事項

測定肢位	背臥位（股関節屈曲位）
基本軸	大腿骨
移動軸	腓骨（腓骨頭と外果を結ぶ線）
参考可動域	0〜130°

測定の順序

❶検者は膝関節屈曲の自動可動域を確認する．
❷他動的に膝関節屈曲運動を行い，痛みおよび end feel を確認する．
❸膝関節屈曲の最終可動域にて，ゴニオメーターで他動可動域を測定する．

測定における注意点

❶過度な腰椎前弯などの代償運動に注意する．
❷膝関節屈曲する際，足底がベッドに接触しないように注意する．
❸ゴニオメーターの軸心は，膝関節軸とは一致しないことに留意する．
❹股関節 90° 屈曲位にて測定することで，大腿直筋の影響度を毎回統一することが望ましい．

最終可動域での制限因子

内側広筋，外側広筋，中間広筋，大腿直筋，下腿と大腿後面の筋腹間または殿部と踵骨との接触．

可動域に制限を有しやすい疾患

大腿骨骨幹部骨折，大腿骨顆上骨折，膝蓋骨骨折，変形性膝関節症，人工膝関節置換術後，Osgood-Schlatter 病，前十字靱帯損傷，後十字靱帯損傷，膝関節半月板損傷，関節リウマチなど．

特異的な end feel

- 軟部組織性：大腿骨骨幹部骨折などによる腫張．
- 結合組織性：大腿骨骨幹部骨折，大腿骨顆上骨折，膝蓋骨骨折，変形性膝関節症，人工膝関節置換術後，Osgood-Schlatter 病，前十字靱帯損傷，後十字靱帯損傷，膝関節半月板損傷，関節リウマチなど．
- 骨性：変形性膝関節症，関節リウマチなど．
- スパズム：大腿骨骨幹部骨折，大腿骨顆上骨折，膝蓋骨骨折，変形性膝関節症，人工膝関節置換術後，Osgood-Schlatter 病，前十字靱帯損傷，後十字靱帯損傷，膝関節半月板損傷など．
- バネ様停止：膝関節半月板損傷など．

臨床における留意点

- 変形性膝関節症：下腿内旋が不十分となりうることに留意して他動運動する．
- 人工膝関節置換術後：インサートの種類やPCLの処理による制動性の違いに留意する．
- Osgood-Schlatter病：脛骨粗面を抑えて他動運動させることで痛みが軽減する．
- 後十字靱帯損傷：roll back機能が不十分となっていることに注意して他動運動する．

標準法 8-1

開始肢位

参考可動域

測定場面

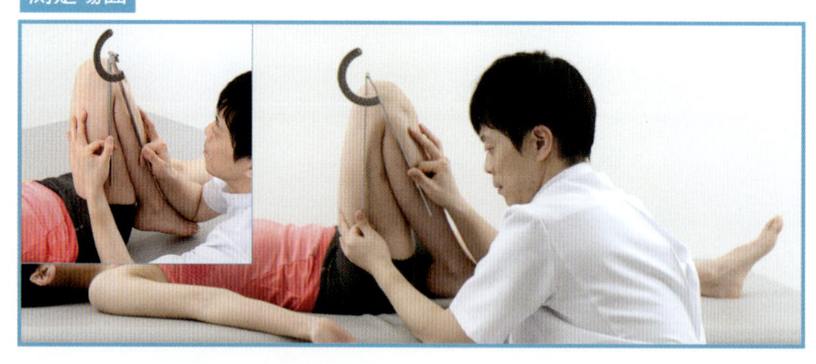

代償運動（過度な腰椎前弯）

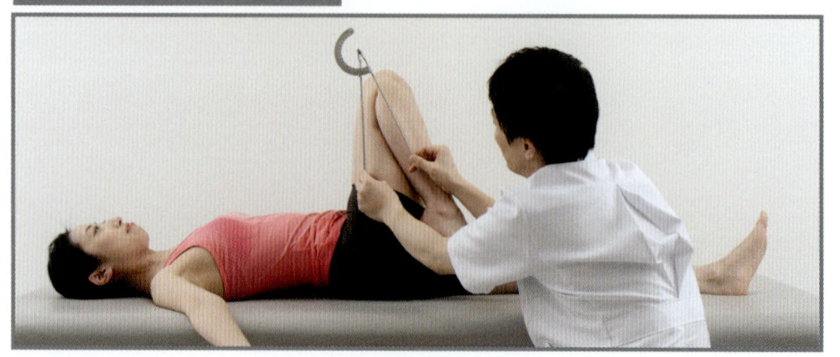

別　法

メジャー法

腹臥位にて，検査側の膝関節を屈曲させた際の踵と殿部までの最短距離を測定する．

測定場面①（側方）

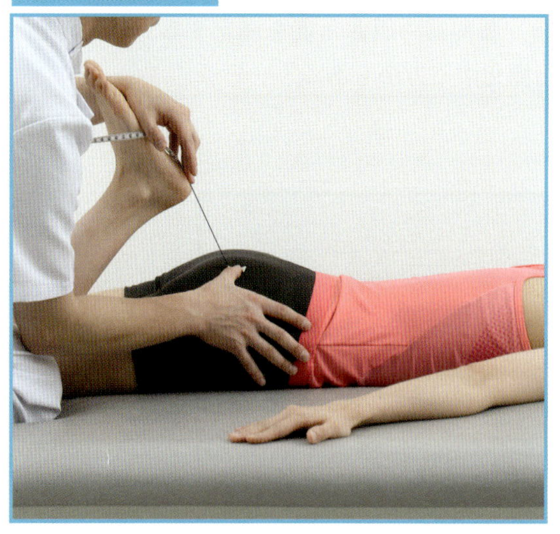

測定場面②（上方）

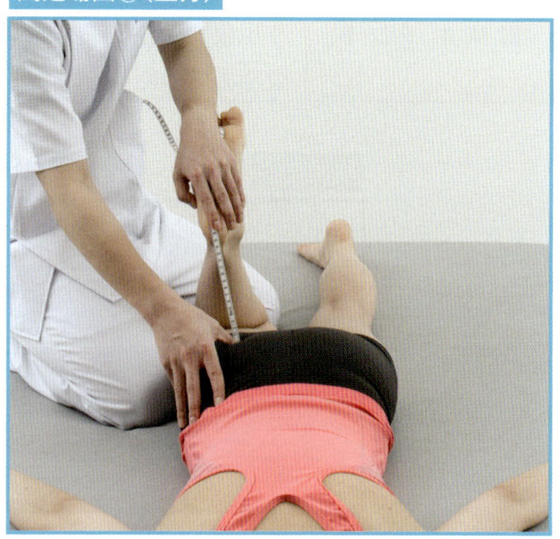

ランドマーク法

背臥位にて，基本軸を大転子と大腿骨外側上顆を結ぶ線，移動軸を大腿骨外側上顆と足関節外果を結ぶ線とし，軸心を大腿骨外側上顆とする．軸心が生理学的な運動軸と一致しないことに留意する．

測定場面

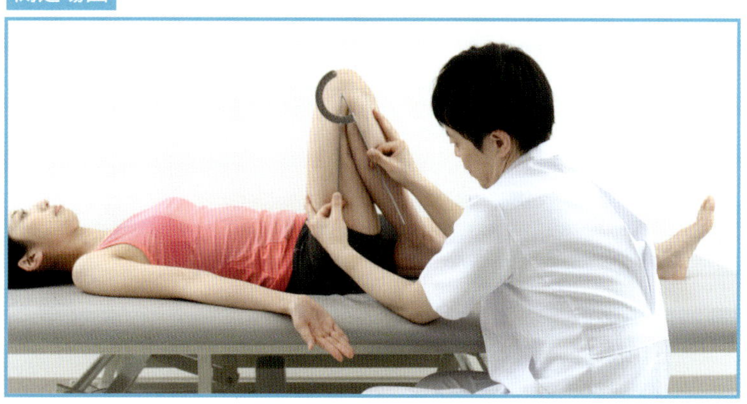

筋長検査

大腿直筋の短縮が疑われる場合，Ely test（大腿直筋の筋長検査）を用いる 8-2

検査肢位	腹臥位
検者の動き	検査側の股関節が屈曲し始めるところまで膝関節を屈曲させる
臨床ポイント	大腿直筋が短縮していれば，膝関節屈曲の早期から股関節屈曲（尻上がり現象）が生じる．この時の，膝関節の屈曲角度を測定する方法や踵と殿部までの距離を測定して指標化する方法もある

開始肢位

測定場面

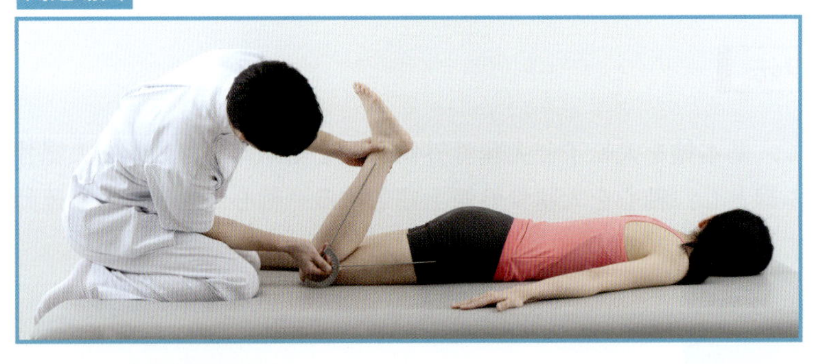

代償運動（尻上がり現象）

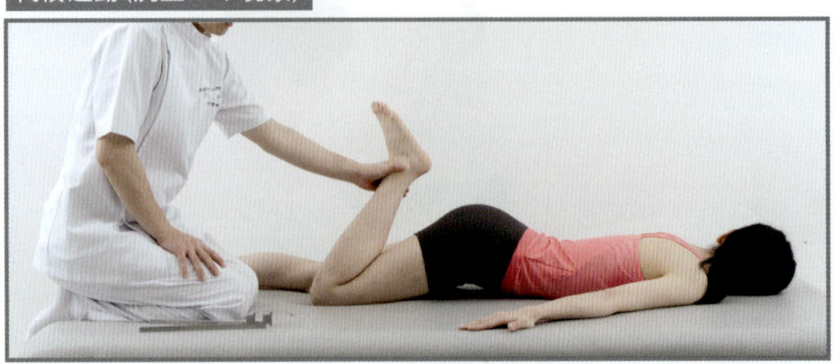

9 膝関節伸展

基本事項

- **測定肢位** 背臥位
- **基本軸** 大腿骨
- **移動軸** 腓骨（腓骨頭と足関節外果を結ぶ線）
- **参考可動域** 0°

測定の順序

❶検者は膝関節伸展の自動可動域を確認する.
❷他動的に膝関節伸展運動を行い，痛みおよび end feel を確認する.
❸膝関節伸展の最終可動域にて，ゴニオメーターで他動可動域を測定する.

測定における注意点

❶股関節は中間位として，ハムストリングスの緊張が影響しないように注意する.
❷膝関節過伸展と伸展制限ではゴニオメーターの当て方が逆となるため，あらかじめスクリーニングするとよい.
❸下腿後面を支持し誘導することで，股関節外旋・内旋による運動面のずれを防ぎやすくなる.

最終可動域での制限因子

ハムストリングス，関節包の後部，斜膝窩靱帯，弓膝窩靱帯，側副靱帯，前十字靱帯，後十字靱帯（PCL）.

可動域に制限を有しやすい疾患

変形性膝関節症，人工膝関節置換術後，前十字靱帯損傷，後十字靱帯損傷，膝関節半月板損傷，関節リウマチ，脳性麻痺，パーキンソン病，片麻痺など.

特異的な end feel

- 結合組織性：変形性膝関節症，人工膝関節置換術後，前十字靱帯損傷，後十字靱帯損傷，膝関節半月板損傷，関節リウマチ，脳性麻痺，パーキンソン病，片麻痺など.
- 骨性：変形性膝関節症，関節リウマチなど.
- スパズム：変形性膝関節症，人工膝関節置換術後，前十字靱帯損傷，後十字靱帯損傷，膝関節半月板損傷など.
- バネ様停止：膝関節半月板損傷など.

臨床における留意点

- 変形性膝関節症：下腿外旋が不十分となりうることに留意して他動運動する.
- 人工膝関節置換術後：インサートの種類や PCL の処理による制動性の違いに留意する.
- 前十字靱帯損傷：前方引き出しに注意して他動運動する.
- 片麻痺：過伸展となっている場合もあることに留意する.

標準法 9-1

開始肢位

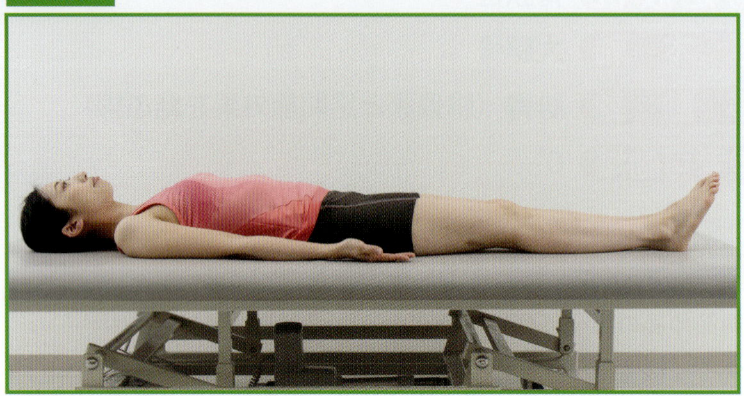

参考可動域

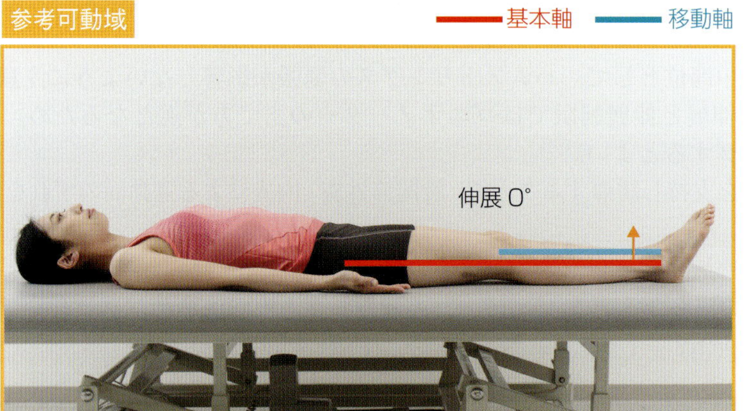

測定場面

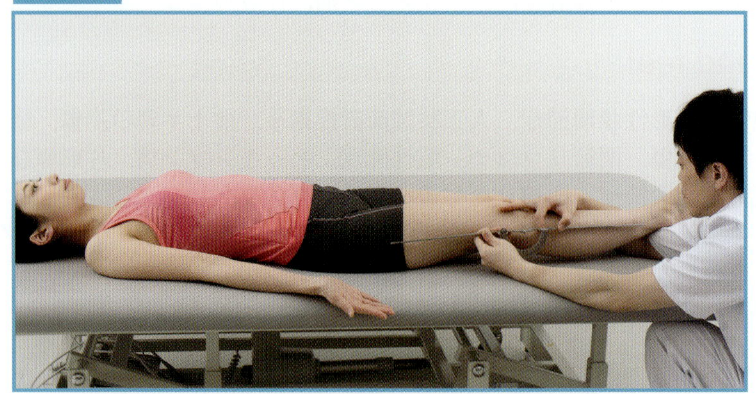

別　法

膝関節が過伸展している場合の測定法

スクリーニングで膝関節が過伸展している場合は，ゴニオメーターの当て方が逆となることに留意し，タオルなどを下腿遠位部後面に置くとよい．

測定場面

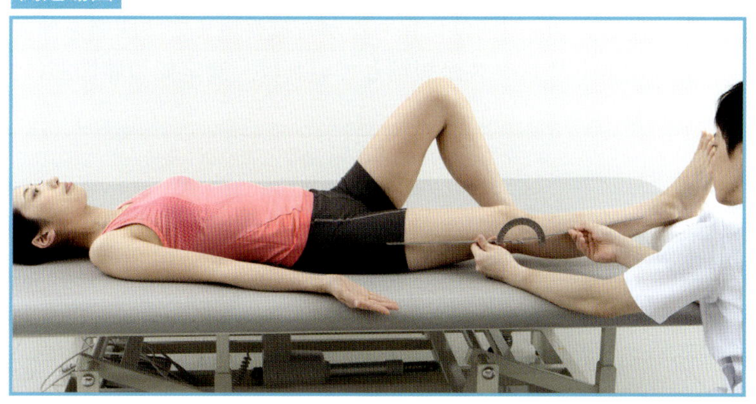

ランドマーク法

背臥位または腹臥位にて，基本軸を大転子と大腿骨外側上顆を結ぶ線，移動軸を大腿骨外側上顆と足関節外果を結ぶ線とし，軸心を大腿骨外側上顆とする．軸心が生理学的な運動軸と一致しないことに留意する．

筋長検査

股関節屈曲位での膝関節伸展(膝窩角)の測定(ハムストリングスの筋長検査) 9-2

検査筋	ハムストリングス
検査肢位	背臥位（測定側の股関節 90° 屈曲位，反対側の下肢は屈曲・伸展中間位）
基本軸	大腿骨（大転子と大腿骨外顆の中心を結ぶ線）
移動軸	腓骨（腓骨頭と足関節外果を結ぶ線）
検者の動き	股関節を 90° 屈曲位に保ちながら最終域まで膝関節を伸展させる
臨床ポイント	ハムストリングスが短縮していれば，測定側の膝関節に伸展制限がみられる

開始肢位

測定場面

10 足関節底屈

基本事項	
測定肢位	背臥位（膝関節屈曲位）
基本軸	矢状面における腓骨長軸への垂直線
移動軸	足底面
参考可動域	0～45°

測定の順序

❶検者は足関節底屈の自動可動域を確認する.
❷他動的に足関節底屈運動を行い，痛みおよび end feel を確認する.
❸足関節底屈の最終可動域にて，ゴニオメーターで他動可動域を測定する.

測定における注意点

❶足部外がえし・内がえしなどの代償運動に注意する.
❷基本軸である矢状面における腓骨長軸への垂直線は，あいまいになりやすいので注意する.

最終可動域での制限因子

前脛骨筋，長母趾伸筋，長趾伸筋，関節包の前面，三角靱帯の前部，前距腓靱帯，距骨後端結節と脛骨後縁との接触.

可動域に制限を有しやすい疾患

足関節靱帯損傷，下腿骨骨折，足関節三果骨折，距骨骨折，踵骨骨折，下腿コンパートメント症候群，関節リウマチなど.

特異的な end feel

- 軟部組織性：足関節靱帯損傷，下腿骨骨折，足関節三果骨折，距骨骨折，踵骨骨折，下腿コンパートメント症候群，関節リウマチなどによる腫張や浮腫.
- 結合組織性：足関節靱帯損傷，下腿骨骨折，足関節三果骨折，距骨骨折，踵骨骨折，下腿コンパートメント症候群，関節リウマチなど.
- 骨性：下腿骨骨折，足関節三果骨折，距骨骨折，踵骨骨折，関節リウマチなど.
- スパズム：足関節靱帯損傷，下腿骨骨折，足関節三果骨折，距骨骨折，踵骨骨折，下腿コンパートメント症候群など.

標準法 10-1

開始肢位

参考可動域

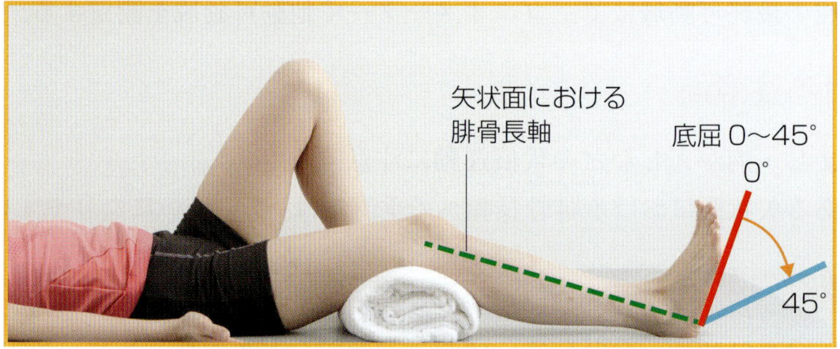

測定場面

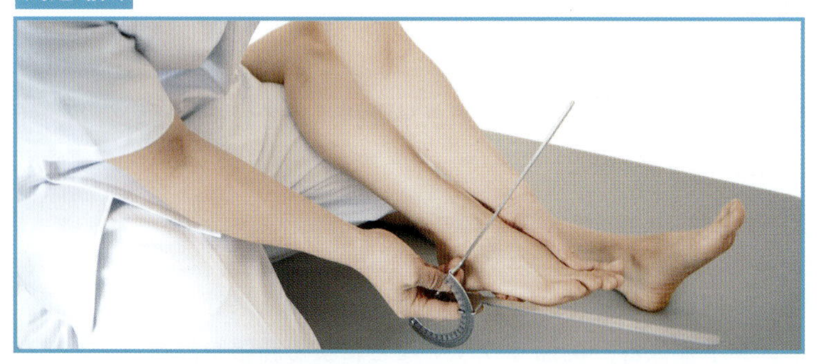

代償運動（足部内がえし）

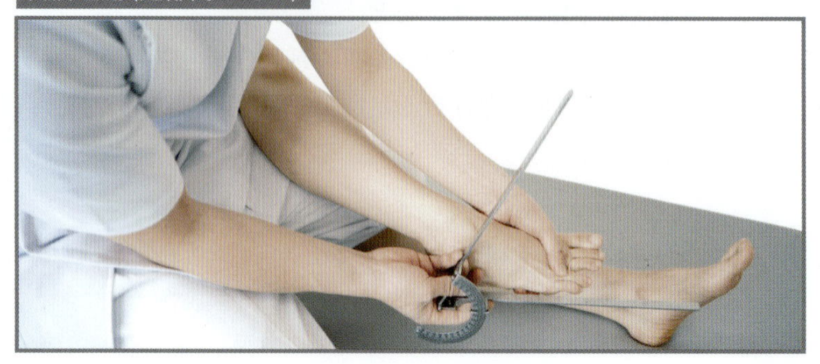

別　法

あらかじめ座位をとっている対象者への簡便な測定法

測定肢位	端座位または車いす上での座位
基本軸	矢状面における腓骨長軸への垂直線
移動軸	足底面
臨床ポイント	足部外がえし・内がえしの代償運動に注意する

測定場面

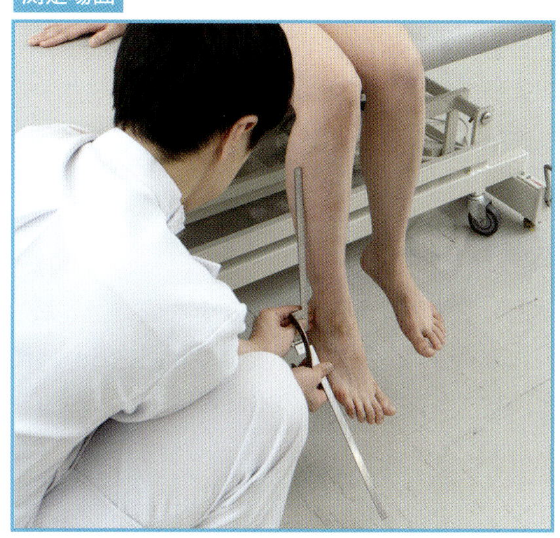

ランドマーク法　10-2

背臥位（膝関節屈曲位）にて，基本軸を腓骨頭と足関節外果を結ぶ線，移動軸を足底面，軸心を基本軸と移動軸の交点とする．基本軸である矢状面における腓骨長軸への垂直線のあいまいさを最小限にすることができるが，90°分を加減して足関節の可動域となることに留意する．

測定場面

11 足関節背屈

基本事項

測定肢位	背臥位（膝関節屈曲位）
基本軸	矢状面における腓骨長軸への垂直線
移動軸	足底面
参考可動域	0～20°

測定の順序

❶検者は足関節背屈の自動可動域を確認する．
❷他動的に足関節背屈運動を行い，痛みおよびend feelを確認する．
❸足関節背屈の最終可動域にて，ゴニオメーターで他動可動域を測定する．

測定における注意点

❶膝関節屈曲位で行う．
❷足部外がえし・内がえしなどの代償運動に注意する．
❸腓腹筋の短縮が疑われる場合は，膝関節伸展位でも測定し，二関節筋の影響を検討する．
❹基本軸である矢状面における腓骨長軸への垂直線は，あいまいになりやすいので注意する．

最終可動域での制限因子

ヒラメ筋，腓腹筋，アキレス腱，関節包後部，三角靱帯後部，後距腓靱帯，距踵靱帯．

可動域に制限を有しやすい疾患

アキレス腱断裂術後，足関節靱帯損傷，下腿骨骨折，足関節三果骨折，距骨骨折，踵骨骨折，関節リウマチ，脳性麻痺，パーキンソン病，片麻痺など．

特異的なend feel

- 軟部組織性：アキレス腱断裂術後，足関節靱帯損傷，下腿骨骨折，足関節三果骨折，距骨骨折，踵骨骨折などによる腫張や浮腫．
- 結合組織性：アキレス腱断裂術後，足関節靱帯損傷，下腿骨骨折，足関節三果骨折，距骨骨折，踵骨骨折，関節リウマチ，脳性麻痺，パーキンソン病，片麻痺など．
- 骨性：下腿骨骨折，足関節三果骨折，距骨骨折，踵骨骨折，関節リウマチなど．
- スパズム：アキレス腱断裂術後，足関節靱帯損傷，下腿骨骨折，足関節三果骨折，距骨骨折，踵骨骨折など．

標準法 11-1

開始肢位

参考可動域

基本軸　移動軸

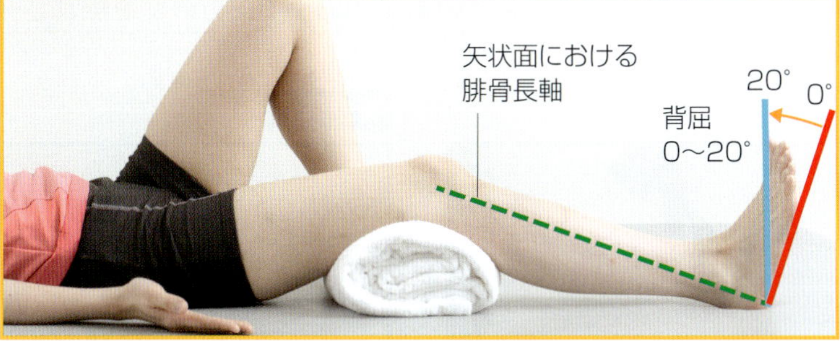

測定場面

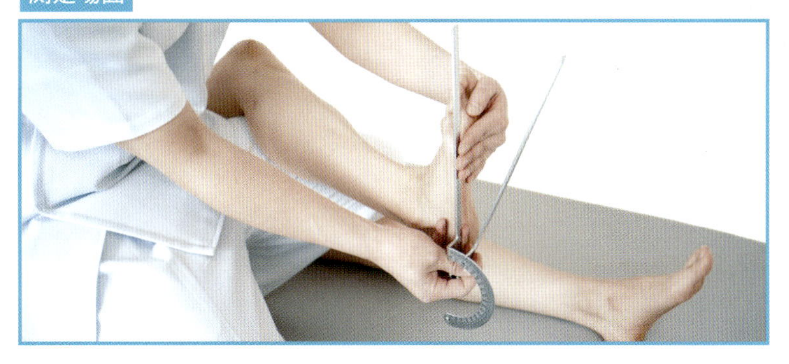

代償運動（足部内がえし）

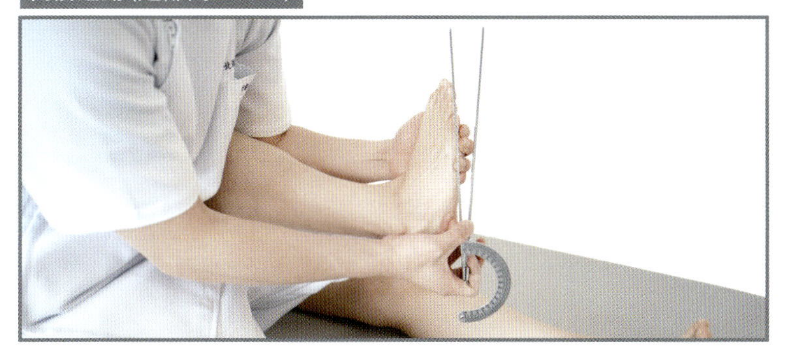

別　法

下腿三頭筋の筋緊張亢進や検者と被験者の体格差などの理由で，運動の誘導が困難な場合の測定法

測定肢位	立位
基本軸	足底（床）
移動軸	腓骨
臨床ポイント	対象者は壁に向かい，測定側を一歩前に出し，つま先を壁から10cm程度離す．荷重下で測定側の背屈角度が最大となるようにランジ動作を行う．この時，測定側の膝関節前面を壁に触れさせ，踵が離床していないのを確認し，ゴニオメーターで足関節背屈角度を測定する．測定時にはバランスを補助するために対象者の両手で前方の壁を触れさせる

開始肢位

測定場面

別　法

あらかじめ座位をとっている対象者への簡便な測定法

測定肢位	端座位または車いす上での座位
基本軸	矢状面における腓骨長軸への垂直線
移動軸	足底面
臨床ポイント	足部外がえし・内がえしの代償運動に注意する

測定場面（ランドマーク法での測定）

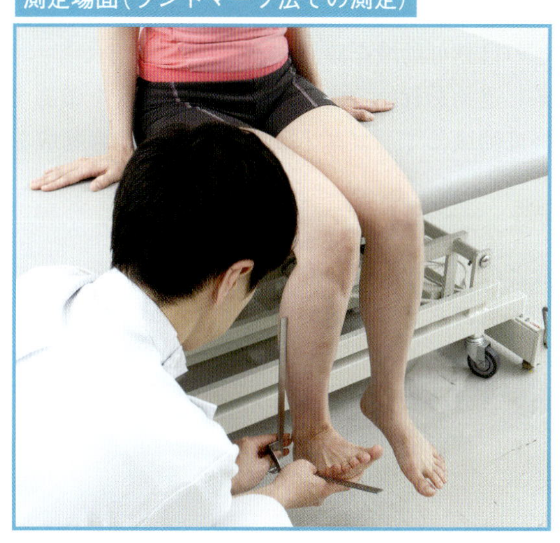

ランドマーク法 11-2

背臥位（膝関節屈曲位）にて，基本軸を腓骨頭と足関節外果を結ぶ線，移動軸を足底面，軸心を基本軸と移動軸の交点とする．基本軸である矢状面における腓骨長軸への垂直線のあいまいさを最小限にすることができるが，90°分を加減して足関節の可動域となることに留意する．

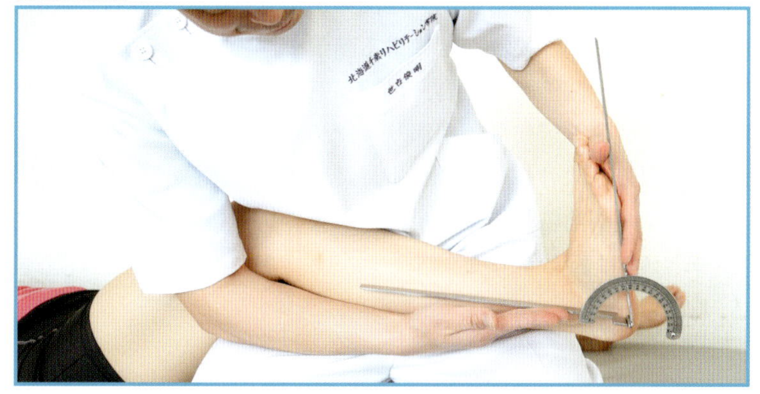

12 足部外がえし

基本事項

測定肢位	背臥位（膝関節屈曲位，足関節 0°）
基本軸	前額面における下腿軸への垂直線
移動軸	足底面
参考可動域	0〜20°

測定の順序

❶検者は足部外がえしの自動可動域を確認する.
❷他動的に足部外がえし運動を行い，痛みおよび end feel を確認する.
❸足部外がえしの最終可動域にて，ゴニオメーターで他動可動域を測定する.

測定における注意点

❶足関節底屈・背屈などの代償運動に注意する.
❷基本軸である前額面における下腿軸への垂直線はあいまいになりやすいので注意する.
❸測定時の工夫として，下腿軸とベッド端が垂直になるように設定すると，ベッド端を基本軸の目安として利用できるので便利である.

最終可動域での制限因子

後脛骨筋，踵骨と足根洞底部との接触，関節包，三角靱帯，内側距踵靱帯，底側踵舟靱帯，踵立方靱帯，背側距舟靱帯，二分靱帯内側部，横中足靱帯など種々の靱帯.

可動域に制限を有しやすい疾患

足関節靱帯損傷，足関節三果骨折，距骨骨折，踵骨骨折，下腿骨骨折，下腿コンパートメント症候群，関節リウマチ，片麻痺など.

特異的な end feel

- 軟部組織性：足関節靱帯損傷，足関節三果骨折，距骨骨折，踵骨骨折，下腿骨骨折，下腿コンパートメント症候群などによる腫張や浮腫.
- 結合組織性：足関節靱帯損傷，足関節三果骨折，距骨骨折，踵骨骨折，下腿骨骨折，下腿コンパートメント症候群，関節リウマチ，片麻痺など.
- 骨性：足関節三果骨折，距骨骨折，踵骨骨折，下腿骨骨折，関節リウマチなど.
- スパズム：足関節靱帯損傷，足関節三果骨折，距骨骨折，踵骨骨折，下腿骨骨折，下腿コンパートメント症候群など.

標準法   12

開始肢位

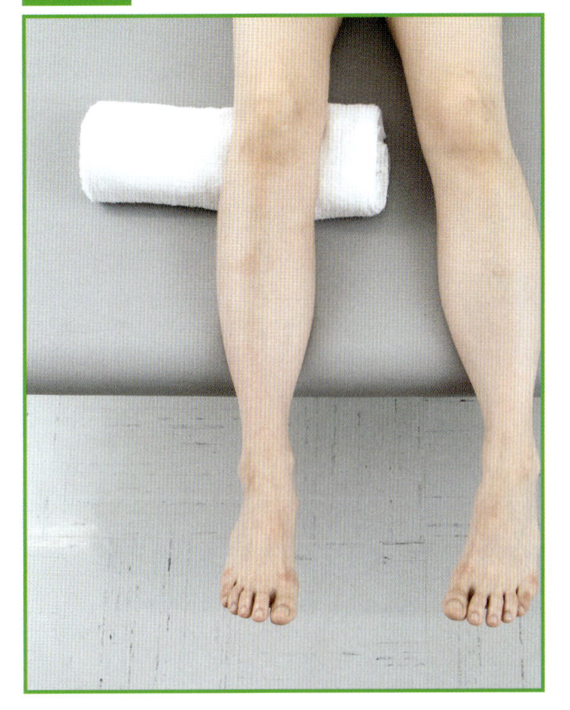

参考可動域

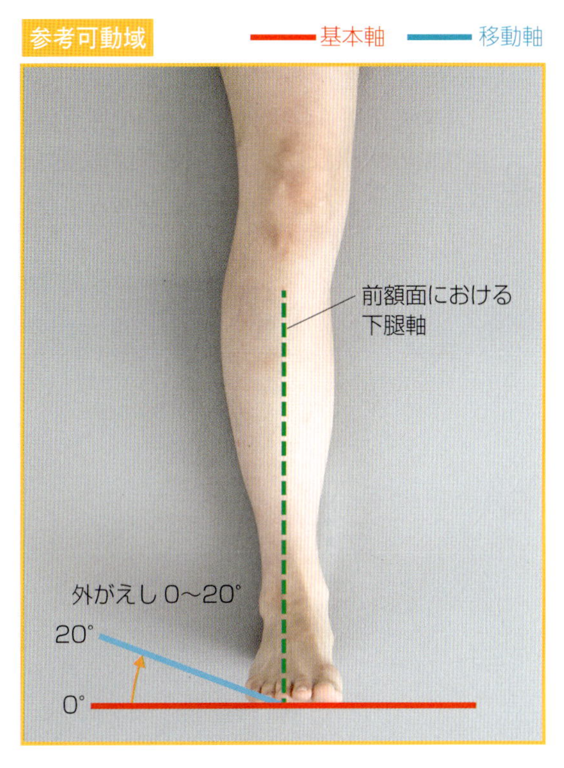

測定場面

代償運動（足関節底屈）

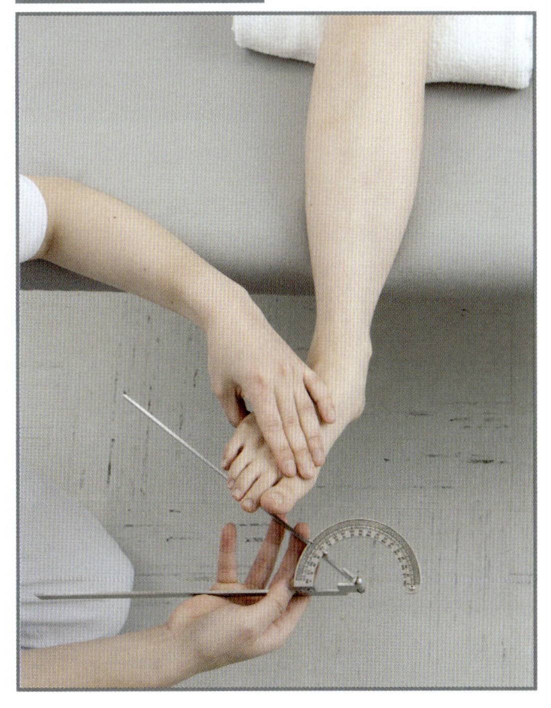

別　法

ランドマーク法

基本軸を膝蓋骨中央と両果の中間を結ぶ線と平行な線，移動軸を足底面，軸心を基本軸と移動軸の交点とする．基本軸の前額面における下腿軸への垂直線のあいまいさを最小限にすることができるが，腫脹などがある場合は基本軸が経時的に変化しうることに留意する．

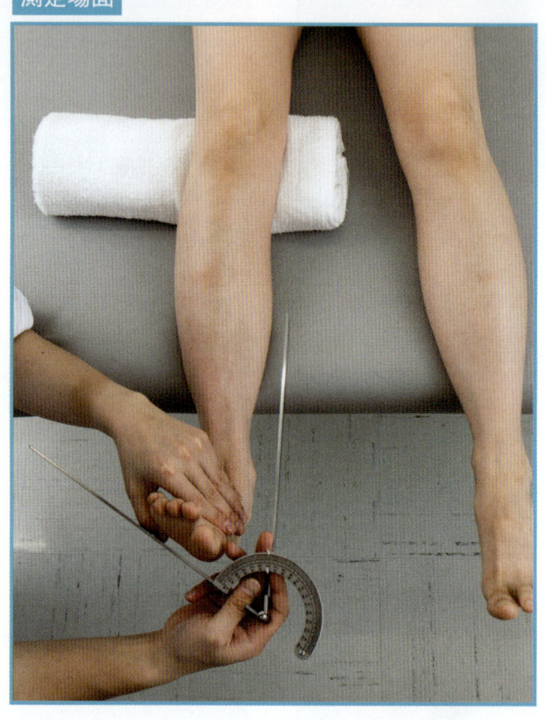

13 足部内がえし

基本事項

測定肢位	背臥位（膝関節屈曲位，足関節0°）
基本軸	前額面における下腿軸への垂直線
移動軸	足底面
参考可動域	0～30°

測定の順序

❶検者は足部内がえしの自動可動域を確認する．
❷他動的に足部内がえし運動を行い，痛みおよびend feelの確認を行う．
❸足部内がえしの最終可動域にて，ゴニオメーターで他動可動域を測定する．

測定における注意点

❶足関節底屈・背屈などの代償運動に注意する．
❷基本軸である前額面における下腿軸への垂直線は，あいまいになりやすいので注意する．
❸測定時の工夫として，下腿軸がベッド端と垂直となるように設定すると，ベッド端を基本軸の目安として利用できるので便利である．

最終可動域での制限因子

長腓骨筋，短腓骨筋，関節包の外側部，前距腓靱帯，後距腓靱帯，踵腓靱帯，前外側骨間距踵靱帯，後外側骨間距踵靱帯，背側踵靱帯，背側踵立方靱帯，背側距舟靱帯，二分靱帯の外側部束，横中足靱帯および種々の靱帯．

可動域に制限を有しやすい疾患

足関節靱帯損傷，足関節三果骨折，距骨骨折，踵骨骨折，下腿骨骨折，下腿コンパートメント症候群，関節リウマチなど．

特異的なend feel

- 軟部組織性：足関節靱帯損傷，足関節三果骨折，距骨骨折，踵骨骨折，下腿骨骨折，下腿コンパートメント症候群，関節リウマチなどによる腫張や浮腫．
- 結合組織性：足関節靱帯損傷，足関節三果骨折，距骨骨折，踵骨骨折，下腿骨骨折，下腿コンパートメント症候群，関節リウマチなど．
- 骨性：足関節三果骨折，距骨骨折，踵骨骨折，下腿骨骨折，関節リウマチなど．
- スパズム：足関節靱帯損傷，足関節三果骨折，距骨骨折，踵骨骨折，下腿骨骨折，下腿コンパートメント症候群など．

標準法  

開始肢位

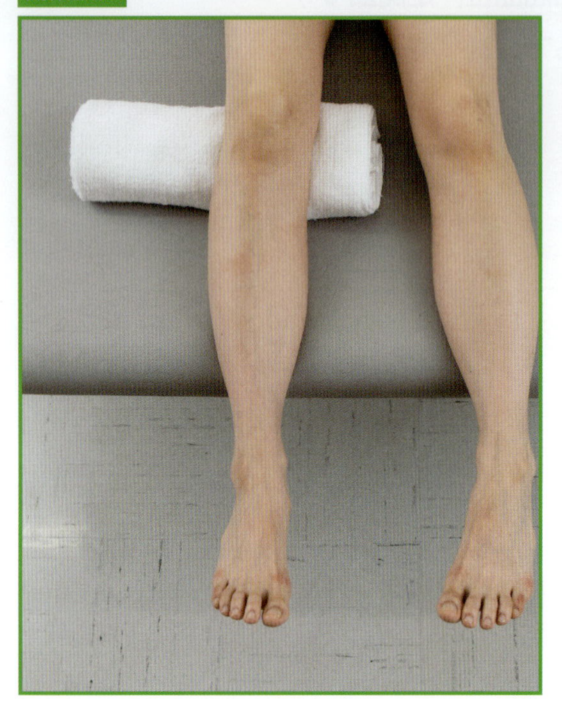

参考可動域

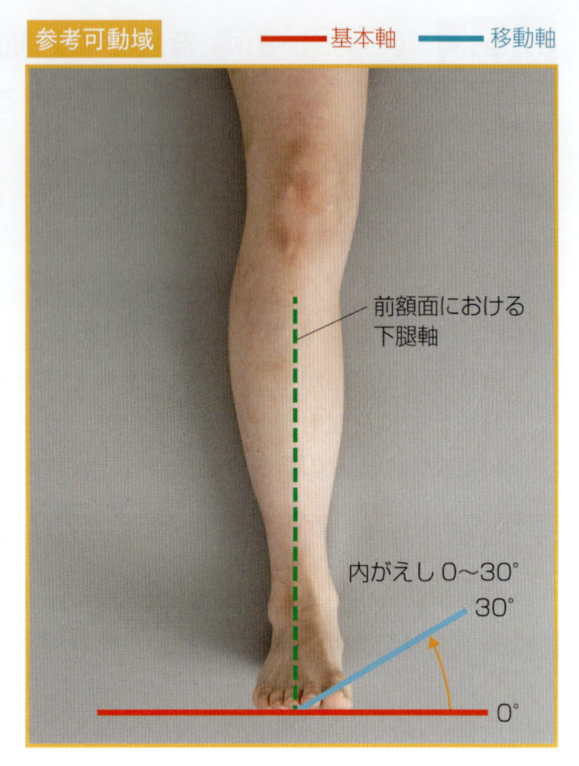

測定場面

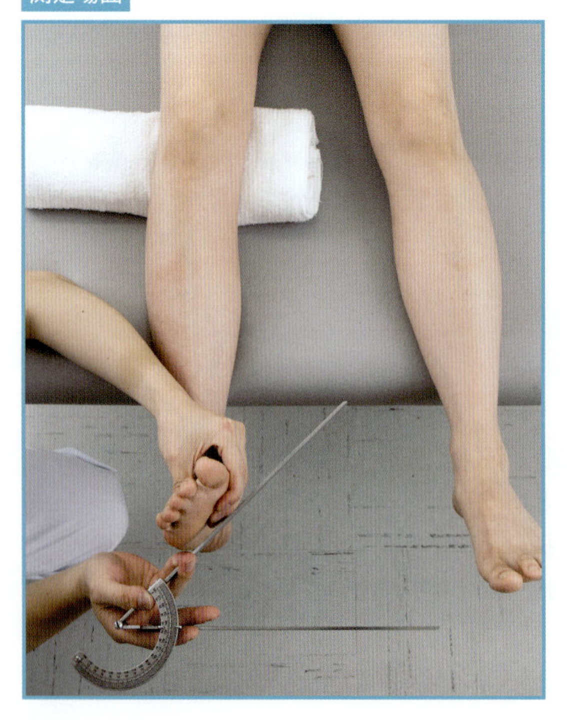

代償運動(足関節底屈)

別　法

ランドマーク法

基本軸を膝蓋骨中央と両果の中間を結ぶ線と平行な線，移動軸を足底面，軸心を基本軸と移動軸の交点とする．基本軸の前額面における下腿軸への垂直線のあいまいさを最小限にすることができるが，腫脹などがある場合は基本軸が経時的に変化しうることに留意する．

測定場面

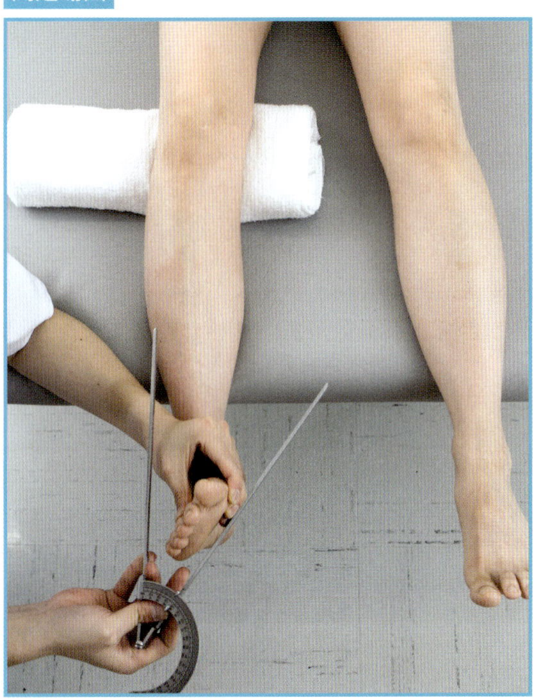

14 足部外転

基本事項	
測定肢位	座位または背臥位（膝関節屈曲位，足関節 0°）
基本軸	第 2 中足骨長軸
移動軸	第 2 中足骨長軸
参考可動域	0〜10°

測定の順序

❶検者は足部外転の自動可動域を確認する.
❷他動的に足部外転運動を行い，痛みおよび end feel の確認を行う.
❸足部外転の最終可動域にて，ゴニオメーターを用いて他動可動域を測定をする.

測定における注意点

❶股関節外旋，下腿外旋，足関節底屈・背屈などの代償運動に注意する
❷基本軸と移動軸が同じであり，測定があいまいとなることがあるので注意する.

最終可動域での制限因子

距腿関節内の骨性制限.

可動域に制限を有しやすい疾患

足関節靱帯損傷，足関節三果骨折，距骨骨折，踵骨骨折，関節リウマチなど.

特異的な end feel

- 軟部組織性：足関節靱帯損傷，足関節三果骨折，距骨骨折，踵骨骨折などによる腫張や浮腫.
- 結合組織性：足関節靱帯損傷，足関節三果骨折，距骨骨折，踵骨骨折，関節リウマチなど.
- 骨性：足関節三果骨折，距骨骨折，踵骨骨折，関節リウマチなど.
- スパズム：足関節靱帯損傷，足関節三果骨折，距骨骨折，踵骨骨折など.

標準法  

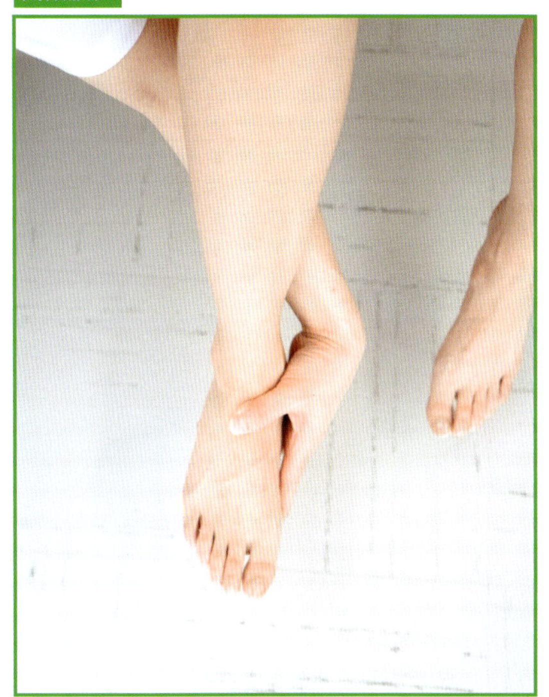

参考可動域　基本軸　移動軸

外転 0〜10°

10°　0°

測定場面

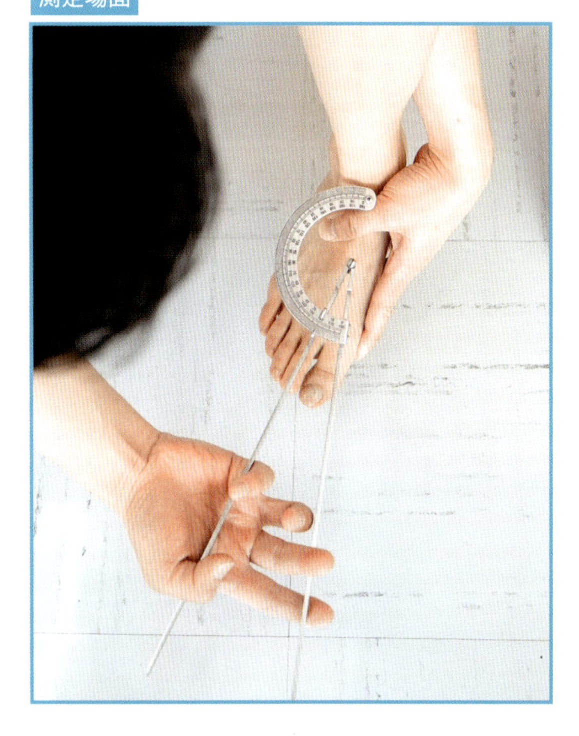

代償運動（股関節外旋，下腿外旋）

別　法

背臥位での測定法

測定肢位	背臥位
基本軸	第2中足骨長軸
移動軸	第2中足骨長軸
臨床ポイント	膝蓋骨と脛骨前縁の動きを注目することで代償運動を確認しやすくなる

開始肢位

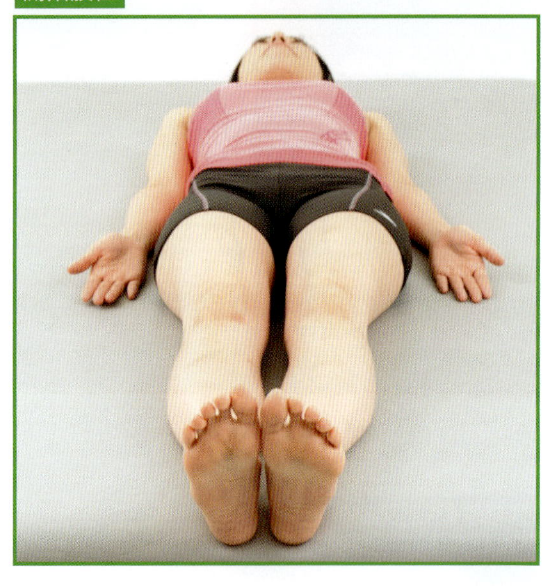

測定場面

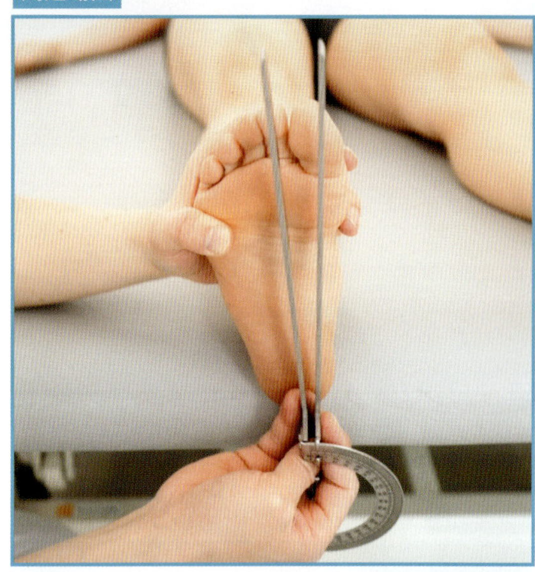

代償運動（股関節外旋，下腿外旋，足関節背屈）

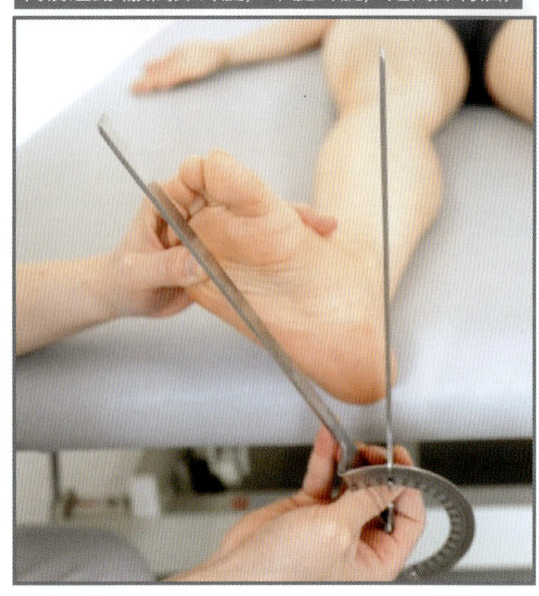

別　法

測定時の工夫

基本軸の目印として，床にペンを置くなどの工夫をすることで基本軸と移動軸が同じである問題を解決できる．股関節外旋，下腿外旋，足関節底屈・背屈の代償運動に注意する．

測定場面（ペンを基本軸に見立てた測定）

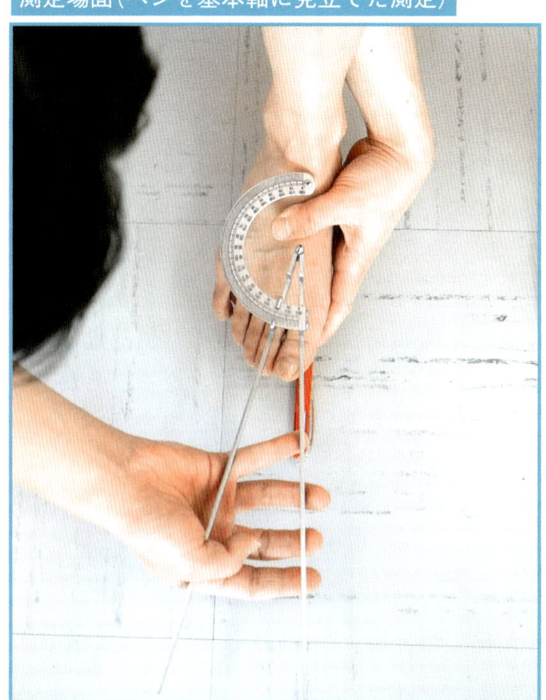

15 足部内転

基本事項

測定肢位	座位または背臥位（膝関節屈曲位，足関節 0°）
基本軸	第 2 中足骨長軸
移動軸	第 2 中足骨長軸
参考可動域	0～20°

測定の順序

❶検者は足部内転の自動可動域を確認する.
❷他動的に足部内転運動を行い，痛みおよび end feel を確認する.
❸足部内転の最終可動域にて，ゴニオメーターで他動可動域を測定する.

測定における注意点

❶股関節内旋，下腿内旋，足関節底屈・背屈などの代償運動に注意する.
❷基本軸と移動軸が同じであり，測定があいまいとなることがあるので注意する.

最終可動域での制限因子

距腿関節内の骨性制限.

可動域に制限を有しやすい疾患

足関節靱帯損傷，足関節三果骨折，距骨骨折，踵骨骨折，関節リウマチなど.

特異的な end feel

- 軟部組織性：足関節靱帯損傷，足関節三果骨折，距骨骨折，踵骨骨折などによる腫張や浮腫.
- 結合組織性：足関節靱帯損傷，足関節三果骨折，距骨骨折，踵骨骨折，関節リウマチなど.
- 骨性：足関節三果骨折，距骨骨折，踵骨骨折，関節リウマチなど.
- スパズム：足関節靱帯損傷，足関節三果骨折，距骨骨折，踵骨骨折など.

標準法（座位）  15

開始肢位

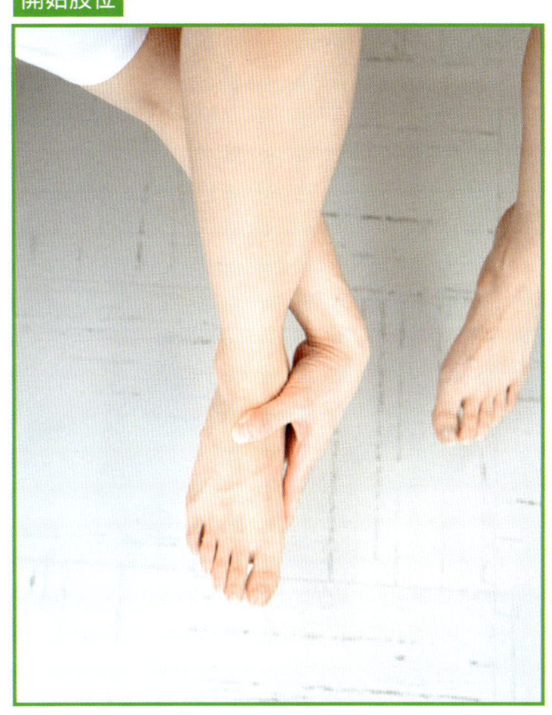

参考可動域

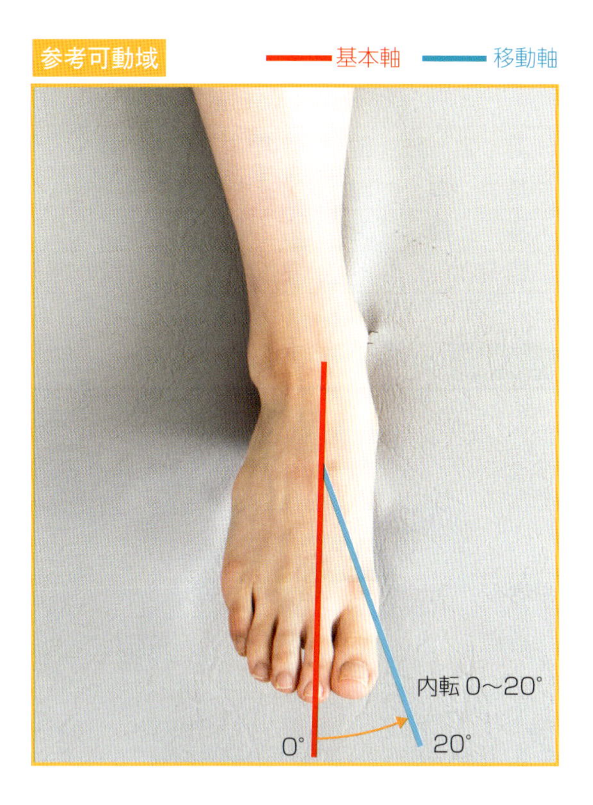

測定場面

代償運動（股関節内旋，下腿内旋）

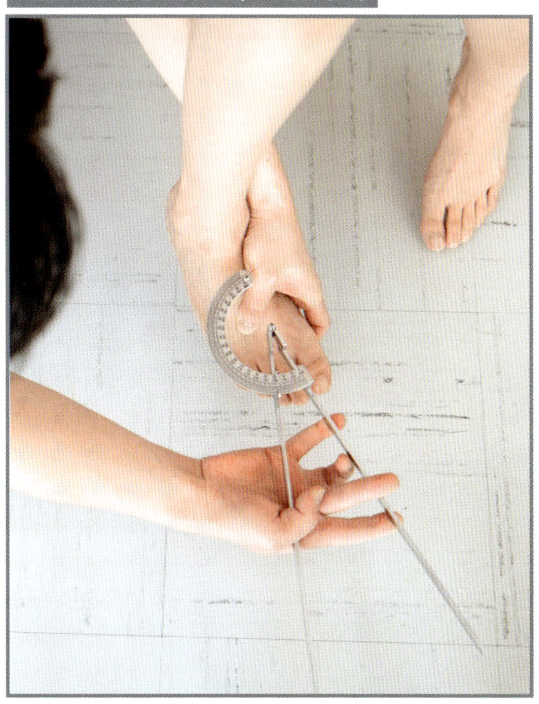

別　法

背臥位での測定法

測定肢位	背臥位
基本軸	第2中足骨長軸
移動軸	第2中足骨長軸
臨床ポイント	膝蓋骨と脛骨前縁の動きを注目することで代償運動を確認しやすくなる

開始肢位

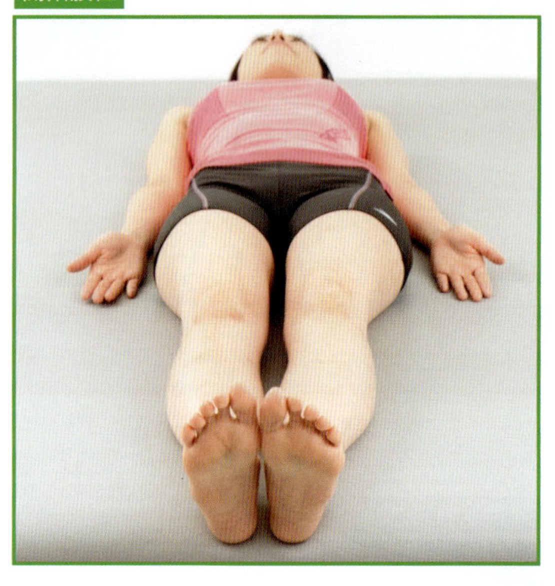

測定場面

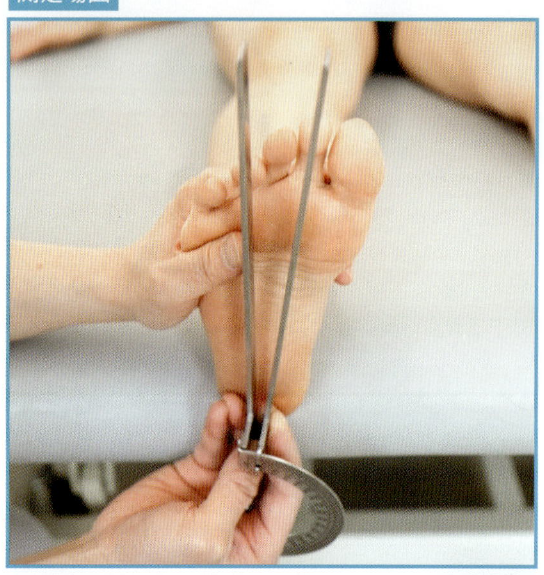

代償運動（股関節内旋，下腿内旋，足関節底屈）

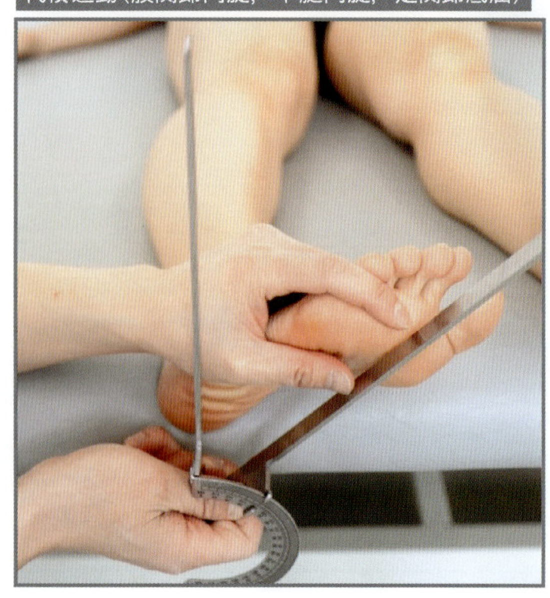

別　法

基本軸の目印として，床にペンを置くなどの工夫をすることで基本軸と移動軸が同じである問題を解決できる．股関節内旋，下腿内旋，足関節底屈・背屈の代償運動に注意する．

測定場面（ペンを基本軸に見立てた測定）

16 第1中足趾節（MTP）関節屈曲

基本事項

測定肢位	背臥位または座位
基本軸	第1中足骨
移動軸	第1基節骨
参考可動域	0～35°

測定の順序

❶検者は第1 MTP 関節屈曲の自動可動域を確認する．
❷他動的に第1 MTP 関節屈曲運動を行い，痛みおよび end feel を確認する．
❸第1 MTP 関節屈曲の最終可動域にて，ゴニオメーターで他動可動域を測定する．

測定における注意点

❶第1趾節間（IP）関節は伸展位を保持し，長母趾伸筋による制限を抑制する．
❷原則として母趾と足趾の運動は，趾（指）の背側にゴニオメーターを当てるが，場合によっては腹側や側面に当ててもよい．

最終可動域での制限因子

短母趾伸筋，足趾伸筋腱．

可動域に制限を有しやすい疾患

外反母趾，関節リウマチなど．

特異的な end feel

- 結合組織性：外反母趾，関節リウマチなど．
- 骨性：外反母趾，関節リウマチなど．

標準法

16

開始肢位

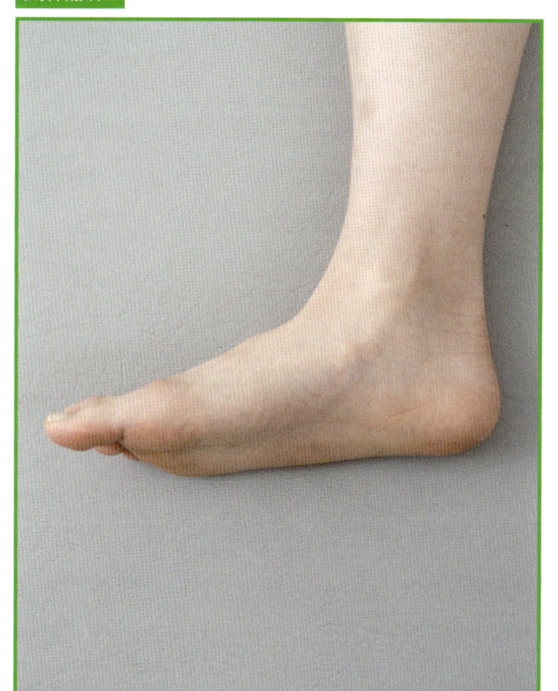

参考可動域

基本軸　移動軸

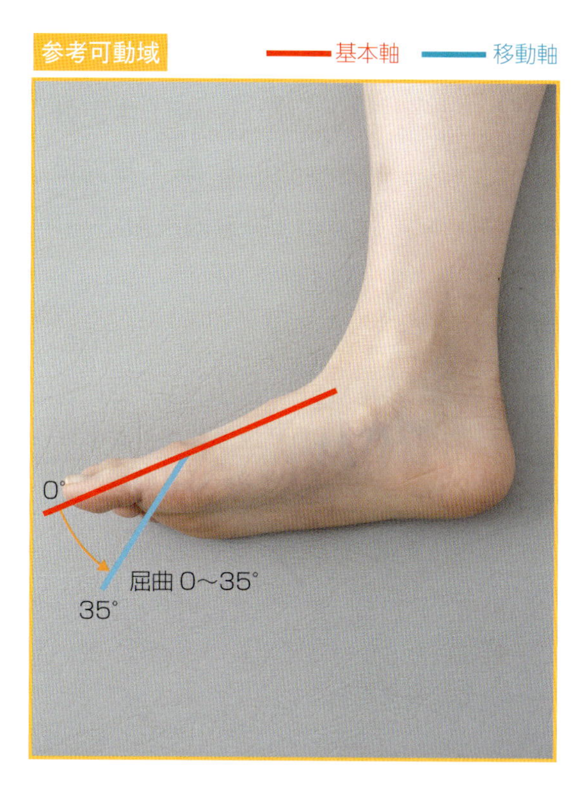

測定場面

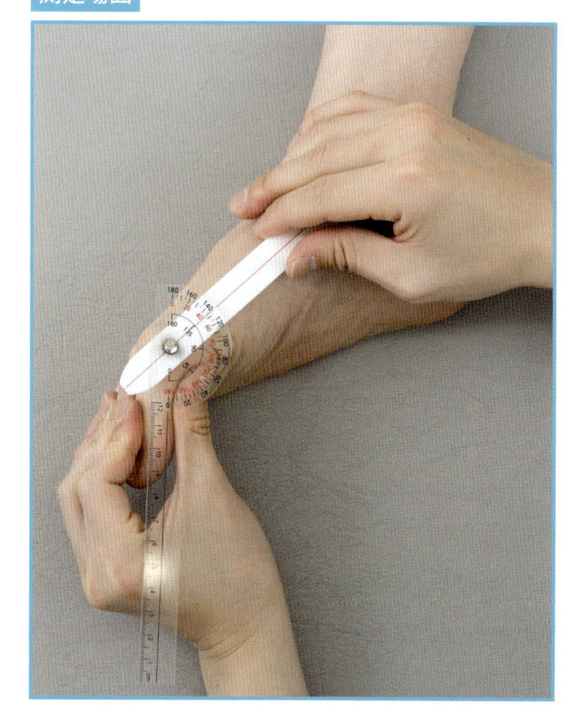

17 第1中足趾節（MTP）関節伸展

基本事項

測定肢位	背臥位または座位
基本軸	第1中足骨
移動軸	第1基節骨
参考可動域	0～60°

測定の順序

❶検者は第1 MTP 関節伸展の自動可動域を確認する.
❷他動的に第1 MTP 関節伸展運動を行い，痛みおよび end feel を確認する.
❸第1 MTP 関節伸展の最終可動域にて，ゴニオメーターで他動可動域を測定する.

測定における注意点

❶第1趾節間（IP）関節は軽度屈曲位を保持し，長母趾屈筋による制限を抑制する.
❷原則として母趾と足趾の運動は，趾（指）の背側にゴニオメーターを当てるが，場合によっては腹側や側面に当ててもよい.

最終可動域での制限因子

短母趾屈筋，足趾屈筋腱，足底靱帯.

可動域に制限を有しやすい疾患

外反母趾，関節リウマチ，片麻痺など.

特異的な end feel

- 結合組織性：外反母趾，関節リウマチ，片麻痺など.
- 骨性：外反母趾，関節リウマチなど.

標準法

開始肢位

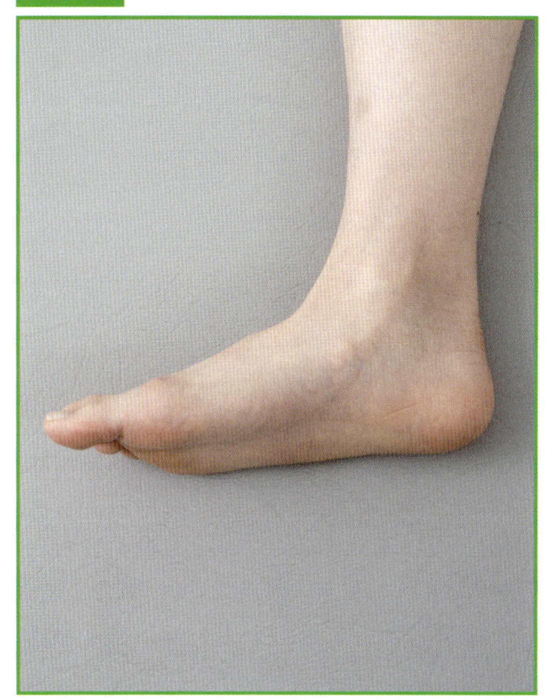

参考可動域

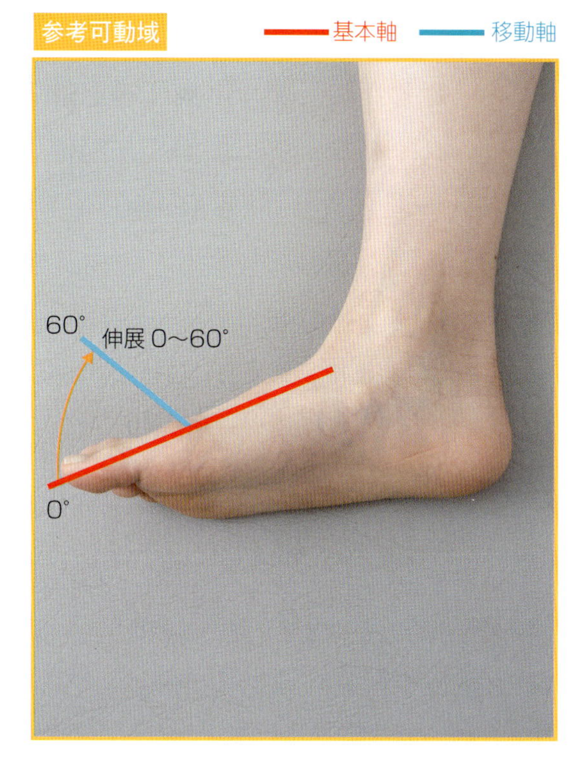

測定場面

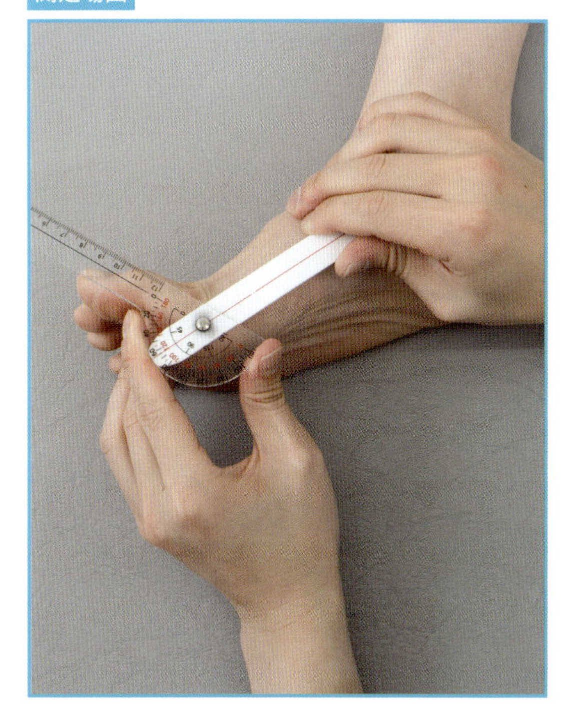

18 第1趾節間（IP）関節屈曲

基本事項

測定肢位	背臥位または座位
基本軸	第1基節骨
移動軸	第1末節骨
参考可動域	0～60°

測定の順序

❶検者は第1 IP関節屈曲の自動可動域を確認する.
❷他動的に第1 IP関節屈曲運動を行い，痛みおよびend feelを確認する.
❸第1 IP関節屈曲の最終可動域にて，ゴニオメーターで他動可動域を測定する.

測定における注意点

❶第1中足趾節（MTP）関節は軽度伸展位を保持し，長母趾伸筋による制限を抑制する.
❷原則として母趾と足趾の運動は，趾（指）の背側にゴニオメーターを当てるが，場合によっては腹側や側面に当ててもよい.

最終可動域での制限因子

短母趾伸筋，足趾伸筋腱.

可動域に制限を有しやすい疾患

外反母趾，関節リウマチなど.

特異的なend feel

- 結合組織性：外反母趾，関節リウマチなど.
- 骨性：外反母趾，関節リウマチなど.

標準法

開始肢位

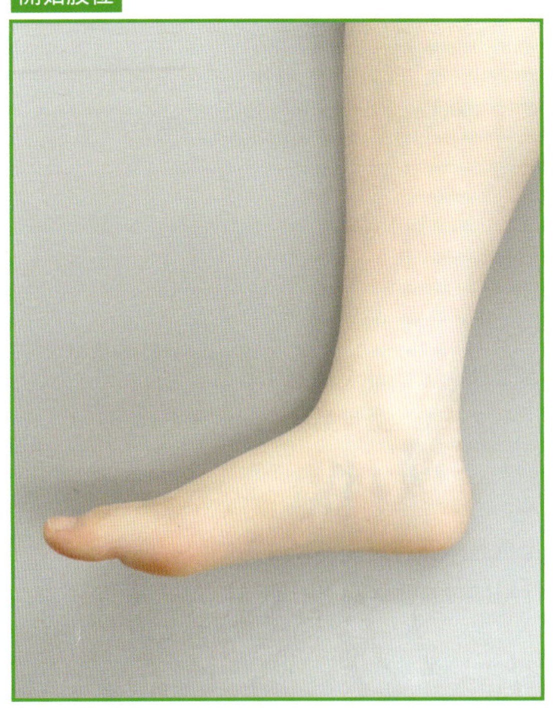

参考可動域

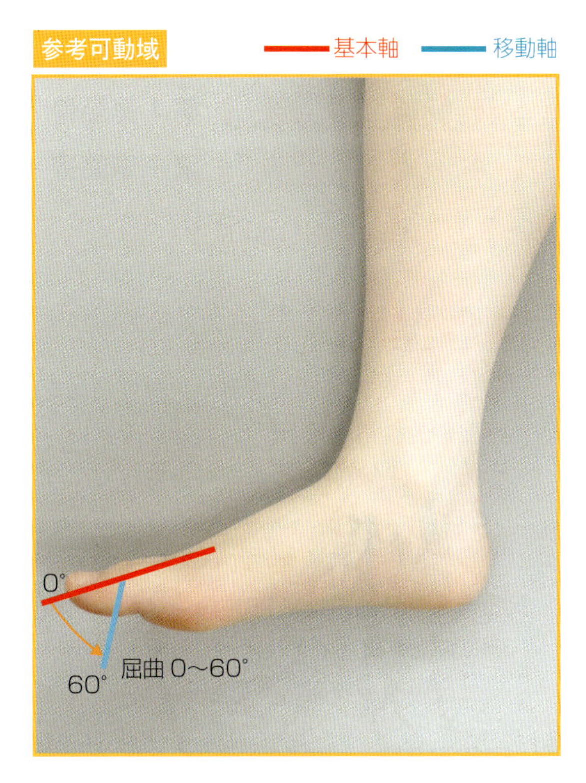

測定場面

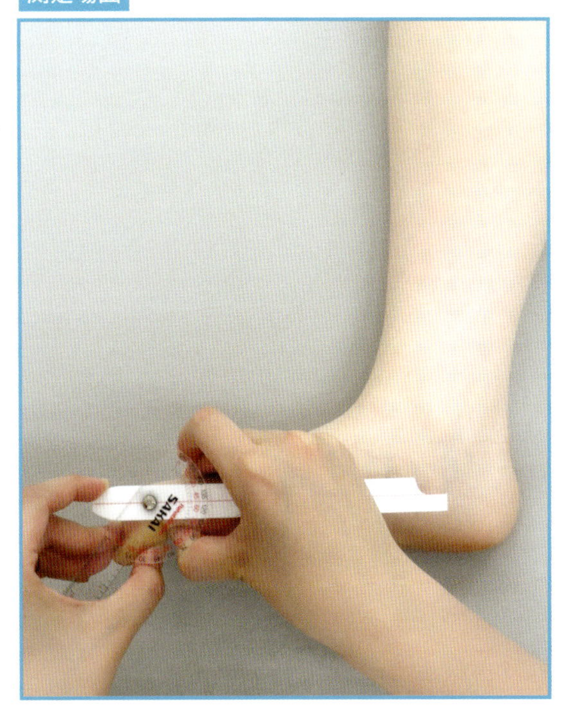

19 第 1 趾節間（IP）関節伸展

基本事項

測定肢位	背臥位または座位
基本軸	第 1 基節骨
移動軸	第 1 末節骨
参考可動域	0°

測定の順序

❶検者は第 1 IP 関節伸展の自動可動域を確認する.
❷他動的に第 1 IP 関節伸展運動を行い，痛みおよび end feel を確認する.
❸第 1 IP 関節伸展の最終可動域にて，ゴニオメーターで他動可動域を測定する.

測定における注意点

❶第 1 中足趾節（MTP）関節は軽度屈曲位を保持し，長母趾屈筋による制限を抑制する.
❷原則として母趾と足趾の運動は，趾（指）の背側にゴニオメーターを当てるが，場合によっては腹側や側面に当ててもよい.

最終可動域での制限因子

短母趾屈筋，足趾屈筋腱，足底靱帯.

可動域に制限を有しやすい疾患

外反母趾，関節リウマチ，片麻痺など.

特異的な end feel

- 結合組織性：外反母趾，関節リウマチ，片麻痺など.
- 骨性：外反母趾，関節リウマチなど.

標準法

開始肢位

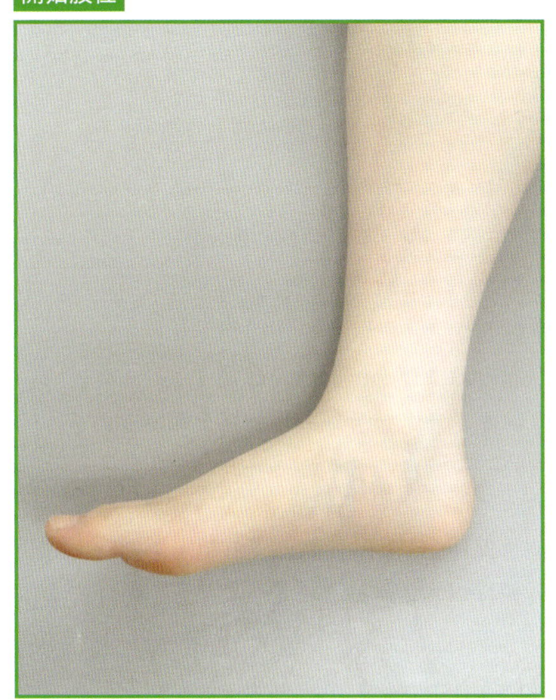

参考可動域

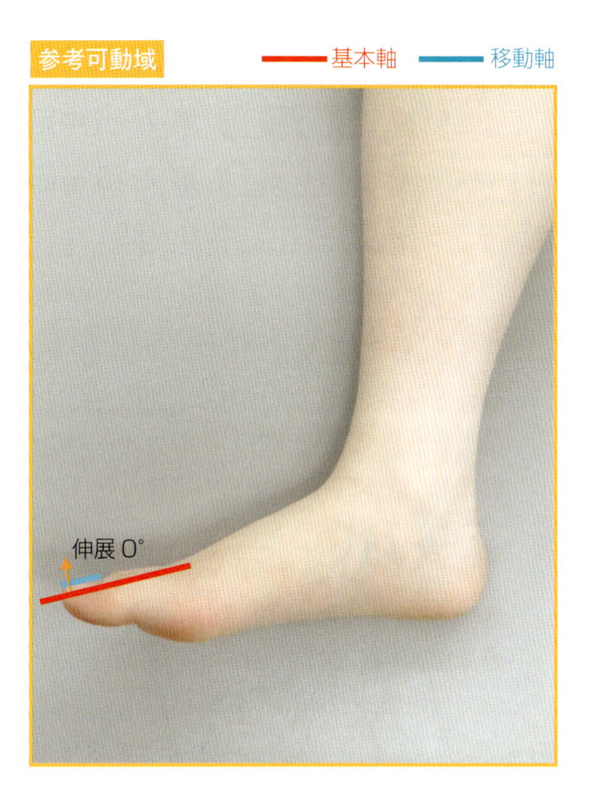

測定場面

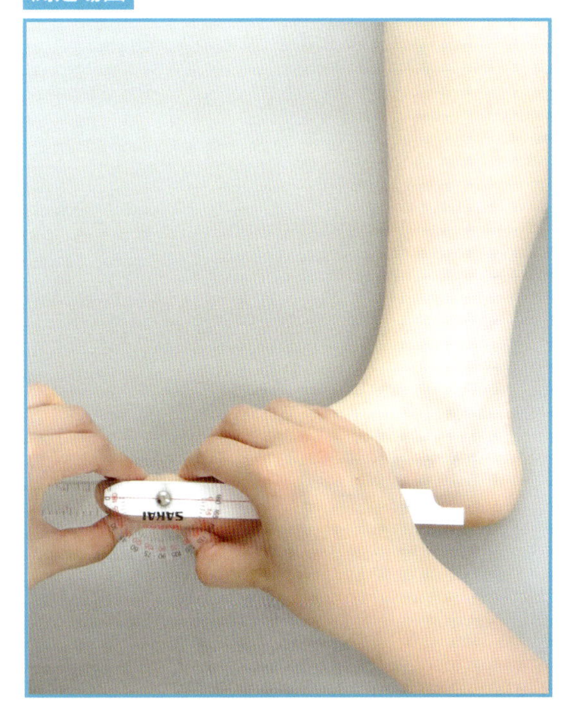

20 第2〜5中足趾節（MTP）関節屈曲

基本事項

測定肢位	背臥位または座位
基本軸	第2〜5中足骨
移動軸	第2〜5基節骨
参考可動域	0〜35°

測定の順序

❶検者は第2〜5 MTP関節屈曲の自動可動域を確認する.
❷他動的に第2〜5 MTP関節屈曲運動を行い，痛みおよびend feelを確認する.
❸第2〜5 MTP関節屈曲の最終可動域にて，ゴニオメーターで他動可動域を測定する.

測定における注意点

❶第2〜5趾節間（PIP，DIP）関節は軽度伸展位を保持し，長趾伸筋による制限を抑制する.
❷原則として母趾と足趾の運動は，趾（指）の背側にゴニオメーターを当てるが，場合によっては腹側や側面に当ててもよい.

最終可動域での制限因子

短趾伸筋，虫様筋，骨間筋，足趾伸筋腱，長趾伸筋.

可動域に制限を有しやすい疾患

関節リウマチなど.

特異的なend feel

- 結合組織性：関節リウマチなど.
- 骨性：関節リウマチなど.

標準法

開始肢位

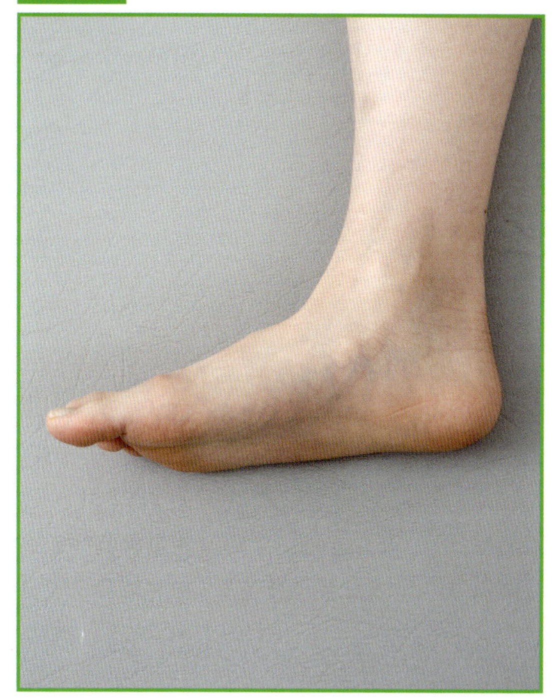

参考可動域

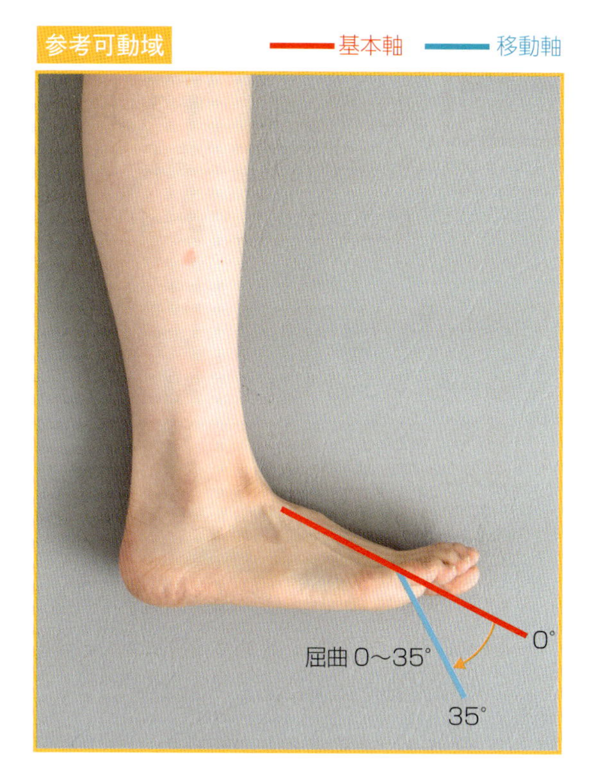

測定場面

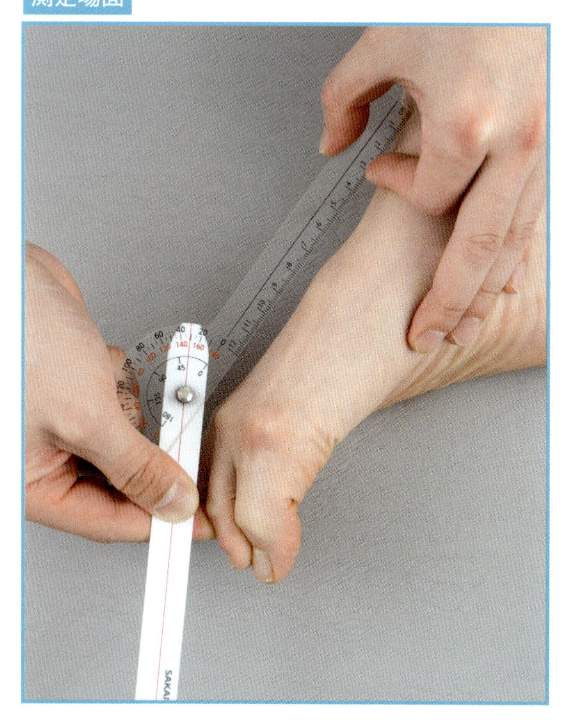

21 第 2～5 中足趾節（MTP）関節伸展

基本事項

測定肢位	背臥位または座位
基本軸	第 2～5 中足骨
移動軸	第 2～5 基節骨
参考可動域	0～40°

測定の順序

❶検者は第 2～5 MTP 関節伸展の自動可動域を確認する．
❷他動的に第 2～5 MTP 関節伸展運動を行い，痛みおよび end feel を確認する．
❸第 2～5 MTP 関節伸展の最終可動域にて，ゴニオメーターで他動可動域を測定する．

測定における注意点

❶第 2～5 趾節間（PIP，DIP）関節は軽度屈曲位を保持し，長趾屈筋による制限を抑制する．
❷原則として母趾と足趾の運動は，趾（指）の背側にゴニオメーターを当てるが，場合によっては腹側や側面に当ててもよい．

最終可動域での制限因子

足趾屈筋群．

可動域に制限を有しやすい疾患

関節リウマチ，片麻痺など．

特異的な end feel

- 結合組織性：関節リウマチ，片麻痺など．
- 骨性：関節リウマチなど．

標準法

開始肢位

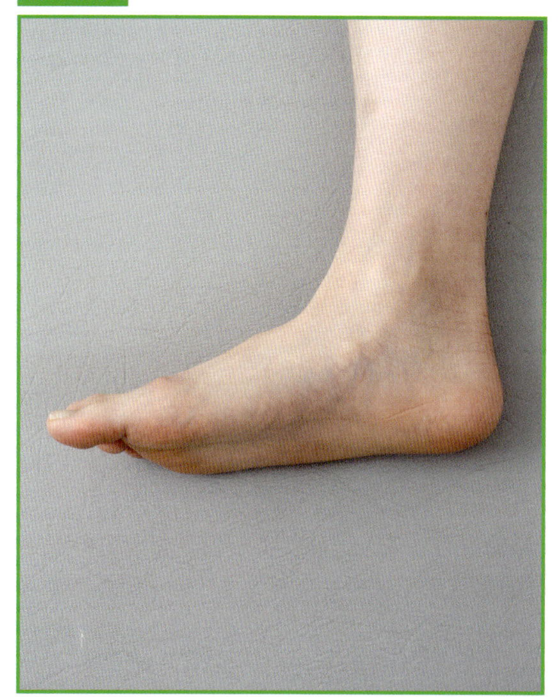

参考可動域

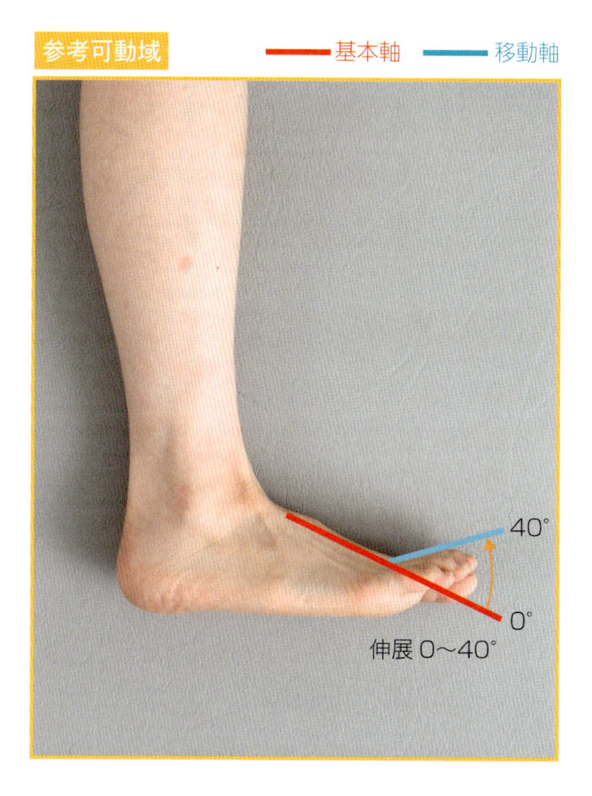

測定場面

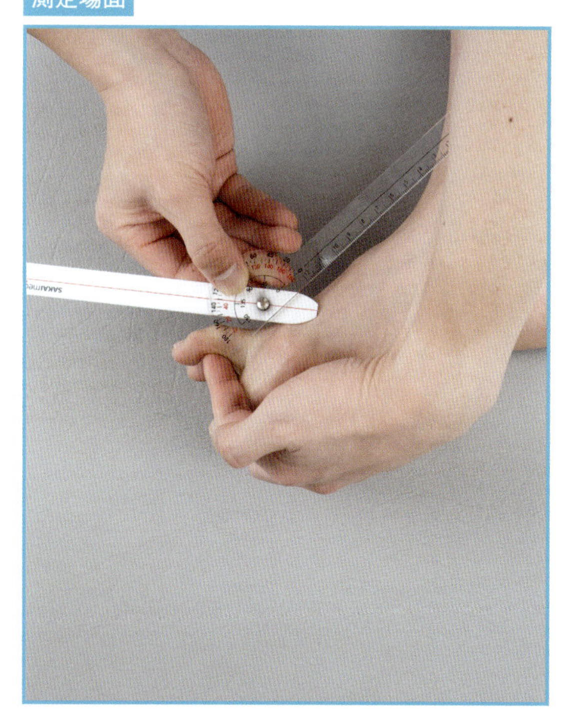

22 第2～5趾節間（PIP）関節屈曲

基本事項

測定肢位	背臥位または座位
基本軸	第2～5基節骨
移動軸	第2～5中節骨
参考可動域	0～35°

測定の順序

❶検者は第2～5 PIP関節屈曲の自動可動域を確認する．
❷他動的に第2～5 PIP関節屈曲運動を行い，痛みおよびend feelを確認する．
❸第2～5 PIP関節屈曲の最終可動域にて，ゴニオメーターで他動可動域を測定する．

測定における注意点

❶第2～5中足趾節（MTP）関節は軽度伸展位を保持し，長趾伸筋による制限を抑制する．
❷原則として母趾と足趾の運動は，趾（指）の背側にゴニオメーターを当てるが，場合によっては腹側や側面に当ててもよい．

最終可動域での制限因子

短趾伸筋，虫様筋，骨間筋，足趾伸筋腱，長趾伸筋．

可動域に制限を有しやすい疾患

関節リウマチなど．

特異的なend feel

- 結合組織性：関節リウマチなど．
- 骨性：関節リウマチなど．

標準法

開始肢位

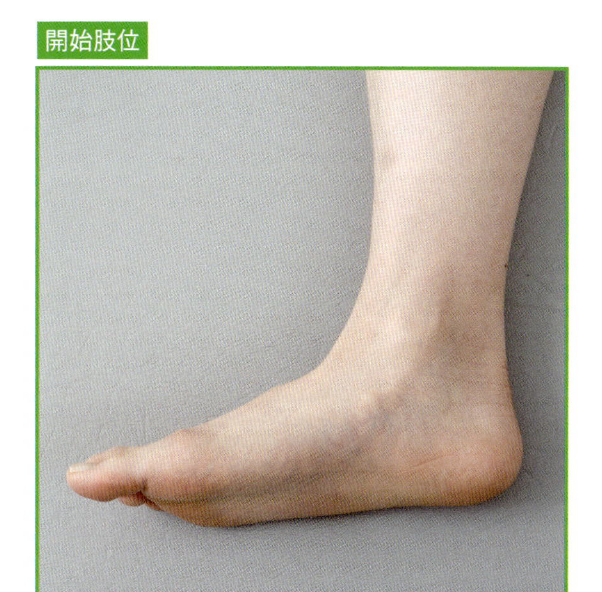

参考可動域

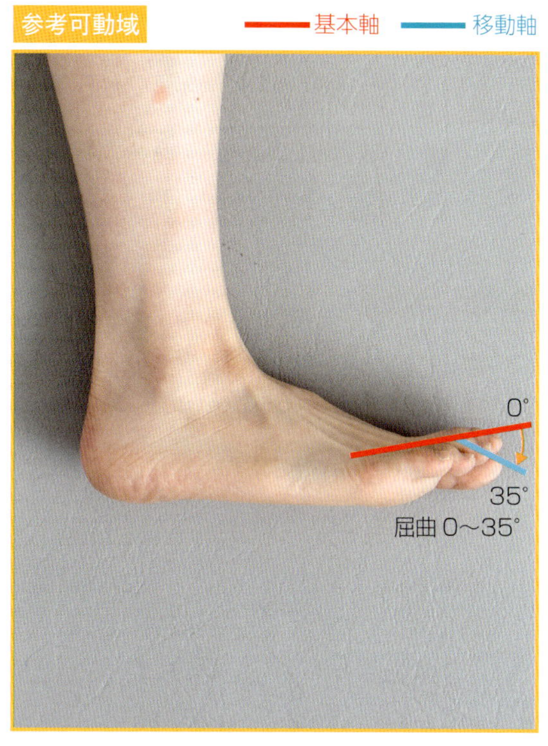

測定場面

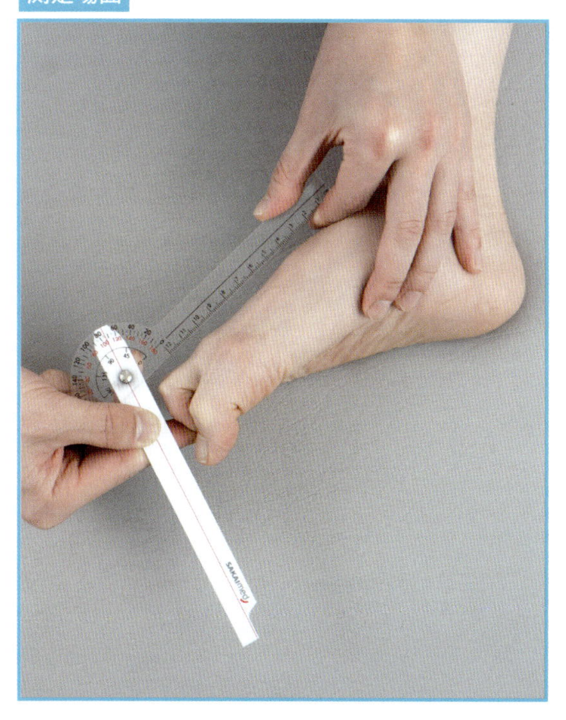

23 第2〜5趾節間（PIP）関節伸展

基本事項

測定肢位	背臥位または座位
基本軸	第2〜5基節骨
移動軸	第2〜5中節骨
参考可動域	0°

測定の順序

❶検者は第2〜5 PIP関節伸展の自動可動域を確認する.

❷他動的に第2〜5 PIP関節伸展運動を行い，痛みおよびend feelを確認する.

❸第2〜5 PIP関節伸展の最終可動域にて，ゴニオメーターで測定する.

測定における注意点

❶第2〜5中足趾節（MTP）関節は軽度屈曲位を保持し，長趾屈筋による制限を抑制する.

❷原則として母趾と足趾の運動は，趾（指）の背側にゴニオメーターを当てるが，場合によっては腹側や側面に当ててもよい.

最終可動域での制限因子

足趾屈筋群.

可動域に制限を有しやすい疾患

関節リウマチ，片麻痺など.

特異的なend feel

- 結合組織性：関節リウマチ，片麻痺など.
- 骨性：関節リウマチなど.

標準法

開始肢位

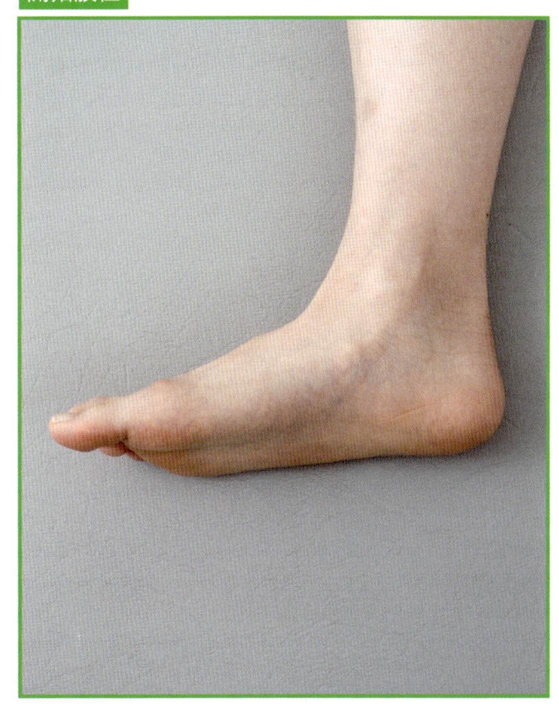

参考可動域

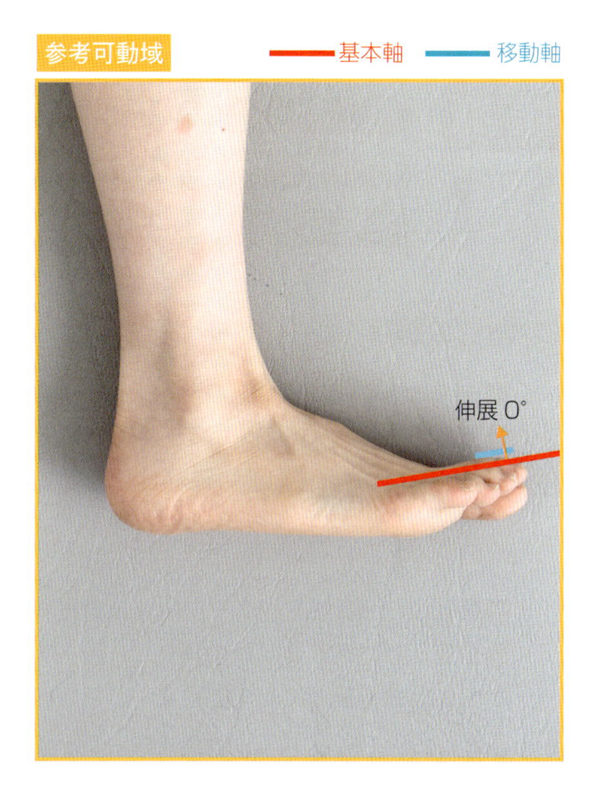

測定場面

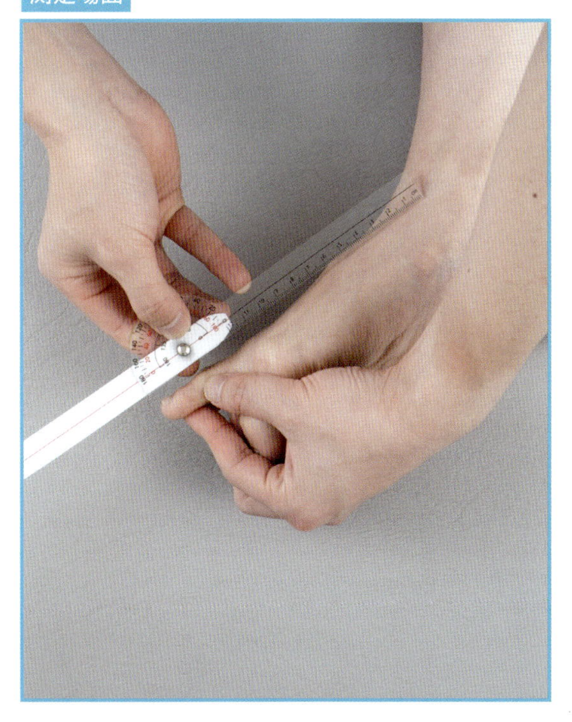

24 第2〜5趾節間（DIP）関節屈曲

基本事項

測定肢位	背臥位または座位
基本軸	第2〜5中節骨
移動軸	第2〜5末節骨
参考可動域	0〜50°

測定の順序

❶検者は第2〜5 DIP関節屈曲の自動可動域を確認する．
❷他動的に第2〜5 DIP関節屈曲運動を行い，痛みおよびend feelを確認する．
❸第2〜5 DIP関節屈曲の最終可動域にて，ゴニオメーターで他動可動域を測定する．

測定における注意点

❶第2〜5中足趾節（MTP）関節は軽度伸展位を保持し，長趾伸筋による制限を抑制する．
❷原則として母趾と足趾の運動は，趾（指）の背側にゴニオメーターを当てるが，場合によっては腹側や側面に当ててもよい．

最終可動域での制限因子

短趾伸筋，虫様筋，骨間筋，足趾伸筋腱，長趾伸筋．

可動域に制限を有しやすい疾患

関節リウマチなど．

特異的なend feel

- 結合組織性：関節リウマチなど．
- 骨性：関節リウマチなど．

標準法

開始肢位

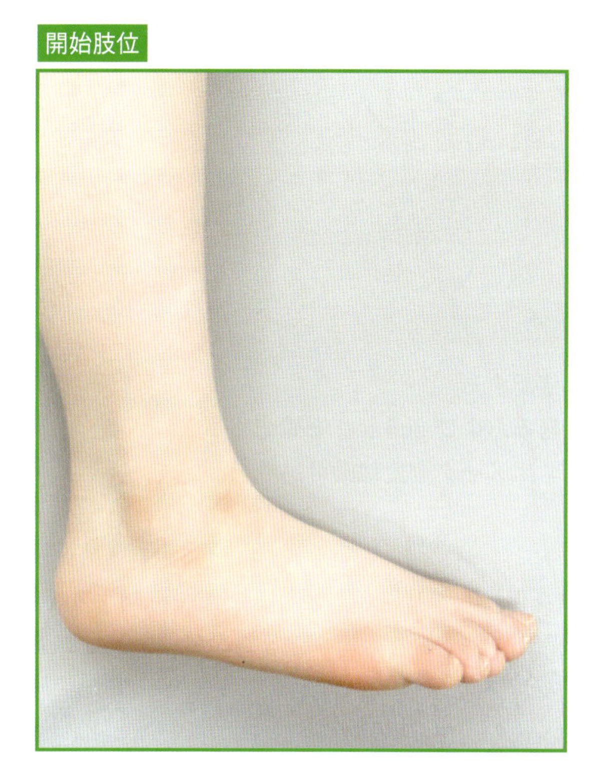

参考可動域

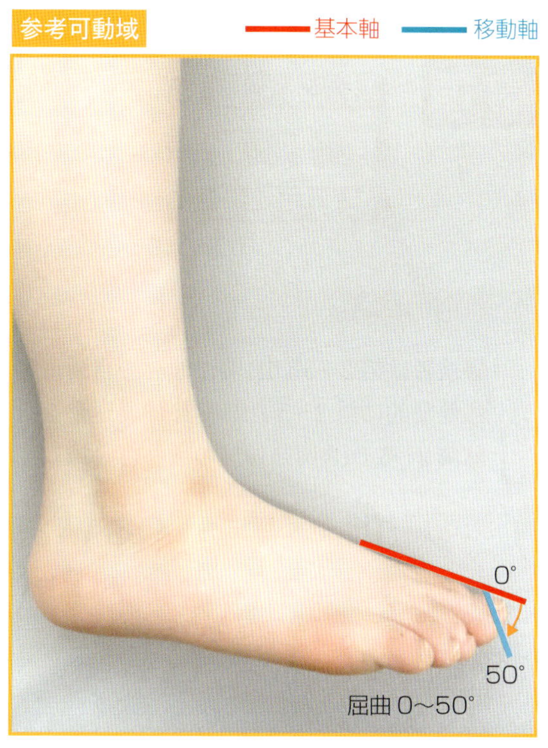

測定場面

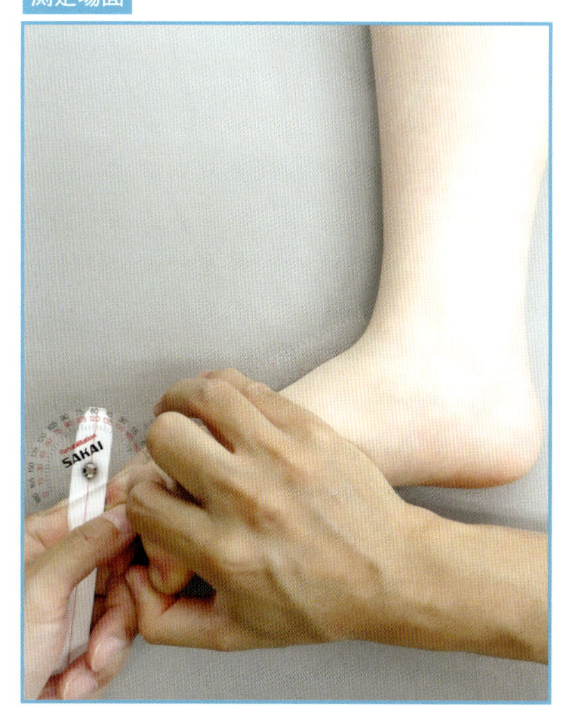

25 第 2～5 趾節間（DIP）関節伸展

基本事項

測定肢位	背臥位または座位
基本軸	第 2～5 中節骨
移動軸	第 2～5 末節骨
参考可動域	0°

測定の順序

❶検者は第 2～5 DIP 関節伸展の自動可動域を確認する．
❷他動的に第 2～5 DIP 関節伸展運動を行い，痛みおよび end feel を確認する．
❸第 2～5 DIP 関節伸展の最終可動域にて，ゴニオメーターで他動可動域を測定する．

測定における注意点

❶第 2～5 中足趾節（MTP）関節は軽度屈曲位を保持し，長趾屈筋による制限を抑制する．
❷原則として母趾と足趾の運動は，趾（指）の背側にゴニオメーターを当てるが，場合によっては腹側や側面に当ててもよい．

最終可動域での制限因子

足趾屈筋群．

可動域に制限を有しやすい疾患

関節リウマチ，片麻痺など．

特異的な end feel

- 結合組織性：関節リウマチ，片麻痺など．
- 骨性：関節リウマチなど．

標準法

開始肢位

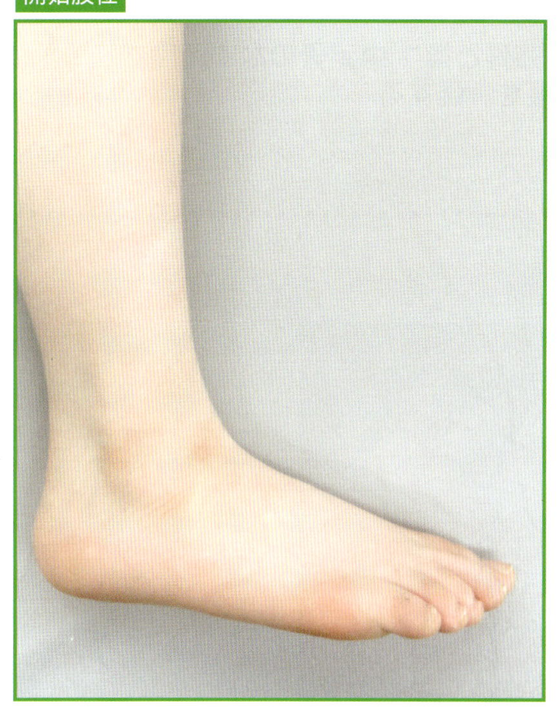

参考可動域

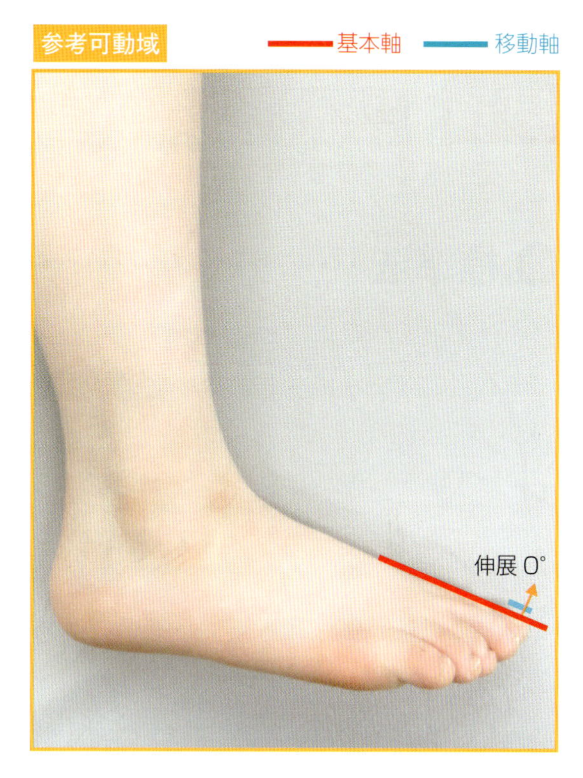

測定場面

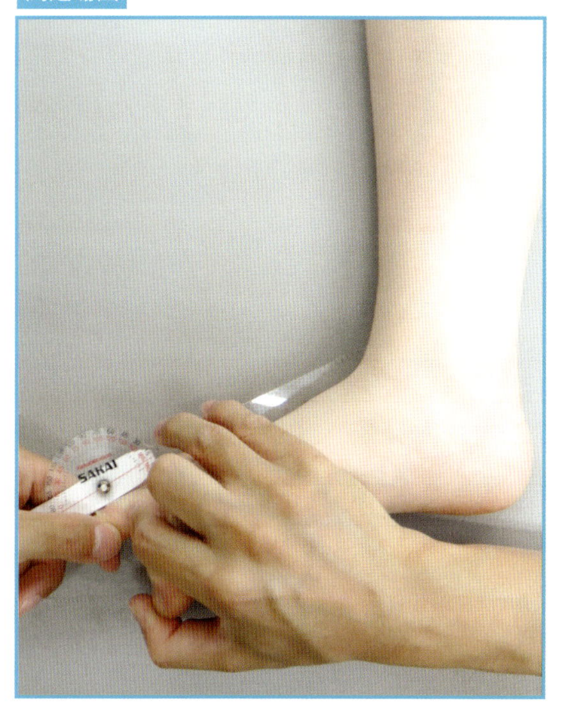

26 外反母趾角（HVA）

基本事項

測定肢位 座位または立位

外反母趾角（HVA） 第 1 基節骨と第 1 中足骨のなす角度で，母趾の外反変形の程度を評価する

標準法

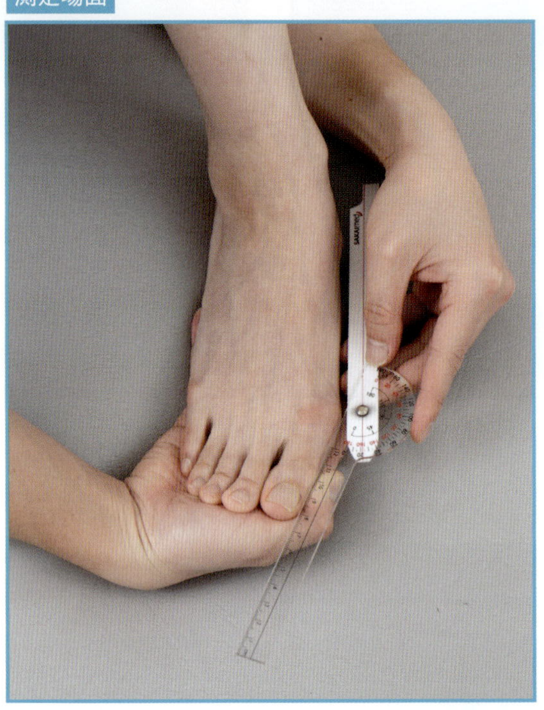

外反母趾の重症度分類

軽　　　　　度	HVA が 20～30°
中　　等　　度	HVA が 30～40°
重　　　　　度	HVA が 40° 以上
臨床ポイント	外反母趾ガイドラインでは HVA が 20° 以上で外反母趾と診断される.

27 FTA（Femoro Tibial Angle）

基本事項

測定肢位	立位
FTA	大腿骨長軸と脛骨長軸を結んだ線がなす外側の角度
正常角度	170～175°
臨床ポイント	X 線画像を用いた膝関節アライメントの評価法として最も一般的である．正常では生理的外反を呈しており，FTA が 180° を超えると内反となる

標準法

開始肢位

測定場面

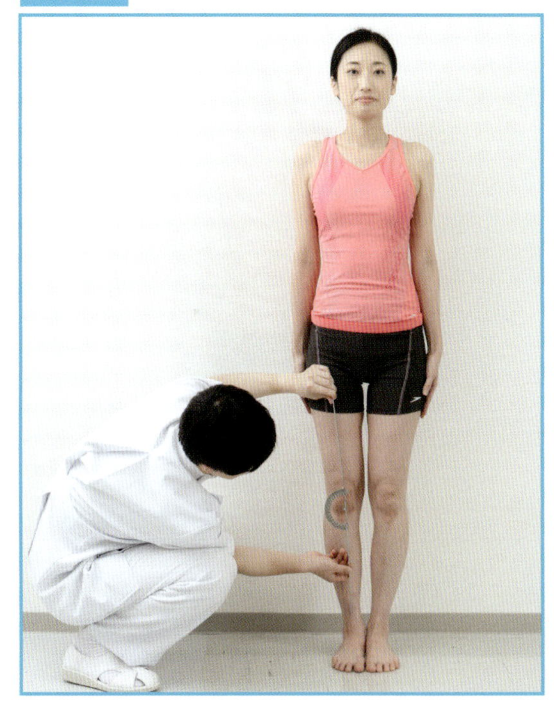

28 Q-angle（Quadriceps angle）

基本事項

測定肢位	立位
Q-angle	上前腸骨棘と膝蓋骨中央を結んだ線と膝蓋骨中央と脛骨粗面を結んだ線がなす角度
正常角度	15～20°
臨床ポイント	膝蓋骨の外側偏位や下腿外旋が増加するにつれて Q-angle も増加を示す

標準法

開始肢位

測定場面

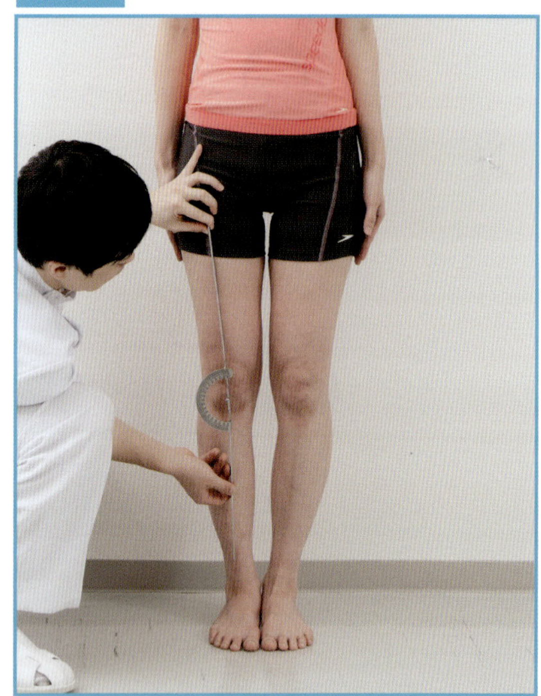

第V章

関節可動域エクササイズ

1 頚部・体幹の関節可動域エクササイズ

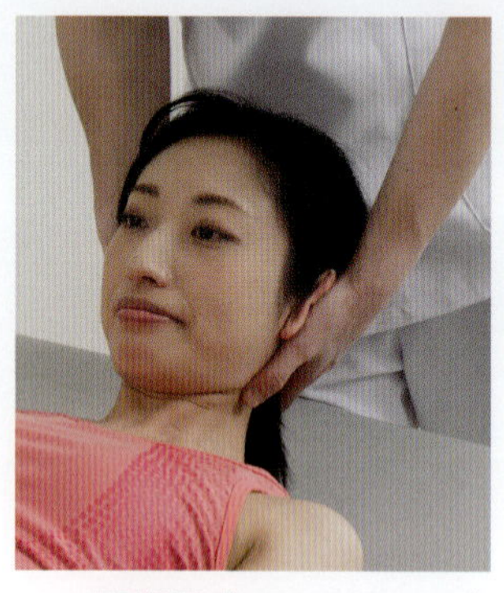

1. 頚部屈曲エクササイズ
1-1
後頭部を支持し，頚部屈曲する.

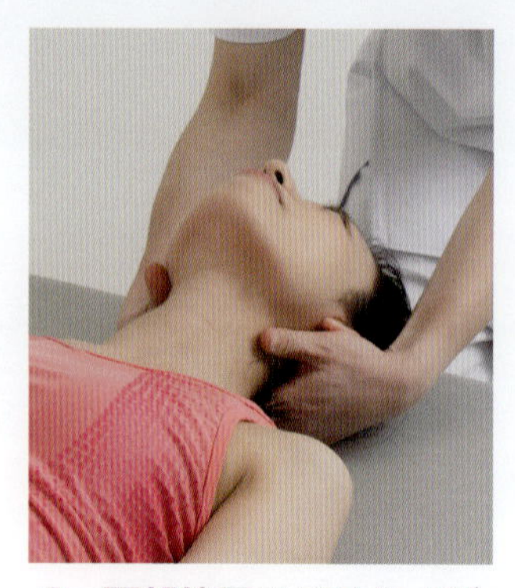

2. 頚部伸展エクササイズ
後頭部を支持し，頚部伸展する.

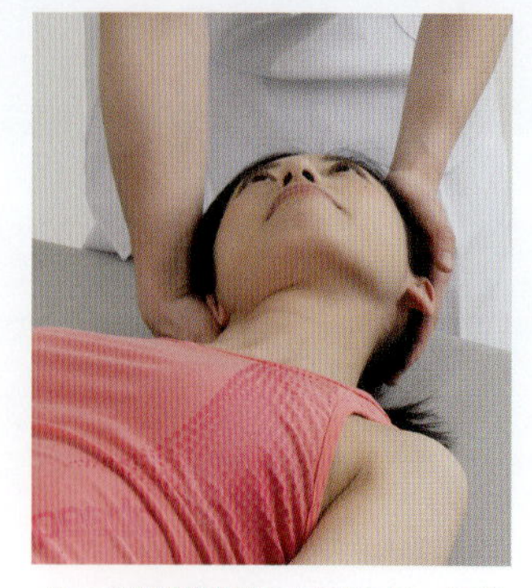

3. 頚部側屈エクササイズ
1-3
後頭部から側頭部を支持し，頚部側屈する.

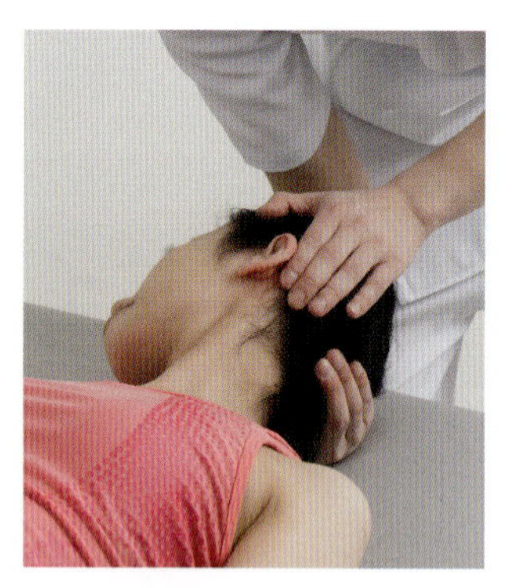

4. 頚部回旋エクササイズ
1-4
後頭部から側頭部を支持し，頚部回旋する.

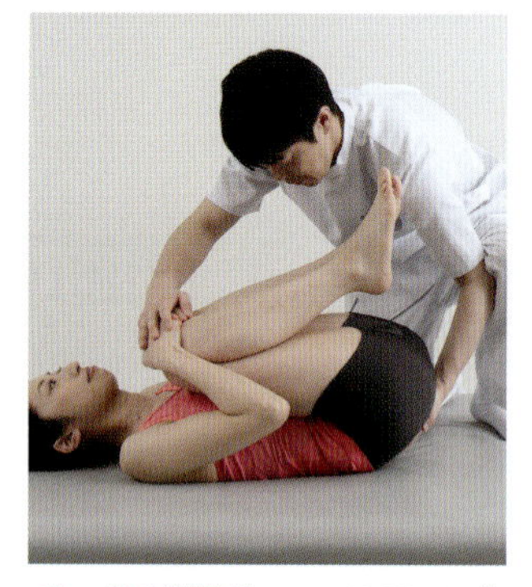

5. 体幹屈曲エクササイズ
1-5
対象者の両膝関節を屈曲，仙骨部後面を把持し，体幹屈曲する.

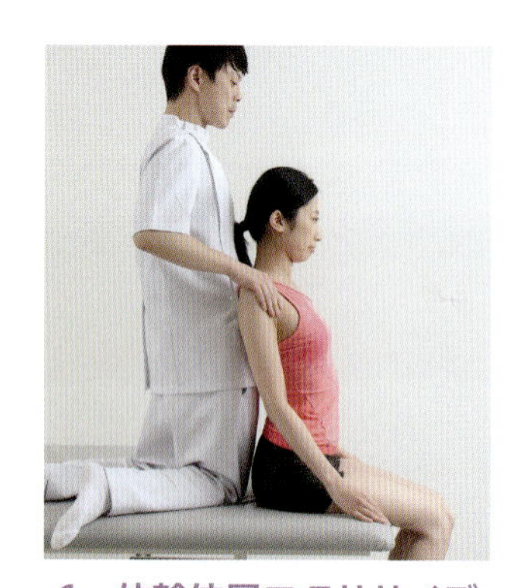

6. 体幹伸展エクササイズ
両肩関節の前面を把持し，体幹伸展する.

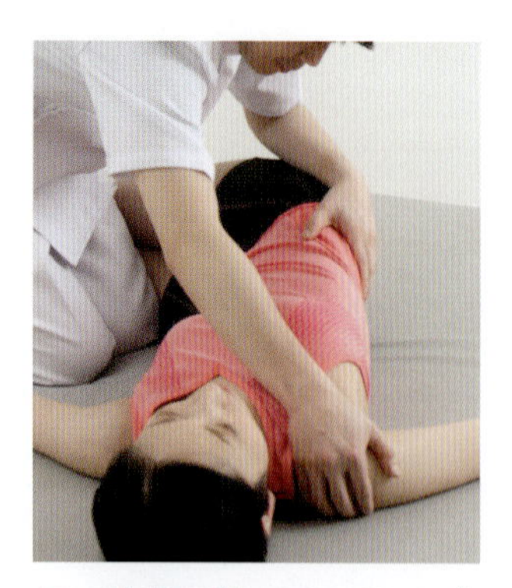

7. 体幹回旋エクササイズ
1-7
両膝を立て，非回旋側の上部体幹を固定，非回旋側の骨盤を把持し，体幹回旋する.

2　上肢の関節可動域エクササイズ

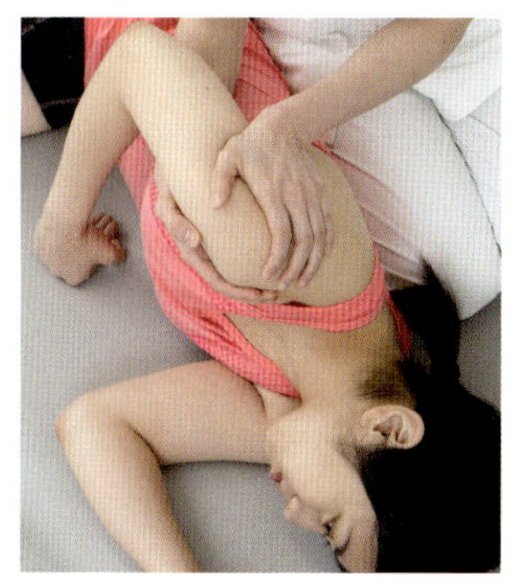

1. 肩甲帯屈曲エクササイズ 2-1

両手で肩甲帯を把持し，肩甲帯屈曲する．

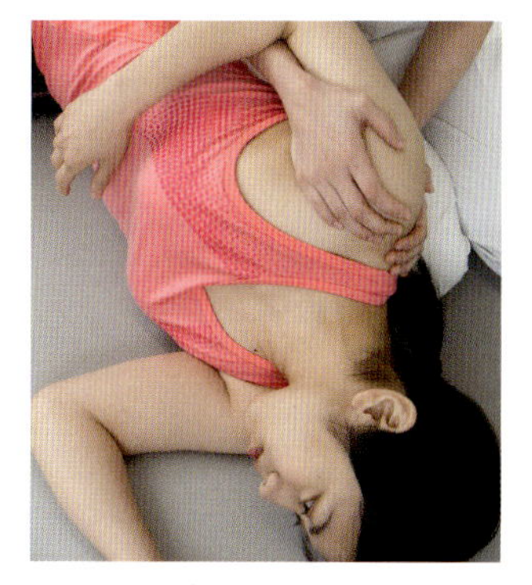

2. 肩甲帯伸展エクササイズ 2-2

両手で肩甲帯を把持し，肩甲帯伸展する．

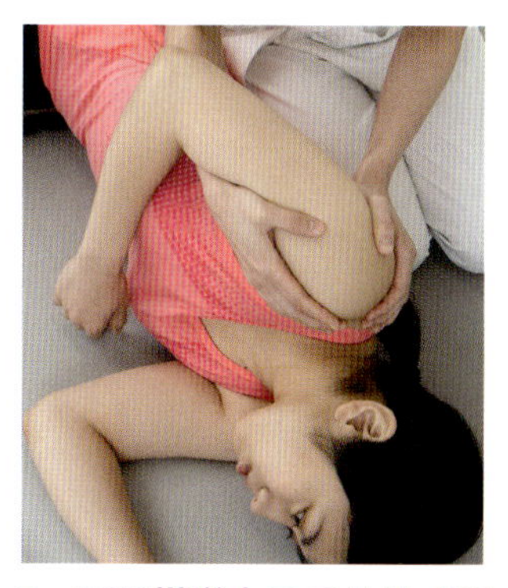

3. 肩甲帯挙上エクササイズ 2-3

両手で肩甲帯を把持し，肩甲帯挙上する．

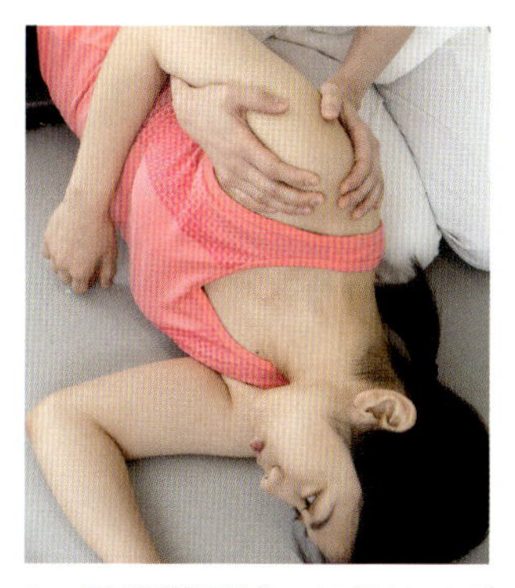

4. 肩甲帯下制エクササイズ 2-4

両手で肩甲帯を把持し，肩甲帯下制する．

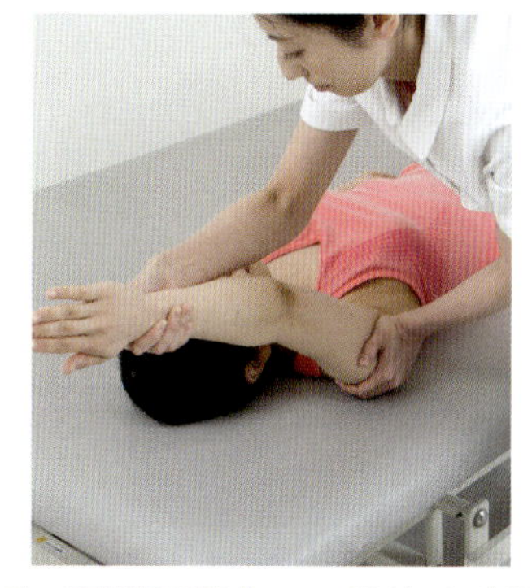

5. 肩関節屈曲エクササイズ① 2-5

肩峰と上腕骨頭の動きを確認しながら肩関節屈曲する．

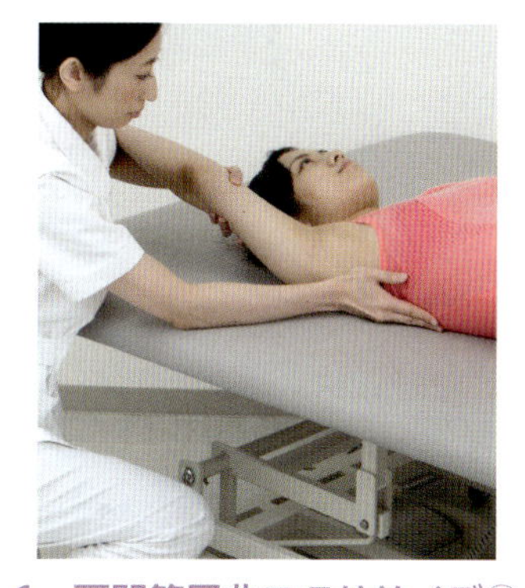

6. 肩関節屈曲エクササイズ② 2-6

肩甲骨外側縁の動きを確認しながら上腕を把持し，肩関節屈曲する．

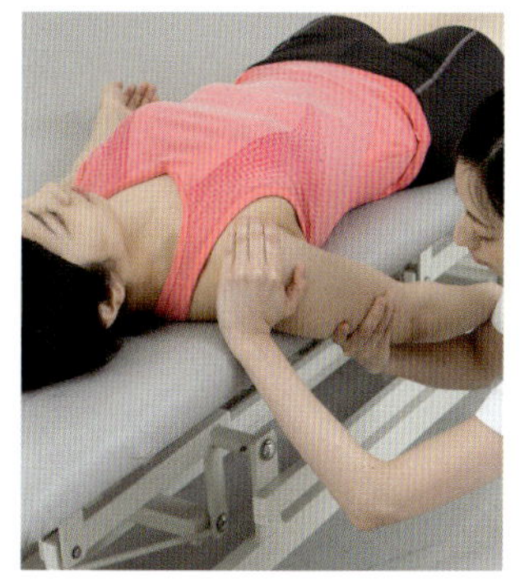

7. 肩関節伸展エクササイズ①（背臥位） 2-7

上肢をベッド端から出させ上腕を把持し，肩関節伸展する．

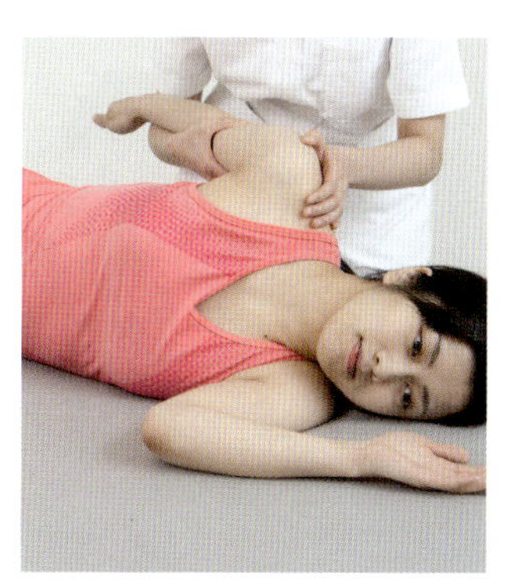

8. 肩関節伸展エクササイズ②（側臥位） 2-8

肩甲骨の動きを確認しながら肩関節伸展する．

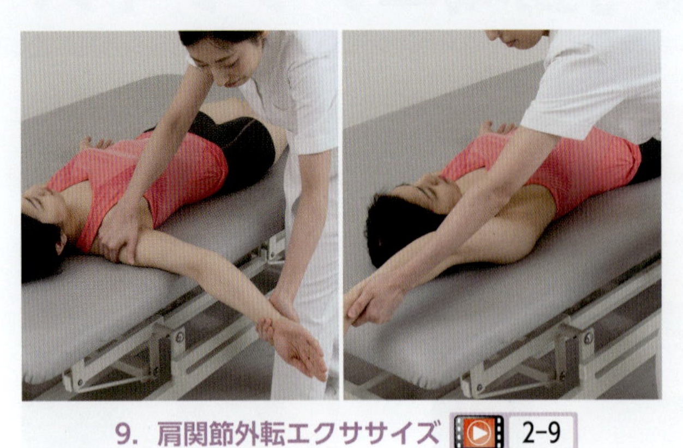

9．肩関節外転エクササイズ 2-9

肩関節 90°外転する前に肩関節を外旋させ，肩関節外転する．

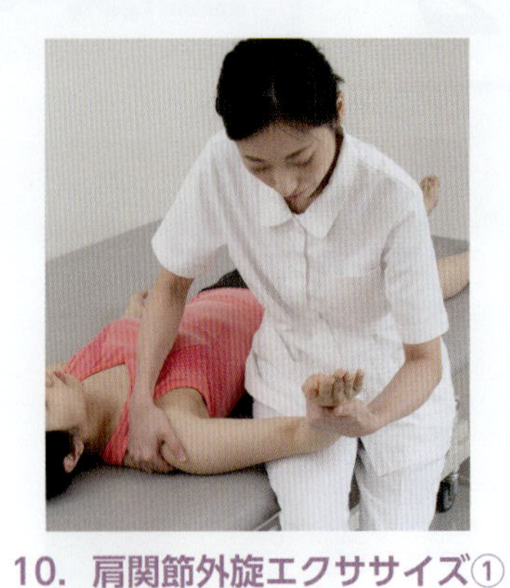

10．肩関節外旋エクササイズ① 2-10

肩関節軽度外転位，軽度水平内転位，肘関節 90°屈曲位で，肩関節外旋する．

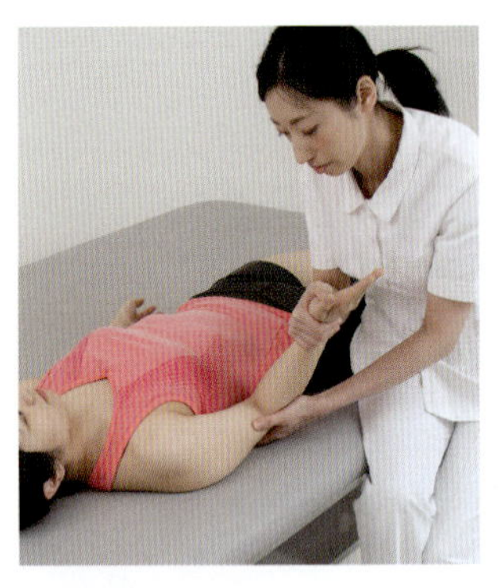

11．肩関節外旋エクササイズ②（ファーストポジション）

肩関節中間位，肘関節 90°屈曲位で，肩関節外旋する．

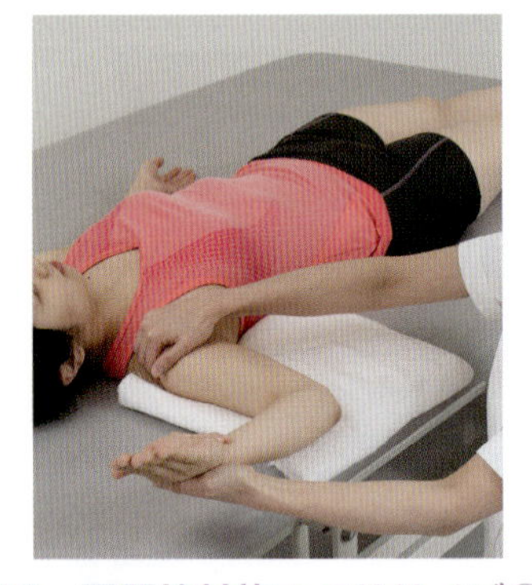

12．肩関節外旋エクササイズ③（セカンドポジション） 2-12

肩関節 90°外転位，肘関節 90°屈曲位で，肩関節外旋する．

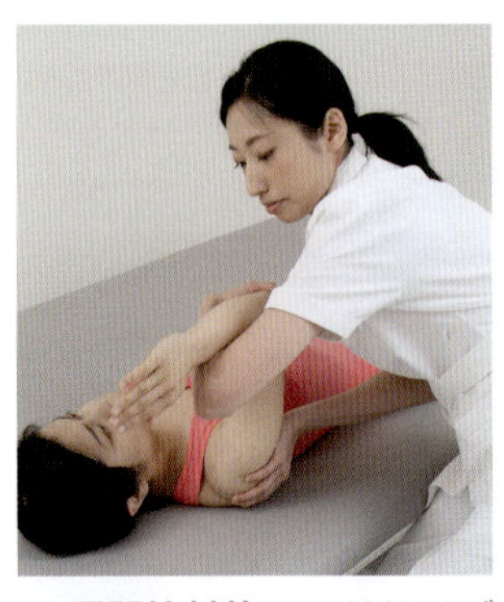

13．肩関節外旋エクササイズ④（サードポジション） 2-13

肩関節 90°屈曲位，肘関節 90°屈曲位で，肩関節外旋する．

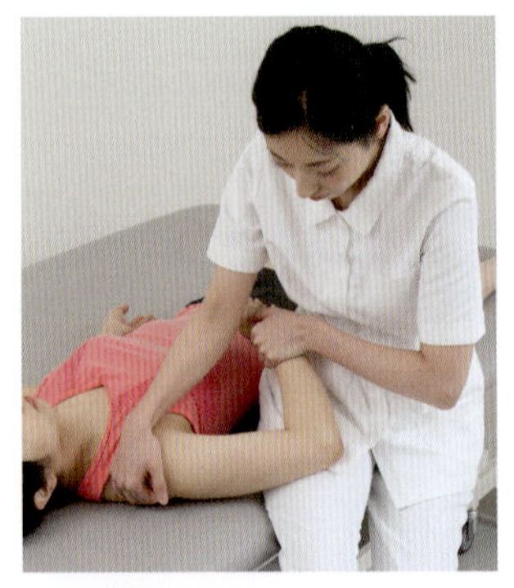

14．肩関節内旋エクササイズ① 2-14

肩関節軽度外転位，軽度水平内転位，肘関節 90°屈曲位で，肩関節内旋する．

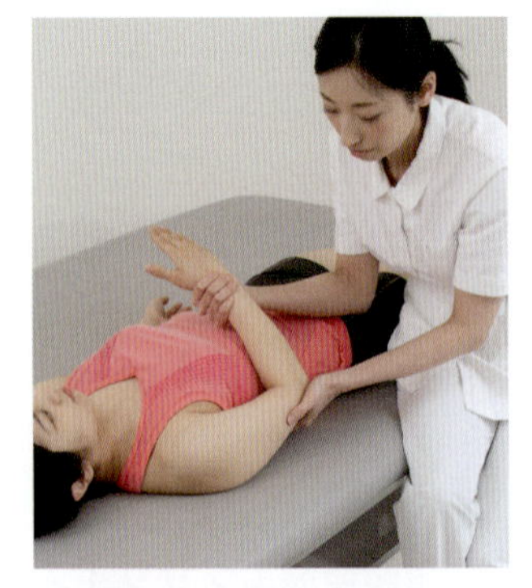

15．肩関節内旋エクササイズ②（ファーストポジション）

肩関節中間位，肘関節 90°屈曲位で，肩関節を内旋する．

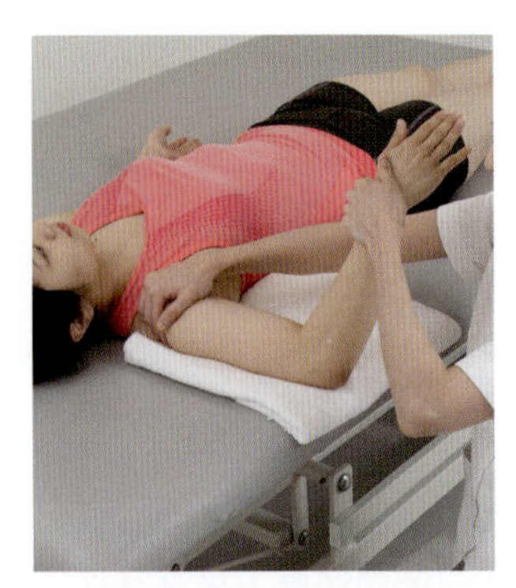

16．肩関節内旋エクササイズ③（セカンドポジション） 2-16

肩関節 90°外転位，肘関節 90°屈曲位で，肩関節内旋する．

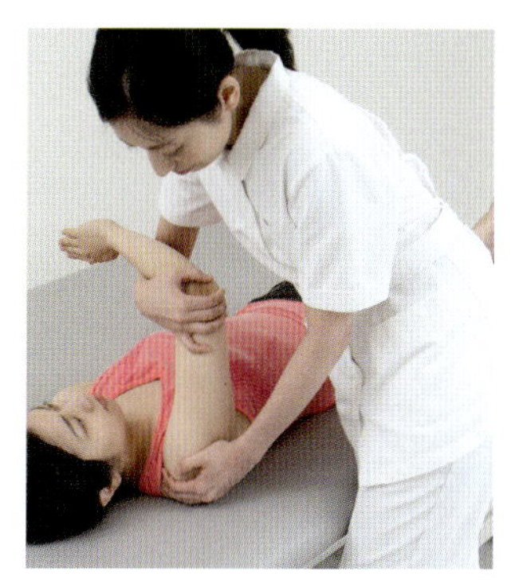

17. 肩関節内旋エクササイズ④（サードポジション） 2-17

肩関節 90°屈曲位，肘関節 90°屈曲位で肩関節内旋する．

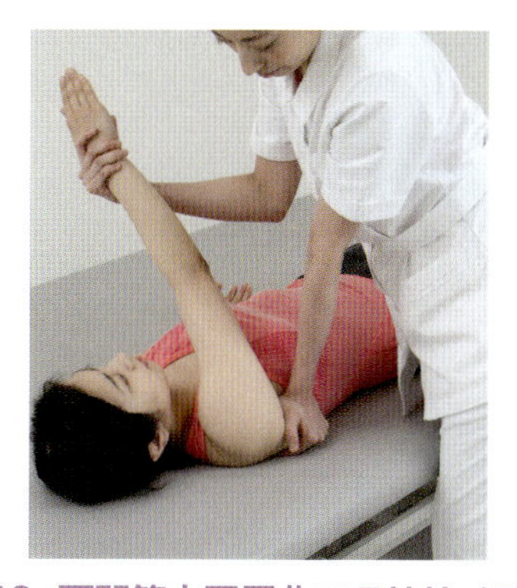

18. 肩関節水平屈曲エクササイズ 2-18

肩関節 90°外転位から肩関節水平屈曲する．肩甲骨外側縁を固定し代償運動を抑制する．

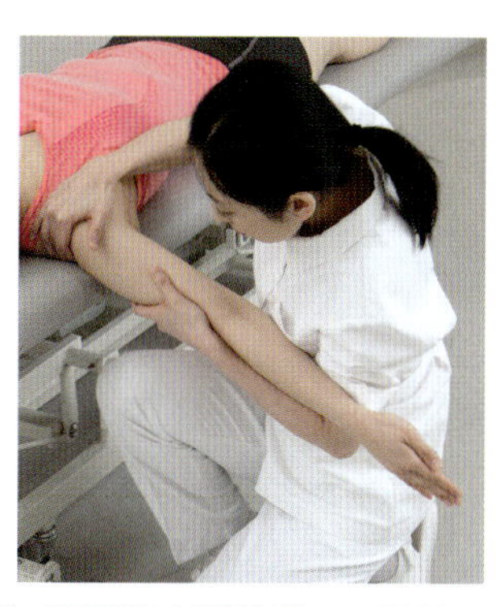

19. 肩関節水平伸展エクササイズ 2-19

肩関節 90°外転位から上腕を把持し，肩関節水平伸展する．肩甲骨を固定し代償運動を抑制する．

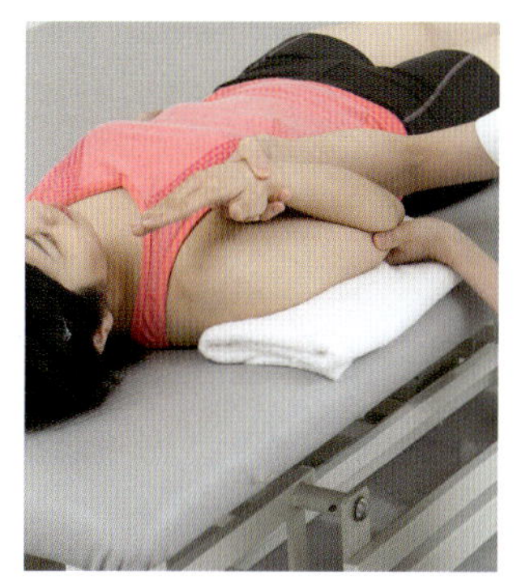

20. 肘関節屈曲エクササイズ 2-20

前腕を把持し，肘関節屈曲する．

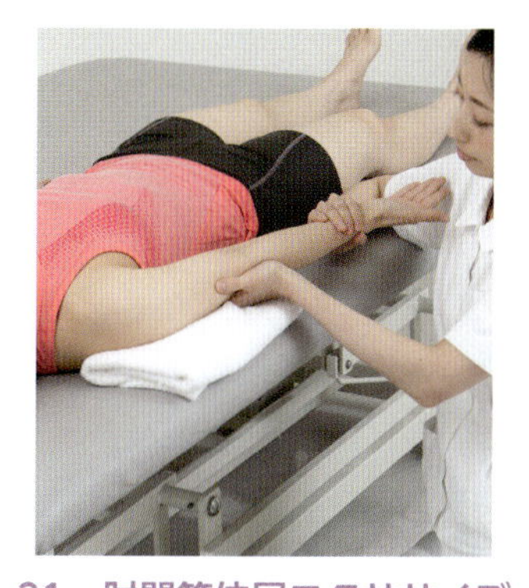

21. 肘関節伸展エクササイズ 2-21

前腕を把持し，肘関節伸展する．

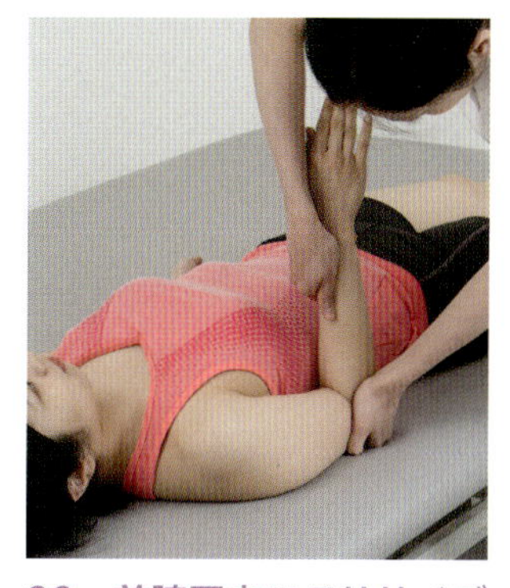

22. 前腕回内エクササイズ 2-22

肘関節 90°屈曲位で，尺骨を固定，橈骨を把持し，前腕回内する．

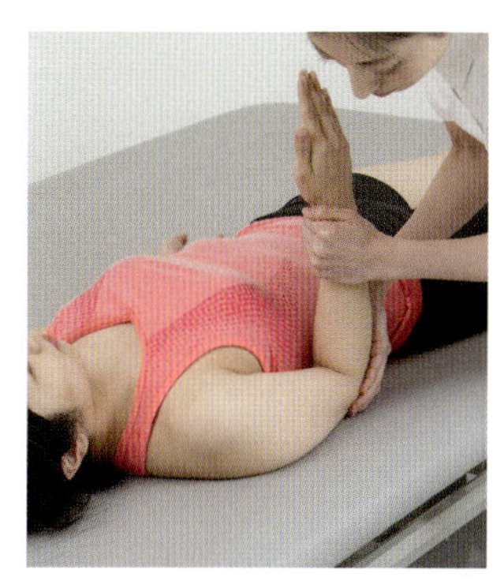

23. 前腕回外エクササイズ 2-23

肘関節 90°屈曲位で，尺骨を固定，橈骨を把持し，前腕回外する．

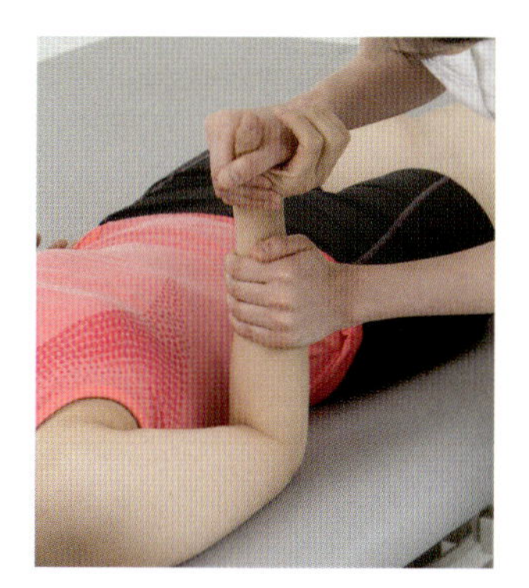

24. 手関節背屈エクササイズ 2-24

肘関節 90°屈曲位で，前腕を固定，手掌部を把持し，手関節背屈する．

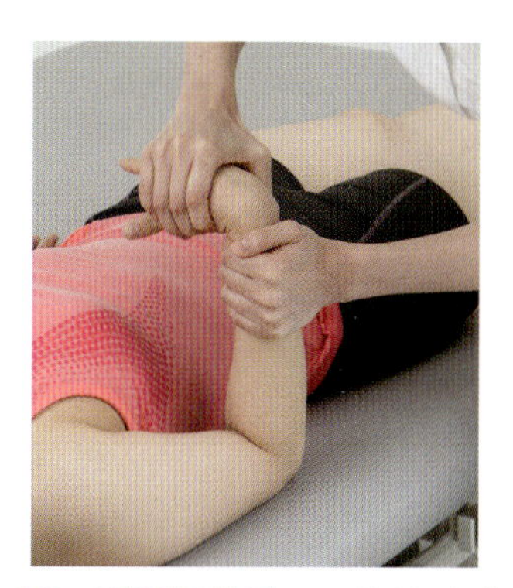

25. 手関節掌屈エクササイズ 2-25

肘関節 90°屈曲位で，前腕を固定，手背部を把持し，手関節掌屈する．

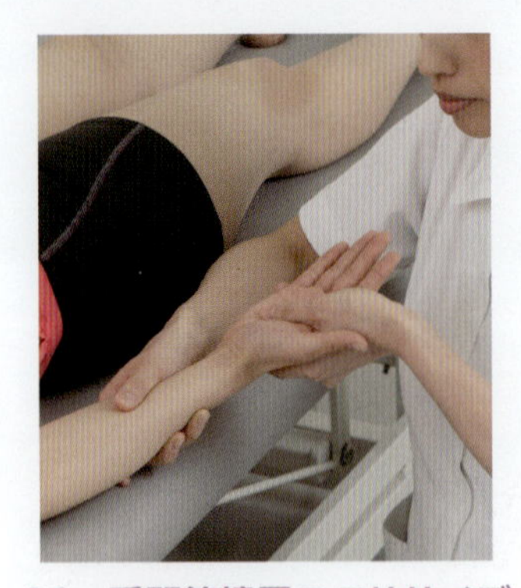

26. 手関節橈屈エクササイズ

2-26

前腕を固定，手部を把持し，手関節橈屈する．

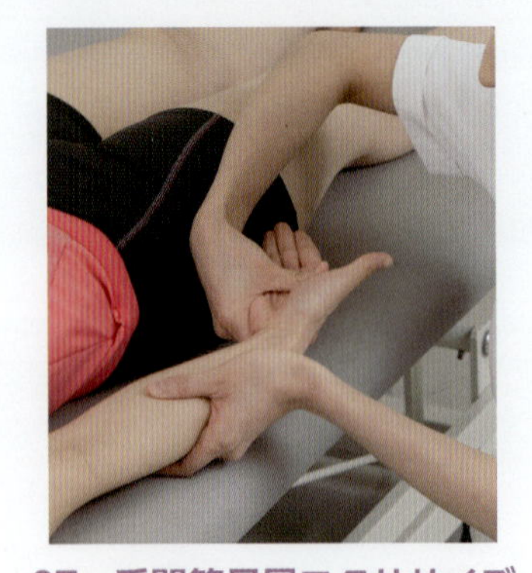

27. 手関節尺屈エクササイズ

2-27

前腕を固定，手部を把持し，手関節尺屈する．

3 下肢の関節可動域エクササイズ

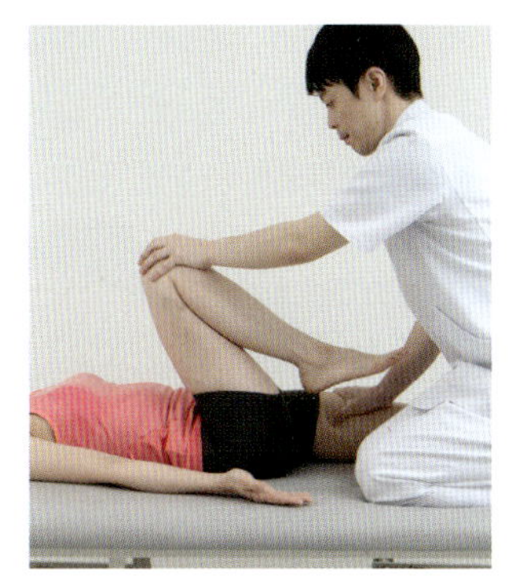

1. 股関節屈曲エクササイズ①
3-1

対側の大腿を固定，運動側の下肢を把持し，股関節屈曲する．

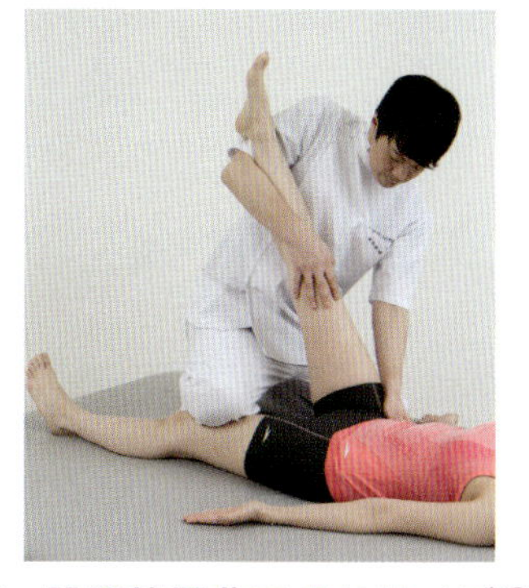

2. 股関節屈曲エクササイズ②（SLR）
3-2

大腿を把持し，膝関節伸展位のまま股関節屈曲する．骨盤を固定し代償運動を抑制する．

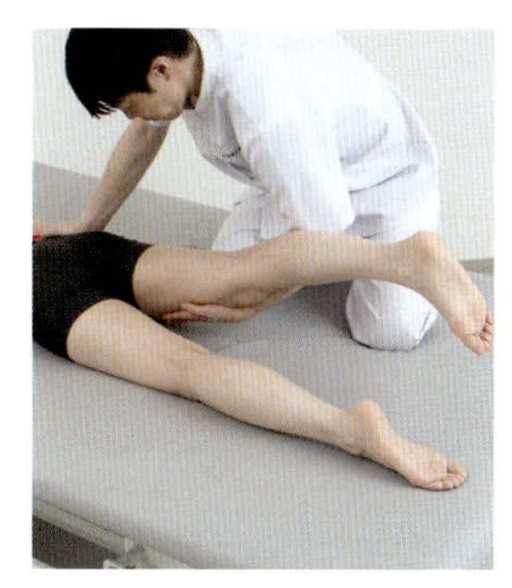

3. 膝関節伸展位での股関節伸展エクササイズ①
3-3

大腿を把持し，膝関節伸展位のまま股関節伸展する．骨盤を固定し代償運動を抑制する．

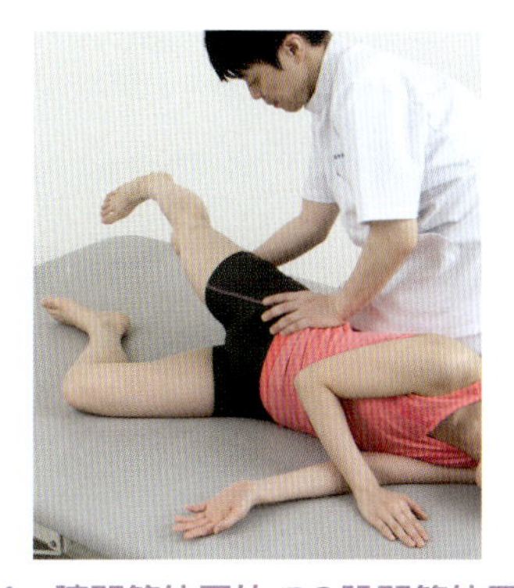

4. 膝関節伸展位での股関節伸展エクササイズ②
3-4

大腿を把持し，膝関節伸展位のまま股関節伸展する．骨盤を固定し代償運動を抑制する．

5. 膝関節屈曲位での股関節伸展エクササイズ①
3-5

大腿を把持し，膝関節屈曲位のまま股関節伸展する．骨盤を固定し代償運動を抑制する．

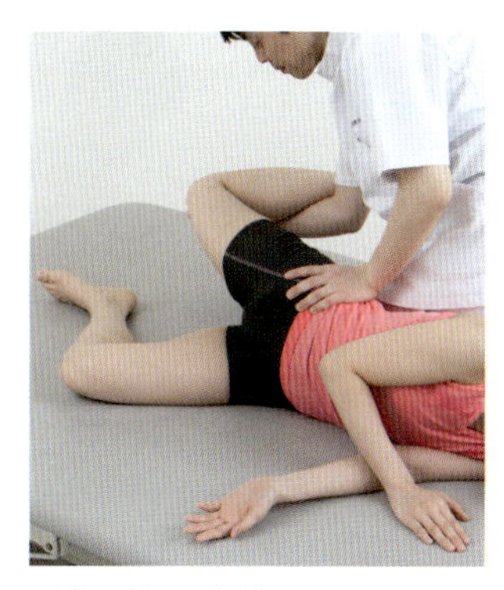

6. 膝関節屈曲位での股関節伸展エクササイズ②
3-6

大腿を把持し，膝関節屈曲位のまま股関節伸展する．骨盤を固定し代償運動を抑制する．

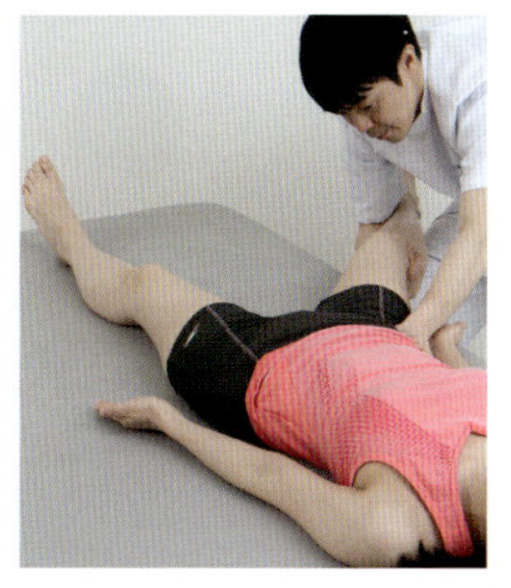

7. 股関節外転エクササイズ
3-7

大腿を把持し，股関節外転する．骨盤を固定し代償運動を抑制する．

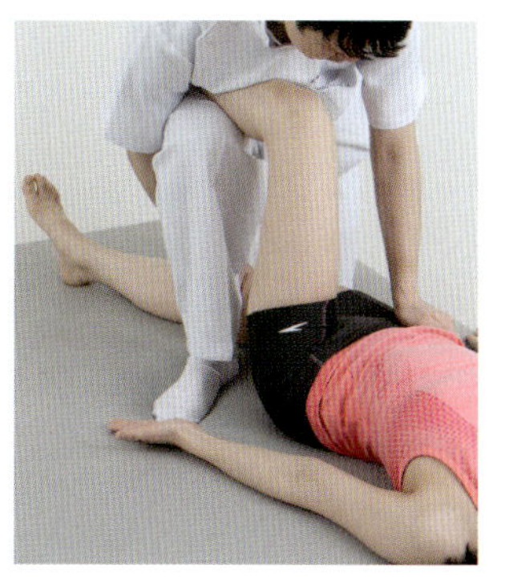

8. 股関節内転エクササイズ
3-8

大腿を把持し，股関節内転する．骨盤を固定し代償運動を抑制する．

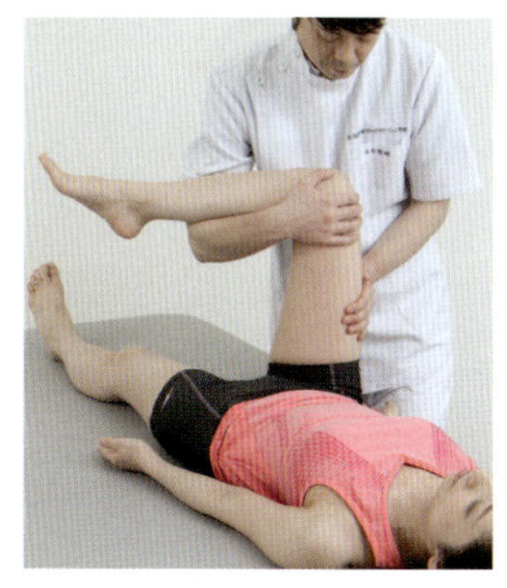

9. 股関節外旋エクササイズ①（股関節・膝関節 90°屈曲位）
3-9

股関節・膝関節 90°屈曲位で，大腿を把持し，股関節外旋する．

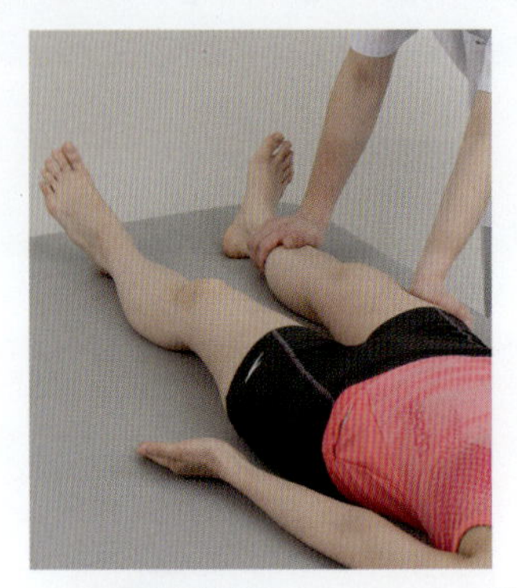

10. 股関節外旋エクササイズ②（股関節屈曲・伸展中間位） 3-10

股関節屈曲・伸展中間で下腿と大腿を把持し，股関節外旋する．

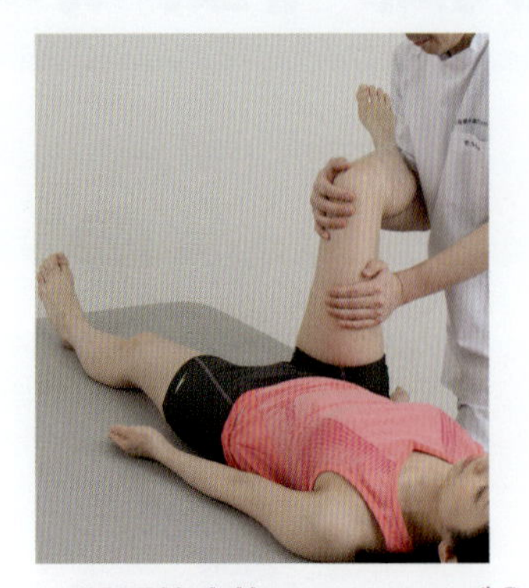

11. 股関節内旋エクササイズ①（股関節・膝関節 90° 屈曲位） 3-11

股関節・膝関節 90° 屈曲位で，大腿を把持し，股関節内旋する．

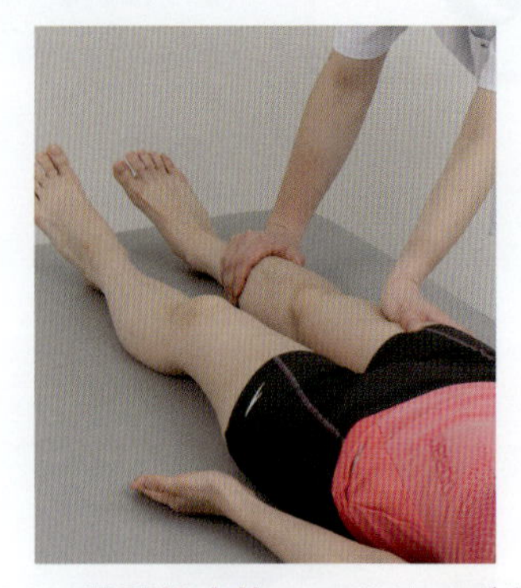

12. 股関節内旋エクササイズ②（股関節屈曲・伸展中間位） 3-12

股関節屈曲・伸展中間で下腿と大腿を把持し，股関節内旋する．

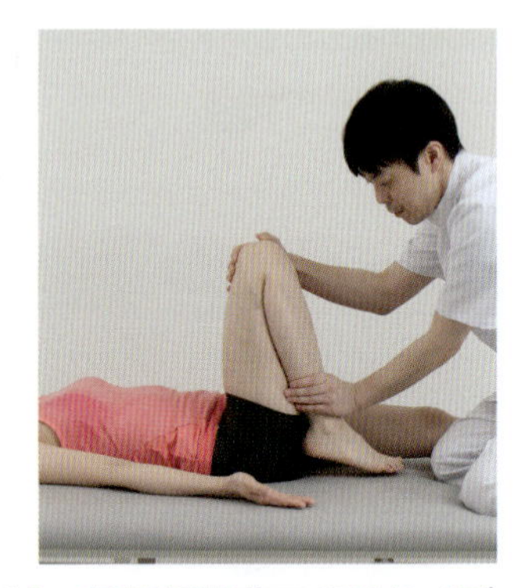

13. 膝関節屈曲エクササイズ（背臥位・腹臥位） 3-13

大腿と下腿を把持し，膝関節屈曲する．

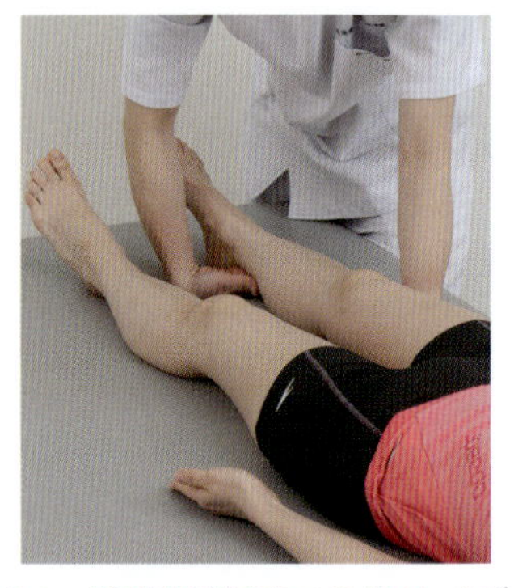

14. 膝関節伸展エクササイズ

大腿と下腿を把持し，膝関節伸展する．

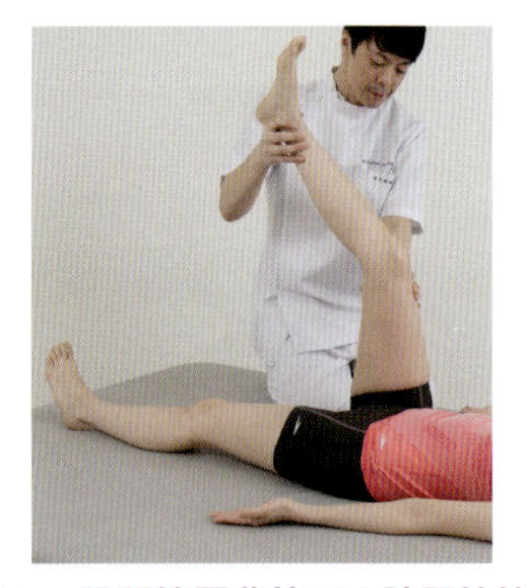

15. 股関節屈曲位での膝関節伸展エクササイズ 3-15

股関節 90° 屈曲位で下腿を把持し，膝関節伸展する．

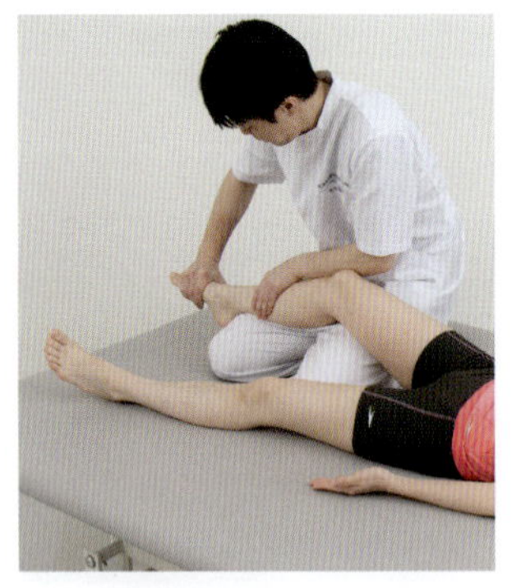

16. 足関節底屈エクササイズ 3-16

下腿を固定，足背部を把持し，足関節底屈する．

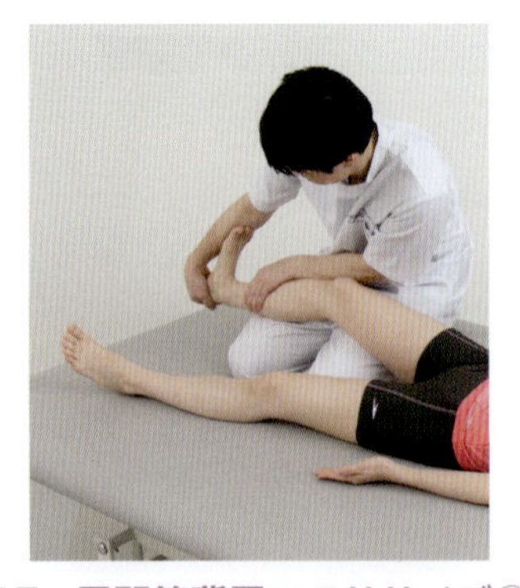

17. 足関節背屈エクササイズ①（膝関節屈曲位） 3-17

下腿を固定，踵骨を把持し，膝関節屈曲位のまま足関節背屈する．

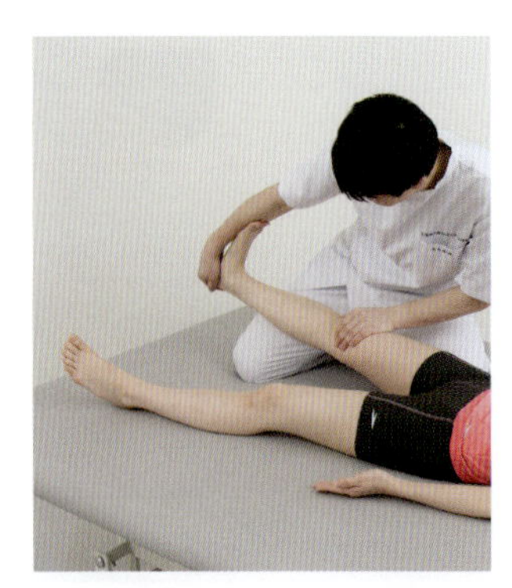

18. 足関節背屈エクササイズ②（膝関節伸展位） 3-18

下腿を固定，踵骨を把持し，膝関節伸展位のまま足関節背屈する．

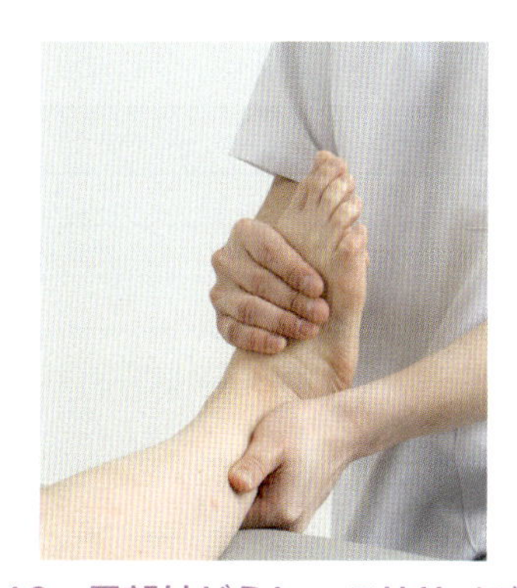

19. 足部外がえしエクササイズ

3-19

足部を把持し，足部外がえしする.

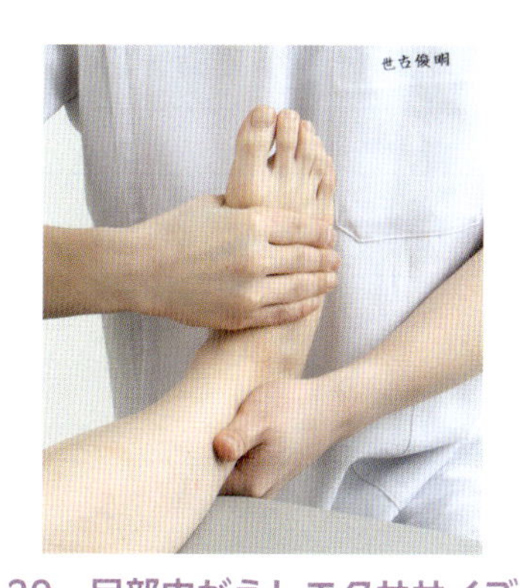

20. 足部内がえしエクササイズ

3-20

足部を把持し，足部内がえしする.

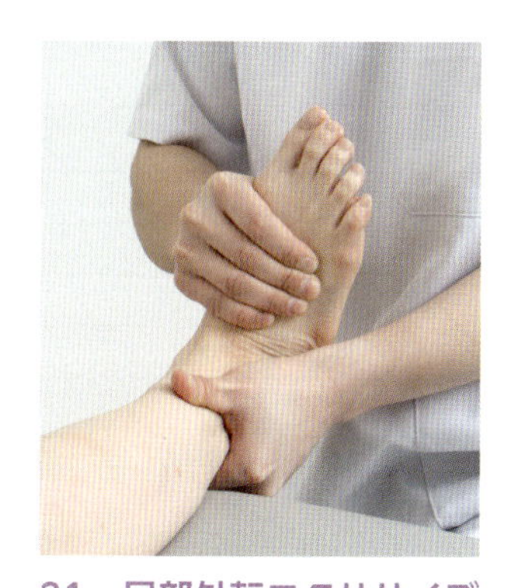

21. 足部外転エクササイズ

3-21

足部を把持し，足部外転する.

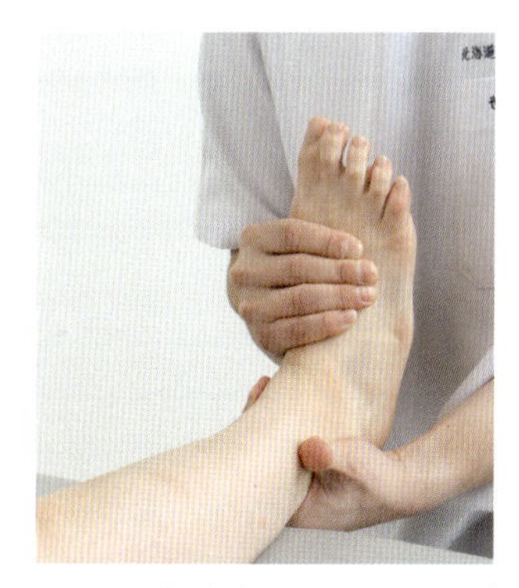

22. 足部内転エクササイズ

3-22

足部を把持し，足部内転する.

#【付　録①】

表１　代償運動一覧

部位名	運動方向	代償運動
頚　部	屈曲	体幹前傾・屈曲
	伸展	体幹後傾・伸展
	側屈	体幹側屈，頚部屈曲・伸展・回旋
	回旋	体幹回旋，頚部屈曲・伸展・側屈
胸腰部（体幹）	屈曲	股関節屈曲
	伸展	股関節伸展
	側屈	体幹伸展・回旋，骨盤挙上
	回旋	肩甲帯屈曲，体幹屈曲
肩甲帯	屈曲	体幹回旋・屈曲
	伸展	体幹回旋・伸展
	挙上	体幹側屈
	下制	体幹側屈
肩関節	屈曲	体幹伸展・側屈，腰椎前弯
	伸展	体幹屈曲・回旋
	外転	体幹側屈，肩甲帯挙上
	内転	体幹側屈・回旋，肩甲帯下制
	外旋（ファーストポジション）	体幹回旋，肩甲帯伸展
	外旋（セカンドポジション）	体幹伸展，胸郭の浮き上がり
	外旋（サードポジション）	肩関節内転，前腕回内
	内旋（ファーストポジション）	体幹回旋，肩関節屈曲・外転，肩甲帯屈曲
	内旋（セカンドポジション）	体幹屈曲，肩関節伸展，肩甲帯屈曲，前腕回外
	内旋（サードポジション）	肩甲帯屈曲，前腕回外
	水平屈曲	体幹回旋
	水平伸展	体幹回旋
肘関節	屈曲	前腕回内
	伸展	肩関節外旋
前　腕	回内	体幹側屈，肩関節外転・内旋
	回外	体幹側屈，肩関節内転・外旋
手関節	伸展（背屈）	手関節橈屈
	屈曲（掌屈）	手関節尺屈
	橈屈	手関節背屈
	尺屈	手関節掌屈
股関節	屈曲	骨盤後傾
	SLR	骨盤後傾，膝関節屈曲
	伸展	骨盤前傾，体幹回旋
	外転	骨盤挙上，股関節外旋
	内転	骨盤下制，股関節外旋・伸展
	外旋	骨盤下制，股関節屈曲・外転
	内旋	骨盤挙上，股関節伸展・内転
膝関節	屈曲	過度な腰椎前弯
足関節・足部	底屈	足部外がえし・内がえし
	背屈	足部外がえし・内がえし
	外がえし	足関節底屈・背屈
	内がえし	足関節底屈・背屈
	外転	股関節外旋，下腿外旋，足関節底屈・背屈
	内転	股関節内旋，下腿内旋，足関節底屈・背屈

【付　録②】

表 2　関節可動域表示ならびに測定法

〈上肢測定〉

（日本整形外科学会・日本リハビリテーション医学会・日本足の外科学会，2022）

部位名	運動方向	参考可動域角度	基本軸	移動軸	測定肢位および注意点	参考図
肩甲帯 shoulder girdle	屈曲 flexion	0〜20	両側の肩峰を結ぶ線	頭頂と肩峰を結ぶ線		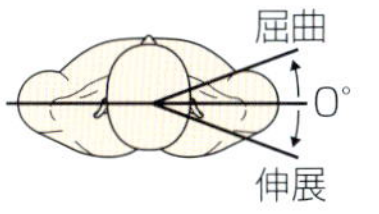
	伸展 extension	0〜20				
	挙上 elevation	0〜20	両側の肩峰を結ぶ線	肩峰と胸骨上縁を結ぶ線	・背面から測定する	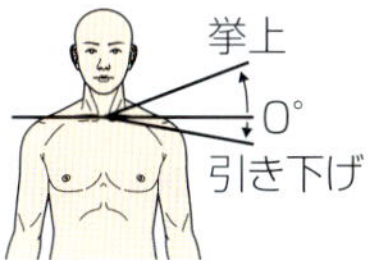
	引き下げ（下制） depression	0〜10				
肩 shoulder （肩甲帯の動きを含む）	屈曲（前方挙上） forward flexion	0〜180	肩峰を通る床への垂直線（立位または座位）	上腕骨	・前腕は中間位とする ・体幹が動かないように固定する ・脊柱が前後屈しないように注意する	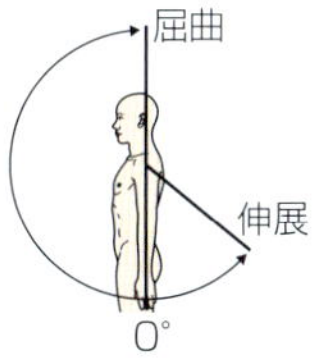
	伸展（後方挙上） backward extension	0〜50				
	外転（側方挙上） abduction	0〜180	肩峰を通る床への垂直線（立位または座位）	上腕骨	・体幹の側屈が起こらないように90°以上になったら前腕を回外することを原則とする →〈その他の検査法〉p. 257 を参照	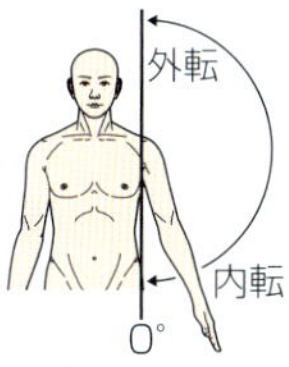
	内転 adduction	0				
	外旋 external rotation	0〜60	肘を通る前額面への垂直線	尺骨	・上腕を体幹に接して，肘関節を前方90°に屈曲した肢位で行う ・前腕は中間位とする →〈その他の検査法〉p. 257 を参照	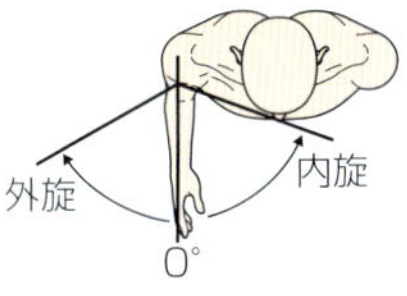
	内旋 internal rotation	0〜80				
	水平屈曲 horizontal flexion （horizontal adduction）	0〜135	肩峰を通る矢状面への垂直線	上腕骨	・肩関節を 90°外転位とする	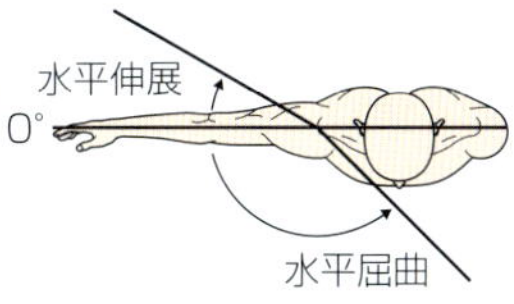
	水平伸展 horizontal extension （horizontal abduction）	0〜30				
肘 elbow	屈曲 flexion	0〜145	上腕骨	橈骨	・前腕は回外位とする	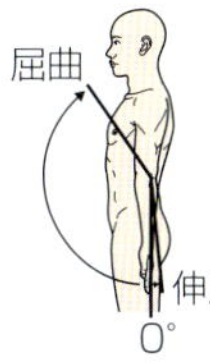
	伸展 extension	0〜5				
前腕 forearm	回内 pronation	0〜90	上腕骨	手指を伸展した手掌面	・肩の回旋が入らないように肘を 90°に屈曲する	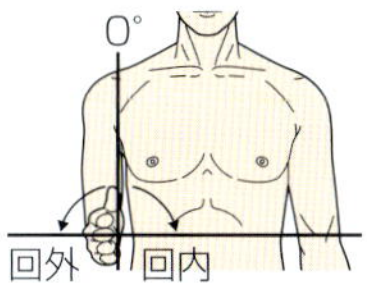
	回外 supination	0〜90				

部位名	運動方向	参考可動域角度	基本軸	移動軸	測定肢位および注意点	参考図
手 wrist	屈曲（掌屈）flexion（palmar flexion）	0～90	橈骨	第 2 中手骨	・前腕は中間位とする	伸展 0° 屈曲
	伸展（背屈）extension（dorsiflexion）	0～70				
	橈屈 radial deviation	0～25	前腕の中央線	第 3 中手骨	・前腕を回内位で行う	0° 橈屈 尺屈
	尺屈 ulnar deviation	0～55				

〈手指測定〉

部位名	運動方向	参考可動域角度	基本軸	移動軸	測定肢位および注意点	参考図
母指 thumb	橈側外転 radial abduction	0～60	示指（橈骨の延長上）	母指	・運動は手掌面とする ・以下の手指の運動は，原則として手指の背側に角度計を当てる	橈側外転 尺側内転 0°
	尺側内転 ulnar adduction	0				
	掌側外転 palmar abduction	0～90			・運動は手掌面に直角な面とする	掌側外転 掌側内転 0°
	掌側内転 palmar adduction	0				
	屈曲（MCP）flexion	0～60	第 1 中手骨	第 1 基節骨		0° 伸展 屈曲
	伸展（MCP）extension	0～10				
	屈曲（IP）flexion	0～80	第 1 基節骨	第 1 末節骨		伸展 0° 屈曲
	伸展（IP）extension	0～10				
指 fingers	屈曲（MCP）flexion	0～90	第 2～5 中手骨	第 2～5 基節骨	→〈その他の検査法〉p. 257 を参照	伸展 0° 屈曲
	伸展（MCP）extension	0～45				
	屈曲（PIP）flexion	0～100	第 2～5 基節骨	第 2～5 中節骨		伸展 0° 屈曲
	伸展（PIP）extension	0				
	屈曲（DIP）flexion	0～80	第 2～5 中節骨	第 2～5 末節骨	・DIP は 10° の過伸展をとりうる	0° 屈曲 伸展
	伸展（DIP）extension	0				

部位名	運動方向	参考可動域角度	基本軸	移動軸	測定肢位および注意点	参考図
指 fingers	外転 abduction		第3中手骨延長線	第2，4，5指軸	・中指の運動は橈側外転，尺側外転とする →〈その他の検査法〉p. 257を参照	
	内転 adduction					

〈下肢測定〉

部位名	運動方向	参考可動域角度	基本軸	移動軸	測定肢位および注意点	参考図
股 hip	屈曲 flexion	0～125	体幹と平行な線	大腿骨（大転子と大腿骨外顆の中心を結ぶ線）	・骨盤と脊柱を十分に固定する ・屈曲は背臥位，膝屈曲位で行う ・伸展は腹臥位，膝伸展位で行う	
	伸展 extension	0～15				
	外転 abduction	0～45	両側の上前腸骨棘を結ぶ線への垂直線	大腿中央線（上前腸骨棘より膝蓋骨中心を結ぶ線）	・背臥位で骨盤を固定する ・下肢は外旋しないようにする ・内転の場合は，反対側の下肢を屈曲挙上してその下を通して内転させる	
	内転 adduction	0～20				
	外旋 external rotation	0～45	膝蓋骨より下ろした垂直線	下腿中央線（膝蓋骨中心より足関節内外果中央を結ぶ線）	・背臥位で，股関節と膝関節を90°屈曲位にして行う ・骨盤の代償を少なくする	
	内旋 internal rotation	0～45				
膝 knee	屈曲 flexion	0～130	大腿骨	腓骨（腓骨頭と外果を結ぶ線）	・屈曲は股関節を屈曲位で行う	
	伸展 extension	0				
足関節・足部 foot and ankle	外転 abduction	0～10	第2中足骨長軸	第2中足骨長軸	・膝関節を屈曲位，足関節を0°で行う	
	内転 adduction	0～20				
	背屈 dorsiflexion	0～20	矢状面における腓骨長軸への垂直線	足底面	・膝関節を屈曲位で行う	
	底屈 plantarflexion	0～45				
	内がえし inversion	0～30	前額面における下腿軸への垂直線	足底面	・膝関節を屈曲位，足関節を0°で行う	
	外がえし eversion	0～20				

部位名	運動方向	参考可動域角度	基本軸	移動軸	測定肢位および注意点	参考図
母指（趾） great toe, big toe	屈曲（MTP） flexion	0～35	第1中足骨	第1基節骨	・母趾と足趾の運動は，原則として趾の背側に角度計をあてる	
	伸展（MTP） extension	0～60				
	屈曲（IP） flexion	0～60	第1基節骨	第1末節骨		
	伸展（IP） extension	0				
足趾 toe, lesser toe	屈曲（MTP） flexion	0～35	第2～5中足骨	第2～5基節骨	・母趾と足趾の運動は，原則として趾の背側に角度計をあてる	
	伸展（MTP） extension	0～40				
	屈曲（PIP） flexion	0～35	第2～5基節骨	第2～5中節骨		
	伸展（PIP） extension	0				
	屈曲（DIP） flexion	0～50	第2～5中節骨	第2～5末節骨		
	伸展（DIP） extension	0				

〈体幹測定〉

部位名	運動方向		参考可動域角度	基本軸	移動軸	測定肢位および注意点	参考図
頸部 cervical spines	屈曲（前屈） flexion		0～60	肩峰を通る床への垂直線	外耳孔と頭頂を結ぶ線	・頭部体幹の側面で行う ・原則として腰掛け座位とする	
	伸展（後屈） extension		0～50				
	回旋 rotation	左回旋	0～60	両側の肩峰を結ぶ線への垂直線	鼻梁と後頭結節を結ぶ線	・腰掛け座位で行う	
		右回旋	0～60				
	側屈 lateral bending	左側屈	0～50	第7頸椎棘突起と第1仙椎の棘突起を結ぶ線	頭頂と第7頸椎棘突起を結ぶ線	・体幹の背面で行う ・腰掛け座位とする	
		右側屈	0～50				
胸腰部 thoracic and lumbar spines	屈曲（前屈） flexion		0～45	仙骨後面	第1胸椎棘突起と第5腰椎棘突起を結ぶ線	・体幹側面より行う ・立位，腰掛け座位または側臥位で行う ・股関節の運動が入らないように行う →〈その他の検査法〉p. 257を参照	
	伸展（後屈） extension		0～30				

部位名	運動方向		参考可動域角度	基本軸	移動軸	測定肢位および注意点	参考図
胸腰部 thoracic and lumbar spines	回旋 rotation	左回旋	0～40	両側の後上腸骨棘を結ぶ線	両側の肩峰を結ぶ線	・座位で骨盤を固定して行う	右回旋 左回旋 0°
		右回旋	0～40				
	側屈 lateral bending	左側屈	0～50	ヤコビー(Jacoby)線の中点に立てた垂直線	第1胸椎棘突起と第5腰椎棘突起を結ぶ線	・体幹の背面で行う ・腰掛け座位または立位で行う	0° 左側屈 右側屈
		右側屈	0～50				

〈その他の検査法〉

部位名	運動方向	参考可動域角度	基本軸	移動軸	測定肢位および注意点	参考図
肩 shoulder（肩甲骨の動きを含む）	外旋 external rotation	0～90	肘を通る前額面への垂直線	尺骨	・前腕は中間位とする ・肩関節は90°外転し，かつ肘関節は90°屈曲した肢位で行う	外旋 0° 内旋
	内旋 internal rotation	0～70				
	内転 adduction	0～75	肩峰を通る床への垂直線	上腕骨	・20°または45°肩関節屈曲位で行う ・立位で行う	内転 0°
母指 thumb	対立 opposition				・母指先端と小指基部（または先端）との距離（cm）で表示する	
指 fingers	外転 abduction		第3中手骨延長線	2，4，5指軸	・中指先端と2，4，5指先端との距離（cm）で表示する	
	内転 adduction					
	屈曲 flexion				・指尖と近位手掌皮線（proximal palmar crease）または遠位手掌皮線（distal palmar crease）との距離（cm）で表示する	
胸腰部 thoracic and lumbar spines	屈曲 flexion				・最大屈曲は，指先と床との間の距離（cm）で表示する	

〈顎関節計測〉

顎関節 temporomandibular joint	・開口位で上顎の正中線で上歯と下歯の先端との間の距離（cm）で表示する ・左右偏位（lateral deviation）は上顎の正中線を軸として下歯列の動きの距離を左右とも cm で表示する ・参考値は上下第 1 切歯列対向縁線間の距離 5.0 cm，左右偏位は 1.0 cm である

【付　録③】

表3　関節可動域測定結果

対象者名：

右	頚　部	参考可動域	左
	屈曲	0～60°	
	伸展	0～50°	
	回旋	0～60°	
	側屈	0～50°	

右	胸腰部（体幹）	参考可動域	左
	屈曲	0～45°	
	伸展	0～30°	
	回旋	0～40°	
	側屈	0～50°	

右	肩甲帯	参考可動域	左
	屈曲	0～20°	
	伸展	0～20°	
	挙上	0～20°	
	下制	0～10°	

右	肩関節	参考可動域	左
	屈曲	0～180°	
	伸展	0～50°	
	外転	0～180°	
	内転	0°	
	外旋	0～60°	
	内旋	0～80°	
	水平屈曲	0～135°	
	水平伸展	0～30°	

右	肘関節	参考可動域	左
	屈曲	0～145°	
	伸展	0～5°	

右	前　腕	参考可動域	左
	回内	0～90°	
	回外	0～90°	

右	手関節	参考可動域	左
	屈曲（掌屈）	0～90°	
	伸展（背屈）	0～70°	
	橈屈	0～25°	
	尺屈	0～55°	

右	股関節	参考可動域	左
	屈曲	0～125°	
	伸展	0～15°	
	外転	0～45°	
	内転	0～20°	
	外旋	0～45°	
	内旋	0～45°	

右	膝関節	参考可動域	左
	屈曲	0～130°	
	伸展	0°	

右	足関節・足部	参考可動域	左
	底屈	0～45°	
	背屈	0～20°	
	外がえし	0～20°	
	内がえし	0～30°	
	外転	0～10°	
	内転	0～20°	

右	手指（母指）	参考可動域	左
	橈側外転	0～60°	
	尺側内転	0°	
	掌側外転	0～90°	
	掌側内転	0°	
	屈曲（MCP）	0～60°	
	伸展（MCP）	0～10°	
	屈曲（IP）	0～80°	
	伸展（IP）	0～10°	

右	手指（指）	参考可動域	左
	屈曲（MCP）	0～90°	
	伸展（MCP）	0～45°	
	屈曲（PIP）	0～100°	
	伸展（PIP）	0°	
	屈曲（DIP）	0～80°	
	伸展（DIP）	0°	
	外転		
	内転		

右	足趾（母指）	参考可動域	左
	屈曲（MTP）	0～35°	
	伸展（MTP）	0～60°	
	屈曲（IP）	0～60°	
	伸展（IP）	0°	

右	足趾（指）	参考可動域	左
	屈曲（MTP）	0～35°	
	伸展（MTP）	0～40°	
	屈曲（PIP）	0～35°	
	伸展（PIP）	0°	
	屈曲（DIP）	0～50°	
	伸展（DIP）	0°	

実施者	

実践リハ評価マニュアルシリーズ
臨床ROM 第2版―測定からエクササイズまで【Web動画付き】

発　　　行　2017年5月26日　第1版第1刷
　　　　　　2022年12月6日　第2版第1刷©

編　　　集　隈元庸夫（くまもとつねお）

発　行　者　濱田亮宏

発　行　所　株式会社ヒューマン・プレス
　　　　　　〒244-0805　横浜市戸塚区川上町167-1
　　　　　　電話 045-410-8792　FAX 045-410-8793
　　　　　　https://www.human-press.jp/

装　　　丁　関原直子

印　刷　所　株式会社アイワード

ISBN 978-4-908933-41-7　C 3047

実践リハ評価マニュアルシリーズ **Web動画付き**

病態動画から学ぶ 臨床整形外科的テスト

的確な検査法に基づく実践と応用

吉田一也　隈元庸夫

病態動画から学ぶ 臨床整形外科的テスト 的確な検査法に基づく実践と応用 吉田一也　隈元庸夫 Web動画付き HUMAN PRESS

Web 動画でいつでもどこでも検査技術・臨床知識が学習できるテキスト！！

臨床現場においてセラピストが運動器疾患の症状や障害部位を特定し、治療指針の決定を目的として行う整形外科的テスト。本書では、教育・臨床の双方で求められる正確で安全な検査方法、その検査結果を適切な治療介入へと導く臨床的思考を容易に習得可能とする。その実現には、以下の５つの要点がある。

①検査方法を分かりやすく動画と写真で解説し、リハ・柔整の国試対策にも対応。
②検査時における要点と配慮すべき注意事項を平易に説明。
③陽性時に考えられる疾患を具体的に提示。
④「犯人（問題）を突き詰めて解決（治療）する」推理小説を読むように実用例を紹介。
⑤よく遭遇する症例から稀な症例まで多数の動画でリアル体験が可能。

豊富な臨床・教育経験に裏打ちされた実践的な知識と高度な技術を培う秀逸な一冊である。

■ B5 判　364 頁　2色　定価（本体 4,800 円＋税）　2021 年 1 月　■ISBN 978-4-908933-29-5

目　次

〒244-0805 神奈川県横浜市戸塚区川上町 167-1
TEL：045-410-8792　FAX：045-410-8793
ホームページ：https://www.human-press.jp/